# 仕事に効く
# 教養としての「世界史」

出口治明

祥伝社文庫

# はじめに　なぜ歴史を学ぶのか

## ■ヘロドトスとキッシンジャーの言葉

僕は、歴史を学ぶ意味は、ヘロドトスの『歴史』の冒頭の数行に尽きているような気がしています。

「本書はハリカルナッソス出身のヘロドトスが、人間界の出来事が時の移ろうとともに忘れ去られ、ギリシア人や異邦人《バルバロイ》の果した偉大な驚嘆すべき事蹟の数々――とりわけて両者がいかなる原因から戦いを交えるに至ったかの事情――も、やがて世の人に知られなくな

るのを恐れて、自ら研究調査したところを書き述べたものである」（『歴史　上』ヘロドトス著、松平千秋訳、岩波文庫）

ヘロドトスは古代ギリシャの歴史家です。ハリカルナッソス（現在のトルコのボドルム）の出身で、生涯にギリシャから、北は黒海北岸、南はエジプト南端、東はメソポタミアのバビロンに至るまで大旅行を行ないました。そこから得た広い見聞をちりばめながら、この本を書きました。書名はギリシャ語では「ヒストリアイ」です。この言葉はもともと「探究」という意味です。

ヘロドトスの冒頭の言葉を、意訳すると、次のようになると思います。

「人間は性懲《しょうこ》りもなく阿呆なことばかりやっている。いつも同じ失敗を繰り返している。だから、自分が世界中を回って見聞きしたことを、ここに書き留めておくから、これを読んで君たちは、阿呆なことを繰り返さないように、ちゃんと勉強しなさいよ」

すなわちヘロドトスは「先人に学べ、そして歴史を自分の武器とせよ」と、いいたかったのだと思います。そしてそれは僕の思いでもあります。

三〇代の頃でした。元米国国務長官ヘンリー・キッシンジャーと10人ぐらいで食事をしたときに、僕は末席にいたのですが、その席でキッシンジャーがワインのグラスを手に取って次のように話したのです。

「人間はワインと同じだ」

「どんな人も自分の生まれた場所を大事に思っているし、故郷をいいところだと思っている。そして自分のご先祖のことを、本当のところはわからないけれど、立派な人であってほしいと願っている。人間も、このワインと同じで生まれ育った地域（クリマ）の気候や歴史の産物なんだ。これが人間の本性なんだ。だから、若い皆さんは地理と歴史を勉強しなさい。世界の人が住んでいる土地と彼らのご先祖について、ちゃんと勉強しなさい。勉強したうえで、自分の足で歩いて回って人々と触れ合って、初めて世界の人のことがよくわかる。特に僕のような外交官にとっては地理と歴史は不可欠だ」

その言葉に深く共感したことを記憶しています。彼の言葉もやはり、歴史を学ぶことの大切さを語っていると思います。

## ▶歴史を学ぶことは、楽しいことであり仕事にも効く

昔、中国に商《しょう》という国があって、日本では殷《いん》と呼んでいますが、この国では戦争をするときや、王朝にとって重大な決断を迫られたときには、亀の甲羅《こうら》や牛の肩胛骨《けんこうこつ》を焼いて、その割れ目に現われた形を見て、神のお告げを知り意思決定を行なっていたそうです。ところが昔から、この点については素朴《そぼく》な疑問があった。

「戦わなければ敵に攻められるのがわかっているので、戦争の準備をして、武運を祈って亀の甲羅を焼いたら、変な割れ目が出てしまった。そんなときは、どうしていたのだろうか。戦争を止《や》めたのか。それとも本当はお告げを信じなかったのだろうか」

このあたりのことは文献だけでは解明できませんでした。甲骨を、科学的に分析することによって、次のことがわかってきた。亀の甲羅を焼く前に、食事の下ごしらえをするように、プロが甲羅の下ごしらえをしていたのです。削ったり、少し割れ目を入れておいたり、望んだ結果の割れ目が出るようにしてあった。人間の手が加えてあることが、解明されたのです。

しかし、古代中国の王様が家臣に対しておごそかに占ってみせた亀の甲羅の割れ目に、

じつはあらかじめ下ごしらえがしてあったとは。人間の考えることは時代が変わっても同じだなぁと思います。そんなことが学べるのも、歴史の楽しい発見の一つかもしれません。

このように歴史は文科系の学問ではなく総合科学なのです。もっとも文科系、理科系の区別があるのは、日本ぐらいのものですが。

一部の人は、よく民族の数だけ歴史があるといったりしますが、その考え方は間違っています。歴史の正しい姿（過去の出来事）はやはり一つなので、丁寧に文献を読み、いろいろな自然科学の手法を駆使することによって、たとえば土器や花粉や地層を調べたりして、いろいろなことがわかってきて、より正しい姿に近づくことができる。それが歴史なのだという気がします。

昔話になりますが、仕事でワルシャワに行ったことがあります。大した会議ではなかったので、ご飯を食べて帰ろうと思っていたら、突然一言挨拶《あいさつ》してくれといわれました。まったく準備をしていなくて、焦《あせ》ったのですが、あることを思い出して、

「初めてワルシャワに来ましたが、人魚がつくった街に来ることができて、大変うれし

い」

と、話しました。

すると皆さんがとても喜んでくれて、食後に人魚の像まで連れていってくれたのです。日本人は何人も来たけれど、ワルシャワは人魚がつくった町だということを話したのは、おまえが初めてだ、と。

昔、一人の漁師が、ヴィスワ川というワルシャワを流れる川で、釣りをしていました。そうしたら人魚がかかったのです。太っておいしそうだったので、食べようかと思っていると、人魚がいいました。

「私を逃がしてくれたら、あなたの住んでいるこの川のほとりの町を、永遠に栄《さか》える大きい町にしてあげましょう」

これがワルシャワのスタートだという伝承があったのを、あの会場で、ふと思い出したのでした。

そういう意味で、いろいろな歴史を知っていると、人々とコミュニケーションをとるときの最初のバーが低くなる。だからビジネスをしている人にとっても、歴史は役に立つのです。つまり、仕事に効くのです。これがこの本を書いた理由です。

　僕は大学などで歴史を学んだこともなく、歴史が好きなアマチュアの一市民にすぎません。

　ここに書いたことは、この半世紀の間に、人の話を聴き本を読み旅をして、自分で咀《そ》嚼《しゃく》して腹落ちしたことがすべてです。勘違いや誤解が多々あると思います。読者の皆さんのご叱正《しっせい》をいただければ、これに過ぐる喜びはありません。

（連絡先）hal.deguchi.d@gmail.com

APU学長　出口治明《でぐちはるあき》

# 目次

仕事に効く 教養としての「世界史」

はじめに　なぜ歴史を学ぶのか——3

## 第1章 世界史から日本史だけを切り出せるだろうか
——ペリーが日本に来た本当の目的は何だろうか？

いま求められている日本史の知識について——18
奈良時代の女帝たちは「男性の中継ぎ」だったのか——19
ポルトガル船が漂着したから、種子島《たねがしま》に鉄砲が伝来したのか——28
ペリーが日本にやって来た、本当の目的は何だったのか——32
交易が、歴史の重要なキーワードである——37

## 第2章 歴史は、なぜ中国で発達したのか
——始皇帝《しこうてい》が完成させた文書《ぶんしょ》行政、孟子《もうし》の革命思想

文字が残る決め手は筆写材料にあった——42
始皇帝が完成させた文書行政が、歴史の発達を促進させた——45
孟子の革命思想が、中国の歴史をさらに発達させた——51
中国の神話に大洪水が出てくるのはなぜか——57
歴史がきちんと残るのなら自分の名前を後世に残したい——59
科挙《かきょ》という制度は、紙と印刷の存在で可能になった——61
コラム 帰って来る中国人留学生——65

## 第3章 神は、なぜ生まれたのか。なぜ宗教はできたのか
### ――キリスト教と仏教はいかにして誕生したのか


本章でお話ししたいこと――68
ドメスティケーションの最後が、神の誕生だった――69
最後の審判という概念はどのようにして生まれたか――75
直線の時間と、ぐるぐる回る時間がある――80
善悪二元論が、生まれてきた理由――85
キリスト教と仏教はいかにして生まれてきたのか――88
1 キリスト教の誕生 それはユダヤ教の宗教改革として始まった――88
2 仏教の誕生と発展は、新興ブルジョアジーに支持されたからである――94
3 パウロの後、キリスト教は、どのような人たちに広まったか――99
ゾロアスター教の永遠の火――102


## 第4章 中国を理解する四つの鍵
### ――難解で大きな隣国を誤解なく知るために


一つめの鍵は中華思想にある――106
二つめの鍵は諸子百家《しょしひゃっか》にある――112
三つめの鍵は、遊牧民と農耕民の対立と吸収の歴史――121
最後の鍵は、始皇帝のグランドデザインにある――136
コラム ロシアで一番白い人?――140

# 第5章

## キリスト教とローマ教会、ローマ教皇について
### ——その成り立ちと特徴を考えるとヨーロッパが見えてくる


本章を設けた理由 144

「カトリック」とは何を意味する言葉なのか 145

キリスト教が、ローマ帝国の国教になるまで 148

1 ローマ帝国の衰退とキリスト教の伸長 148

2 信教自由令と公会議 151

3 コンスタンティノープルへの遷都 152

4 キリスト教が国教となる 153

ローマ教会の、悪戦苦闘が始まる 157

1 衰退するローマとクローヴィスの建国 157

2 偶像崇拝禁止令 159

3 ローマ教会の自立 163

せめぎあいが続くドイツ王とローマ教皇 164

叙任権闘争と贖宥状《しょくゆうじょう》、聖年、宗教改革 173

1 叙任権闘争と贖宥状 173

2 聖年 176

3 宗教改革と新大陸作戦 178

ローマ教会の持っている三つの大きな特徴 181

1 キリスト教の、ワンオブゼムである 181

2 領土を持ってしまった教会である 185
3 豊かな資金と情報を持っている 187
コラム 「神聖ローマ帝国」とは何か 191

## 第6章 ドイツ、フランス、イングランド
### ——三国は一緒に考えるとよくわかる

知っているようで知らない国々 194
三つの主要国は、どのようにしてできたのか 195
最初は強大だったドイツが、だんだん細分化されていくのはなぜか 202
フランスと英国の成り立ちは一緒に考えると、わかりやすい 211
英国に議会の伝統が生まれた理由 219
百年戦争が英国とフランスをはっきり別の国にした 222
ヴァイキングの人たちはもとは商人であった 227
コラム 刑事コロンブス? 232

## 第7章 交易の重要性
### ——地中海、ロンドン、ハンザ同盟、天才クビライ

生態系と交易との関係 236
交易の道は、東から西へ 240

地中海の交易ルートを巡って栄えた都市、衰亡した都市 243
ロンドンが海上交易の中心になっていく理由 249
ハンザ同盟の技術革新、発展と盛衰 253
東の交易圏 256
1 天才クビライが考えた銀の大循環 256
2 グローバリゼーションへの不満、朱元璋《しゅげんしょう》という男 261
3 東方交易の最後の輝き、鄭和《ていわ》艦隊の大遠征 266
ユーラシアの交易とシルクロード 273
コラム モンゴル、ペスト、新大陸 277

## 第8章

## 中央ユーラシアを駆け抜けたトゥルクマーン
### ——ヨーロッパが生まれる前の大活劇

もう一つの遊牧民がいた 280
ユーラシアの大草原に生まれた史上最強の遊牧民の話 281
トゥルクマーンとマムルーク 283
トゥルクマーンがつくった大王朝、セルジューク朝 286
トゥルクマーンの武力とペルシャ人官僚の組み合わせがインドに大帝国をつくった 291
騎馬軍団の前に歩兵と鉄砲が現れた 298
ヨーロッパという概念は遊牧民の進出が止まって誕生した 304

## 第9章 アメリカとフランスの特異性
### ——人工国家と保守と革新

初めに、日本人のアメリカ観について 310
人間の当たり前の心情を断ち切って生まれた国がある 311
アメリカを応援して影響を受けたフランス 315
人工国家に対する反動として近代的保守主義が生まれた 321
人工国家だから、思いがけないことが起きる 324
特にアメリカの特異性について 329
1 大統領が尊敬される理由 329
2 やり直しの舞台を提供できる広大な大地があった 330
3 西部の保安官から世界の保安官へ 334

## 第10章 アヘン戦争
### ——東洋の没落と西洋の勃興の分水嶺《ぶんすいれい》

英国がインドに抱いた野望 342
英国はインドにアヘンをつくらせて中国に密輸した 348
アヘン戦争の始まりと終わり 351
1 林則徐《りんそくじょ》の登場と退場 351
2 林則徐と明治維新の意外な関係 354

たとえばアヘン戦争をGDPの変化で眺めてみる 355
アヘン戦争から、歴史は西洋史観中心になってしまった 357
1 愛国心という意識はどこから生まれてきたか 357
2 歴史は勝者が書き残す――19世紀に西洋史観が確立した 360

# 終章

## 世界史の視点から日本を眺めてみよう

国と国家について 368
国も人もピークがあり寿命がある 369
なぜ、戦後の高度成長は生まれたのか 372
週に一度でもいいから英字紙を読む 374
日本の社会常識を、世界史の視点で考え直してみる 377

おわりに 380
出口さんの歴史への深い造詣――小野田隆雄 384
参考文献 385
索引 402

カバーデザイン・渡邊民人（TYPEFACE）　本文デザイン・谷関笑子（TYPEFACE）　写真・アマナイメージズ

第1章

# 世界史から日本史だけを切り出せるだろうか

ペリーが日本に来た
本当の目的は何だろうか?

## ■いま求められている日本史の知識について

日本のビジネスパーソンに、いま何を勉強したいかと聞くと、一番が日本史、二番が世界史という回答が多いという記事が、「日本経済新聞」に出ていたことがありました。

ベルリンの壁が崩壊し、ソ連という強大な社会主義国家が消滅することで始まった今日のグローバル社会では、IT革命の影響も多分にあって、各国間の国境の壁はずいぶんと低くなりました。それにともなって、ビジネスの世界がグローバルになったということは、とりもなおさず世界各国のそれぞれのアイデンティティーが問われることにもつながります。それは世界市場で働くビジネスパーソンに対して、直接に跳ね返ってくる現実でもあります。

ビジネスパーソンたちが、世界のあちらこちらで、日本の文化や歴史について問われたり、時の政府の行動や見解について問われることは、日常的になってきました。そのために、一番勉強したいのが日本史になったのでしょう。

その場合に求められる日本史の知識は、歴史年表的な事実や文化遺産などのことだけではありません。この国が歩いてきた道、または歩かざるを得なかった道について大枠で把握することが、相手が理解し納得してくれるためには必要です。

しかし、日本が歩いてきた道や今日の日本について骨太に把握する鍵は、どこにあるかといえば、世界史の中にあります。四季と水に恵まれた日本列島で、人々は孤立して生きてきたわけではありません。世界の影響を受けながら、今日まで日本の歴史をつくってきたのです。

世界史の中で日本を見る、そのことは関係する他国のことも同時に見ることになります。国と国との関係から生じてくるダイナミズムを通して、日本を見ることになるので、歴史がより具体的にわかってくるし、相手の国の事情もわかってくると思うのです。すなわち、極論すれば、世界史から独立した日本史はあるのかと思うのです。そのことを、いくつかの例から、お話ししたいと思います。

## ▶奈良時代の女帝たちは「男性の中継ぎ」だったのか

日本の奈良時代、7世紀末の持統《じとう》天皇に始まって、元明《げんめい》天皇、元正《げんしょう》天皇、孝謙《こうけん》天皇、称徳《しょうとく》天皇と、最後の二人は同一人物ですが、ごく短い間に多くの女帝が誕生しました（23ページに系図）。このことについて中学時代に、「中継ぎで女性が立った」と教えられた記憶があります。持統天皇の息子で若くして病死した草壁皇子《くさかべのみこ》とか、その子どもである文武《もんむ》天皇とか、そのまた子どもである聖武《しょうむ》天皇が、そろって病弱であったり幼かったので、やむを得ず中継ぎで女性が天皇になったのだと。しかし、僕はちょっと違うのではないかと思っているのです。

この時代、日本にとって世界とは朝鮮半島と中国のことでした。この二つの地域の情報を、日本は一所懸命集めていました。

時代を少し遡《さかのぼ》ると、朝鮮半島はいくつかの小国が争っていた状態から、高句麗《こうくり》、新羅《しら》、百済《くだら》の三国に収斂《しゅうれん》されつつありました。ただ、半島の最南端付近は、そこは加羅《から》（伽耶《かや》）と呼ばれる地方でしたが、そこにはまだ小国家群が存在していました。

中国はどうかといえば、華北には俗に五胡十六国《ごこじゅうろっこく》といわれる遊牧民の国家群があり、華南には漢《かん》民族の国がありました。この二つの勢力が南北に分かれて、長い間争乱を続けていました。しかし、気候の温暖化もあって、しだいに統一の気運が芽生えてきたのです。

その当時の日本（倭《わ》と呼ばれていました）は、どのような国であったのでしょうか。歴史的に残されている記録が、軍事的な事件が多いことを考えると、少なくともユダヤ人のように交易や商売で生計を立てていたとは思えません。

　これは、たいへん粗っぽい議論で、まだ確証はありませんが、当時の倭は、中世のスイスのような一種の傭兵《ようへい》国家であったのではないか。

　スイスの場合は、深い山国で貧しく、けれどみんな腕っぷしが強かったので、国をあげて傭兵となり、パンを得ていました。その名残《なごり》が、今日でもヴァチカンの法皇庁の警備を担《にな》っているスイスの兵士です。

　倭は後進国でした。朝鮮半島や中国が分裂状態で、各々《おのおの》助っ人を求めていました。傭兵のニーズが高い。特に九州に近い百済からのリクルートは強かったと思います。倭は要請に応じました。そうすると、絶え間ない傭兵出撃に備えて、朝鮮半島に傭兵たちの駐屯集落があっても不思議ではありません。それが、『日本書紀』にいう任那《みまな》

の日本府であったのかもしれません。

しかし、一方で次のような推論も可能だと思います。西漢《せいかん》(前漢《ぜんかん》)の正史『漢書《かんじょ》』に登場する倭なる国が、現在の日本だけを指しているとはいいきれないと思うのです。倭という国は、朝鮮半島の一部と九州北部が合わさった国であったのかもしれないのです。

古代ギリシャは、いまのアテネを中心としたギリシャとトルコのエーゲ海沿いの地方が合わさって一つの国を成していたのです。トルコ側には、エフェソス、ミレトスなどの大都市があり、有名な学者なども多くはトルコ側で生まれています(イオニア派)。たとえば、ヘロドトスもトルコ側の生まれです。それに倣《なら》えば、倭という歴史上に登場する国も、ひょっとしたら朝鮮半島と九州北部に軸足を持つ一つの国だったのかもしれません。現在の国境とは関係のない、そういう形の国家だったのではないか、と考えることも可能だと思います。

ところで傭兵政策は、一般に、強大な統一国家が成立したら破綻《はたん》します。小さい国が争っているからこそ傭兵の価値があるわけで、統一国家が成立したら傭兵のニーズはなくなります。朝鮮半島が新羅によって、中国が隋《ずい》と唐《とう》によって統一されたことは大事件でした。

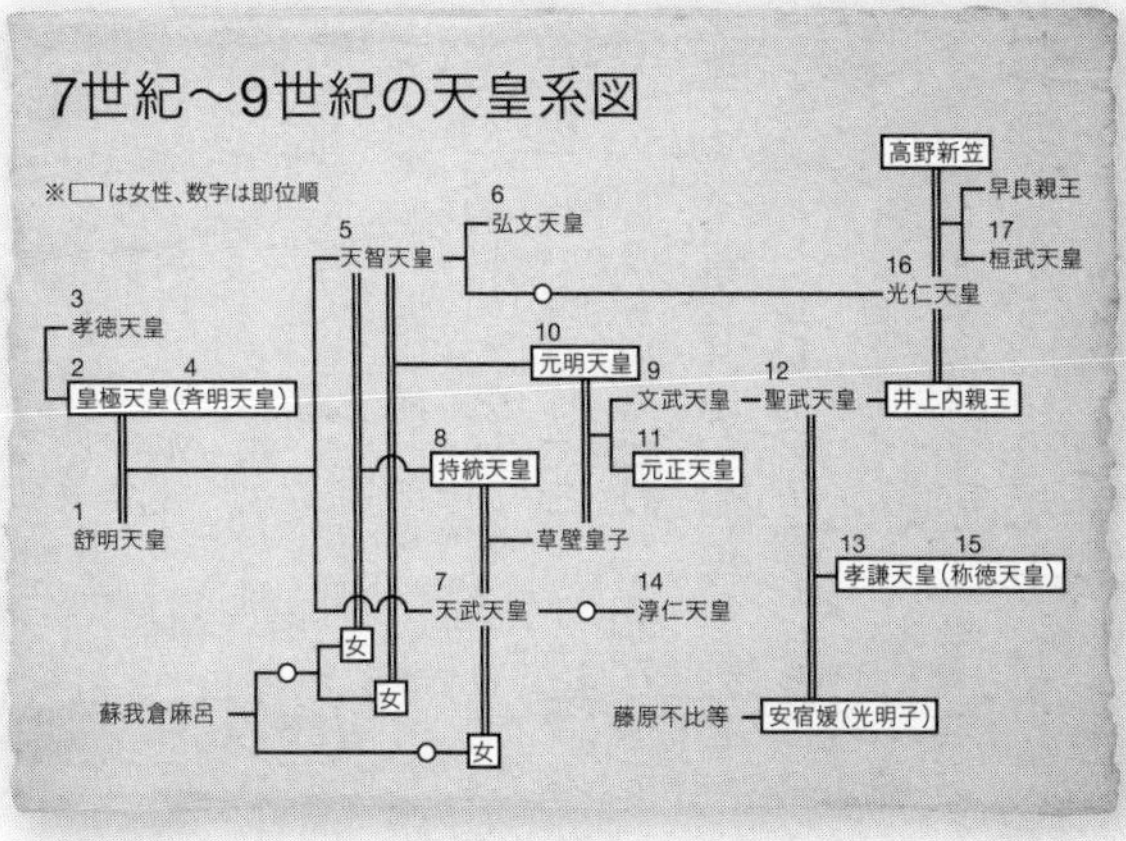

7世紀～9世紀の天皇系図

隋、唐は、五胡十六国の中から生まれた国家です。鮮卑《せんぴ》という遊牧民の中の拓跋部《たくばつぶ》という有力な部族が最終的に権力を握って樹立した国家です。ローマ帝国に侵入した諸部族の中で、最後にフランク族が残ったのとよく似ています。拓跋部が中国に隋と唐という大帝国をつくった。大帝国ができたら傭兵国家の戦略は破綻する。それを象徴したのがおそらく白村江《はくすきのえ》の戦いでした。百済の助っ人としてやって来た倭軍が、朝鮮半島南西部の錦江《きんこう》河口の白村江で唐・新羅の連合軍に敗れたのです。

これは、僕が、縁あって東京大学の総長室アドバイザーの仕事をしているときに、目から鱗《うろこ》が落ちたのですが、駒場《こまば》のキャンパスで、白鳳《はくほう》時代から奈良時代の衣装展という展示会が開かれていました。見てびっくりしたのは、貴族たちが胡服《こふく》、乗馬服を着て、椅子《いす》と机で生活をしている。要するに、当時は拓跋国家を真似た鹿鳴館《ろくめいかん》政策を採っていたのです。

白村江で負けた日本には、唐から郭務悰《かくむそう》という将軍が来た。まあ、マッカーサーのようなものでしょうね。敗戦処理をしなければいけない中で、衣装展の説明にあったように、唐や新羅を強く意識して馬鹿にされないように拓跋部に合わせた乗馬服と机と椅子で応対したのです。鹿鳴館そのものです。舞踏会をやらないと欧米に馬鹿にされる。

それで駒場の衣装展の続きを見ていくとどうだったか。

時が流れて唐が怖くなくなると、わが国の貴族たちは考えはじめました。

「どうやら唐も衰え始めたようだから、もう怖くない。湿度の高い日本で、ぴちぴちの乗馬服を着て机と椅子の生活はしんどい。もう脱いでもええやろ」

と、ゆったりした服を着て、畳に座って、リラックスしていった。それを国風《こくふう》文化と呼んでいる。

この衣装展には本当にびっくりしたのですが、天智《てんじ》天皇、天武《てんむ》天皇以降の白鳳時代や奈良時代は、そういう文脈でとらえるべき時代だと思うのです。『古事記』や『日本書紀』も、俺たちはちゃんとした歴史のある立派な国なんだと唐に読んでもらうために書いたものだろうと思います。馬鹿にされたくない、対等なんだということを主張したかった。

そういう時代背景の中で、日本は拓跋国家のことを必死で調べたと思います。遣唐使も当時は前の遣唐使が帰ってこないのに次を送っているのです。いかに情報が欲しかったか、です。でも大陸の情報は商売人からも入ってきます。別に遣唐使でなくても、いろいろな情報は入ってくるわけで、奈良の都に住んでいた人の6割から7割は外国人とその子孫だったという説もある。新羅、百済や唐はもちろんのこと、南方や西方から来た人とか、そういえば、ペルシャ人もいたという松本清張《まつもとせいちょう》の小説もありました。東大寺《とうだいじ》の大仏の開眼法要《かいげんほうよう》の導師をつとめたお坊さんは、インド人でした。そういうオープンな時代ですから情報はたくさん入って来る。

ところで、その頃、唐を支配していたのは誰かといえば武則天《ぶそくてん》(則天武后《そくてんぶこう》)です。アメリカをヒラリー・クリントンが大統領になって50年ほど取り仕切っているようなものです。武則天は690年に自ら皇帝になりますが、660年に、天皇《てんこう》、天后《てんこう》という称号をつくり出して二聖政治を始め、事実上唐を取り仕切っていました。

それまでの中国では、一番偉い人は皇帝であって、皇后はその正妃にすぎません。皇帝とは始皇帝《しこうてい》がつくった称号ですから、たいへんバリューがあります。唐は西暦600年頃から始まりますが、中国はおおよそBC200年から約800年間も秦《しん》の始皇帝が構築したグランドデザイン（基本構想）で治められてきたわけですから、皇帝という称号にはいわば約800年の権威があります。しかし、皇后という称号は始皇帝がつくったわけではないので、屁《へ》の河童《かっぱ》みたいなものです。100対1くらいの重みしかない。始皇帝の皇后は名も知られていない。

そこで武則天は何を考えたか。

「夫の高宗《こうそう》（当時の唐の三代皇帝）は意志薄弱で統治ができないから、私が旦那を動かして政治を行なっているけれど、皇后のままではなんとも歯がゆい。この際、皇帝という称号をやめてしまおう」

武則天という人は天才で、皇帝という称号を捨ててしまう。そして、天皇と天后という称号を新たにつくり出す。天《てん》はどちらにも共通です。天とは、周以降の中国では空にいる神様のことです。こうして武則天は自らを権威づけて、彼女の考える政治を果断に実行した。

武則天が君臨する直前に、新羅でも二代続けて女性の君主が生まれています。善徳《ぜんとく》女王と真徳《しんとく》女王の二人で、7世紀半ばのことでした。隋や唐の母体となった拓跋部は、いわば男女同権的な民族だったので、女性でも頑張った人が数多くいます。たとえば北魏《ほくぎ》には、均田制などの諸改革を断行した馮太后《ふうたいこう》という人がいました。数々の改革で名を残した六代皇帝孝文《こうぶん》帝の養祖母でしたが（母子説もあります）、実際の政治を仕切っていたのは馮太后でした。

武則天と持統天皇（讃良《さらら》というのが本名です）の活躍した時代はほぼ重なります。要するに讃良には、世界帝国を女性が取り仕切っているというロールモデルがあったわけです。

有能な讃良が何を考えたかといえば、中国では私と同じ女性が天后として政治を取り仕切っている。朝鮮半島でもちょっと前に女性の君主がいた。なぜこの国を私が仕切ってはいけないのだろうと、考えたと思うのです。人間はロールモデルに倣《なら》います。讃良は「日本という国号、天皇という称号、律令《りつりょう》という体制、藤原京《ふじわらきょう》という都、机と椅子、乗馬服、日本書（紀）」というワンセットの鹿鳴館政策を完成させます。藤原不比等《ふひと》の手を借りて。アマテラスのモデルは讃良であったと見て、ほぼ間違いはないでしょう。

ここで話を最初に戻すと、もし日本史だけを勉強していたら、武則天のことや新羅の二人の女王のことは学ばない。日本史だけを見て、「この時代は女帝が多いな、男の子が病弱だったのかな」ということになって、そこで思考が止まります。けれども、そうではなくて、奈良時代に女性があのように頑張れたのは、周辺世界にロールモデルがあったからだと僕は思うのです。いったん讃良が道を開けば、安宿媛《あすかべひめ》（光明子《こうみょうし》）を含めて、後に続くことは容易だったに違いありません。ちなみに、ここでは詳述は避けますが、日本のスタートアップにかかわるキーパーソンは、讃良、藤原不比等、光明子の3人だったと僕は思っています。そうすると世界史から日本史だけを切り出せるのだろうか、という考え方が生じてきます。

## ■ポルトガル船が漂着したから、種子島《たねがしま》に鉄砲が伝来したのか

鉄砲は、1543年に、種子島に漂着したポルトガル人が伝えたといわれています。

しかしいまは研究が進んで、倭寇《わこう》の親分でもあり、博多《はかた》商人とも親交のあった王直《おうちょく》という中国人の船に、ポルトガル人が乗って種子島にやって来た、ということが明らかになっています。そのあたりのことを考えていきたいと思います（なお、倭寇とは13世紀から16世紀にかけて朝鮮半島や中国沿岸に出没した海の民に対する総称でした。必ずしも日本

人を指してはいません。倭寇は前期と後期に分かれます。海賊に近い前期と海民の共和国ともいうべき後期とではかなり性格が異なります）。

16世紀当時の後期倭寇は海賊ではなくむしろ海上国家と呼ばれるべき存在でした。14世紀半ばに中国の王朝となった明《みん》は、海外との自由貿易を禁止します。それ以前の宋《そう》やモンゴルは、盛んに交易をやっていた国なので、海で生きる民がたくさんいた。ところが明は、交易は朝貢《ちょうこう》しか認めない。交易したい国は、臣下の立場に立って貢《みつ》ぎ物を献上し、それに対してお誉めの言葉とともに品物が贈られる交易の形式です。具体的には朝貢を約束した国の貿易船に割符《わりふ》の半分を与える。それを持ってきて、こちらの半分と合えば交易を認める、というもので、この割符を勘合《かんごう》といったので、俗に勘合貿易と呼ばれました。

勘合貿易は面倒でしたが、臣下の立場になるわけですから、もらえる贈り物は多くなる。ボロ儲《もう》けはできますが、いく

**五島列島に残る王直の活躍**

福江にある明人堂《みんじんどう》。倭寇の王直が建てた航海安全を祈る廟堂の跡にある

©HIROYUKI YAMAGUCHI/SEBUN PHOTO/amanaimages

ら裏取引で勘合を粗製濫造しても、そんなに多くは出せません。そうすると、いままで自由に海で生きてきた民は、陸へ上がって百姓になるか、海賊になるしか道がなくなります。どちらを選ぶかは明らかです。海で生きてきた民は、そう簡単には陸には上がれない。海に生きる道を求める。

そう考えると、後期倭寇の実体は、中国や朝鮮半島、日本の海に生きる民の連合共和国だったという気がします。台湾とか五島《ごとう》列島とか、権力の及ばない島を根城《ねじろ》にして海で暮らしていた人々が自由な共和国をつくっていた。僕は後期倭寇のことを、海上国家とか海上共和国とか呼んだりしています。

この後期倭寇には、きっと、親分とか棟梁《とうりょう》が4、5人いたのでしょうね。その人たちは東シナ海を中心に、いろいろな国と交易をしているわけですから、さまざまな情報を持っています。日本では室町《むろまち》幕府の力が弱まって、群雄割拠《ぐんゆうかっきょ》となり、みんなで、領土の切り取りを始めている。そういうことも当然知っている。そうすると、次のような場面があったのかもしれないと僕は思うのです。

鉄砲は、中国で唐代に実用化された火薬が、火器となってモンゴルの大西征からヨーロッパに流れていき、そこで鉄砲になるわけですが、ポルトガル人が持ってきた鉄砲を見て、倭寇の親分であった王直は考えた。この鉄砲を日本に持っていったら、高く売れるのではないか、いい商売になるかもわからん。なにしろ時代は群雄割拠です。しかし、どうせ日本に持ち込むのだったら、仲間の日本人や中国人が持っていくより、目の青い西洋人が持っていくほうが、有難味《ありがたみ》が増すなと。そんな計算を立てたような気がするのです。ポルトガル人を、こんな具合に焚《た》きつけた。

「俺の船に乗せてやる。日本という国があって、みんなで喧嘩《けんか》してるから、鉄砲が高く売れるかもわからないぞ」

こういう背景で種子島に鉄砲がやって来たとすると、僕たちが知っている日本史とは少し様子が違ってきます。

また、16世紀の初めに、ドイツでルターの宗教改革が起こり、ローマ教会は西ヨーロッパで大量の信者を失ったので、その穴埋めは新大陸やアジアで行なうしか道がなくなりました。それでイエズス会を先頭にしてアジアに押しかけてきた。明の海禁に加えて、こういう大きな流れもあるのです。たまたまとある船が種子島に漂着した。そして鉄砲が伝来した。日本史だけを切り出して見ていたら、種子島にどこの誰が辿《たど》りついたという文献だけですから、それ以上追うことはできません。

それだけに留《とど》まらず、当時のローマ教会や東アジア全体の状況から歴史を見ていく。中国の明を中心とする交易の状況はどうであったのか、後期倭寇とは何者だったのか、イエズス会とは何か。そのようなことを学んでいくと、鉄砲の伝来も初めて本当の姿が、見えてくるように思います。

なお、この時代を見事に描ききった『クアトロ・ラガッツィ』（若桑みどり著、集英社文庫）という傑作があることをお伝えしておきましょう。

## ペリーが日本にやって来た、本当の目的は何だったのか

世界史の流れとアジア全体の状況を見ることによって、日本の姿が本当に見えてくる。このことは、明治維新についてもいえますが、ペリーがなぜ日本に開国を求めてやって来たかについて、考えてみたいと思います。

捕鯨船の石炭や水の補給基地として開国を求めた、そのように中学校で教わった記憶があります。そのことは、徳川《とくがわ》幕府の記録にも、おそらく書いてあったのでしょう。

しかし、はたして本当にそうだったのか。

最初1853年にペリーは4隻《せき》の戦艦を率いて、浦賀《うらが》に来航しましたが、この4隻は半

**ペリー、浦賀に来航**
旗艦サスケハナ号（左上）は戦艦大和級。なぜこれほど大きな船でやって来たのか？
©orion/amanaimages

端な戦艦ではなかった。アメリカ最強の4隻だった。特に旗艦のサスケハナ号は、平たくいえば戦艦大和《やまと》、武蔵《むさし》級でした。日本が大騒ぎするのは当たり前です。

「泰平の眠りを覚ます上喜《じょうき》撰《せん》
たつた四はいで夜も眠れず」

と、当時狂歌に詠《よ》まれたのも、決しておおげさではなかったのです。蛇足ですが、「じょうきせん」という言葉は、よい日本茶（上喜撰）の意味と蒸気船を掛けています。普通に考えたらクジラのために大和、武蔵を引っ張ってくるか。ちょっとtoo muchではないか。ところがペリーの日本訪問についてアメリカに残っている文献ではどうなっているかといえば、クジラなんかどうでもいい。

当時アメリカは大英帝国とライバル関係にあった。何をめぐって争っていたかといえば、対中国貿易です。絹とか陶磁器、そしてお茶。山ほど欲しいものがある中国との交易をめぐって、新興国アメリカと老大国大英帝国が争っていた。ペリーのサスケハナ号はどういう航路で日本にやって来たかというと、東海岸から大西洋を渡り、インド洋を経由して江戸に来ています。これが、すべてです。

要するに、対中国貿易で、大西洋航路を使っている限りアメリカは永遠に大英帝国には勝てない。大西洋を横断する船賃の分だけ必ず負けます。どれだけ船の効率を上げても距離は縮小できないから、競争にならない。

ペリーの来日目的は、アメリカの文献には明確に書かれているのですが、太平洋航路を開いて中国と直接交易をするしか大英帝国に勝つ方法はない。大西洋、インド洋ルートを使用している限り、永遠にライバルには勝てない。そのようにペリーは主張しています。日本を開国させることは、太平洋航路の有力な中継地点を獲得することになる。まさに、クジラなどはどうでもよかった。

これも日本側の視点だけで見ていたら、徳川幕府に残っている文献や、江戸末期の文献だけで判断してしまうから本当の姿は見えない。アメリカと大英帝国との競争という視点を視野に入れて初めて本当の姿が見えてくるわけです。

ついでにいえば、開国したときに最初に対処しなければならないことは、為替《かわせ》レートを決めることです。為替レートの影響は昔もいまもたいへんに大きい。

それでは、江戸時代に開国をした人々は、どのようにして為替レートを決めたのだろうか。当時は金本位制《きんほんいせい》です。金銀の交換比率と考えてもいいのでしょうね。しかし鎖国をしていたので外国為替の知識が十分にあるはずがない。適切な判断ができずに、アメリカに有利な条件でレートが決められてしまって、金が流出していく。日本の幕末の開国時、欧米との金銀比価の差を利用した投機が横行していました。欧米の金銀比価は15対1であったのに、日本では4・65対1程度だったので、日本に大量の銀が流入し、その代わり大量の金が流出した史実がありました。

当時は金本位制ですから金が出ていってしまうと、国が貧しくなる。とりわけ貧しくなるのは、江戸幕府から給料をもらっている旗本《はたもと》や御家人《ごけにん》です。西郷隆盛《さいごうたかもり》が率いる新政府軍と戦う前に、貧しくなっていて戦意がなくなってしまっていたかもしれない。為替政策の誤りによって幕府は崩壊した、という見方も可能です。

じつはこのことは、『大君《たいくん》の通貨』（佐藤雅美著、文春文庫）という小説に詳しく書かれているので、これ以上調べることもないほどなのです。この本を読んでいると、ハリスが、しょっちゅう金と銀を交換して、儲けた儲けた、と喜んでいる場面が書いてあったりして、大変おもしろい。しかし、外国人が儲けるということは、日本人が損をするわけです。為替はゼロサムゲームですから。幕末の日本人が、どんどん貧しくなっていく。

明治維新といえば、西郷隆盛や坂本龍馬《さかもとりょうま》の活躍がまず話題に上るのですが、先日あるジャーナリストの方と、ペリーのことや為替レートの話をしていたら、その方がつくづくとおっしゃいました。

「ペリーの雄大な意図とか、為替レートの誤りで日本人が貧しくなり、幕府が崩壊したとかいう話を聞いていると、坂本龍馬の船中八策《せんちゅうはっさく》なんて、コップの中の争いのような小さな話ですね」(因みに船中八策の真偽については争いがあります)

僕は別に、コップの中の争いとは思わないのですが、ただ、グローバルな視点で考えたら世界は違って見えてくる。ものすごく変わって見えてくる。そのように考えたら、世界の歴史の大きい流れを見たうえで日本史を勉強したほうが、理解が深まるのではないかと思います。

## ■交易が、歴史の重要なキーワードである

もう一つ、世界は常につながっているということをきちんと理解しようと思うと、交易が最大のキーワードになります。

一つの例を挙げましょう。縄文・弥生《やよい》時代の頃、九州北部には鉄がなかったので、木を使って作物をつくっていた。木を切って尖《とが》らせて、それで土を掘り起こしたりしていたわけですから、これはもう想像するだけでも、大変な重労働です。いくら頑丈な木を使っても木で土を掘り起こすのと、鉄の鍬《くわ》とかスコップを使うのとでは比較になりません。だから人間の社会は、鉄が普及するまではそんなに豊かではなかった。

ところで、すぐ隣に朝鮮半島がある。丸木舟のような船で、九州北部と朝鮮半島はつながっていました。そこには鉄がある。最初は海産物か何かを持っていって、鉄と交換したのでしょう。日本には世界商品がなかったので、後には傭兵を出すようになります。こうして、交易をすることによって、初めて日本は文明のあけぼのを迎えた。生態系は本来貧しいのです。九州北部の生態系だけで農業をやっていたら、たとえば、1万人ぐらいしかご飯が食べられないのに、鉄が入ってくることによって10万人を養うことができる（この

1万人、10万人というのは単なる比喩です)。

つまり、人間は交易によって豊かになるのです。

日本は傭兵国家だったのではないか、という仮説を立てましたが、それでは腕力の代償に何をもらっていたのかといえば漢字であり、仏教であったと思うのです。仏教とは、ブッダの教えだけではなくて、お寺をつくるとか、仏像をつくるとか、一つにまとまった最新の技術体系なのです。

仏教というと、「ホットケ、ゴミヤさん。538年仏教伝来」などと教わって、ある年にブッダの教えが入ってきたように思いますが、そうではなくて、仏教はワンセットの体系になっている。お寺も仏像もなければ仏教は成り立たないので、そういう技術の体系が6世紀を通じて全部入ってくるわけです。538年に百済は新羅に攻め込まれて首都を南方に移しています(2度目の南遷)。それほど大変な年だったので、傭兵は本当にうれしかったのでしょう。

「傭兵を送ってくれてありがとう。その代わりに新しいお寺をつくる技術や仏像をつくる技術を教えてやる。それから漢字というものも教えてやるよ。ありがたいものだよ」

そのようなことをいわれたのでしょう。そしてお互いに豊かになっていく。

僕らはよく、大昔は、交易なんかできっこないと思いがちなのですが、人口が5倍とか10倍になるほど豊かになるということなら、ちょっとぐらい無理をしても、みんな交易をやりたくなる。それほど豊かになるということは、その間を取り持った商人が同じぐらい儲けていることも想像できますから、インセンティブも働く。太古の昔から交易はあったのです。

たとえば日本の土器の歴史は古くて、青森の三内丸山《さんないまるやま》は1万年以上前のもので、世界でも一番古い遺跡の部類に属します。あのあたりに確か、新潟県の翡翠《ひすい》が出ています。1万年ぐらい前に青森と新潟で、交易が行なわれていたということです。

交易は必ず双方を豊かにするので、ずっと昔から行なわれてきました。交易こそが、世界をつなぐキーワードであると思います。人が行き交って、そこに交易が成立して、世界が動いて、歴史のひとこまがつくられていきます。そう考えると、なおさらどこの国の歴史も、それだけを切り出すことはできないと思うのです。極論すれば、人間の歴史は、ウォーラーステイン（アメリカの政治社会学者）ではありませんが、一つの世界システムであって、5000年史（文字が生まれてから約5000年）一つしかない、ともいえるのではないでしょうか。

第2章

# 歴史は、なぜ中国で発達したのか

## 始皇帝《しこうてい》が完成させた文書《ぶんしよ》行政、孟子《もうし》の革命思想

## ■文字が残る決め手は筆写材料にあった

この章では、文字が誕生するまでの話を振り出しに、文字が残り歴史が記録されることによって、人間の歴史に対する意識が高まってくることを話したいと思います。また、歴史の真実性の問題についても考えていきたいと思います。

世界で一番古い文字はメソポタミアの楔形《くさびがた》文字だといわれています。粘土板に彫り込むように書き残されてきました。名称の由来は、最初に鉄の楔で彫られたからとか、文字を構成する線の形が楔形であるからとか、いわれています。この文字がつくられた経緯は、交易とかかわっているという説が有力です。

たとえば僕が商人で、サトウさんに麦を3袋、掛けで売ったとします。それを忘れないように、粘土の箱に粘土のボールを3個入れておきます。次にヤマダさんに羊を5頭売ったので、別の箱に粘土のボールを5個入れておきます。でも商売をいろいろやっていると、それぞれの粘土のボールが麦か羊か識別が混乱してきます。そこで僕は考える。麦のボールには×という印をつける。羊のボールには○印をつける。

羽田空港に最近、立ち食い寿司ができ、ときどき利用しています。カウンターで僕がコハダを一つ食べると、お店の人が青いチップを1枚、小さな箱に放り込みます。トロは赤いチップ、イカは白いチップだったりするのですが、食べ終わるとその箱を受付のお姉さんに渡します。お姉さんが青いチップは150円で2枚、赤いチップは300円で1枚、という具合に計算してくれます。要は、メソポタミアの商人も羽田の寿司屋も、あまり変わらない。

このメソポタミアの商品記号が文字の起源になって、楔形文字が生まれたのですが、なぜメソポタミアの歴史が今日まで残ったのかといえば、じつは粘土板が残ったからです。粘土板は乾くと硬い。しかも焼いたらさらに硬質になって、めったなことでは壊れません。

そう考えると歴史が後世に残るためには、文字をつくるだけではなく、何を筆写材料にしたかが大きく影響してくるこ

**粘土板に刻まれた楔形文字**
壊れにくい粘土板に刻まれたため、記録が残った

とがわかります。

粘土板とか金属とか石に書いたものは、ほぼ確実に残ります。草の茎《くき》からつくったパピルスや動物の皮をなめした羊皮紙《ようひし》は、あまり残らない。羊皮紙は削って何度も使いますからね。エジプトでは石に彫った文字が残りました。こうしてメソポタミアやエジプトの歴史はかなり残りました。一番わからないのはインドです。なぜわからないかといえば、インドでは、人々が貝葉《ばいよう》と呼ばれている特殊な椰子《やし》の葉に、文字を書いていた。しかしこれは、パピルスよりもかなり弱そうでしょう。葉ですからね。書いても書いても文字が消えてしまうのだったら、書く意欲もなくなります。だからインドの歴史はあまり残りませんでした。

中国は最初、木簡《もっかん》とか竹簡《ちくかん》、あるいは絹の布に字を書いていました。しかし東漢《とうかん》（後《ご》漢《かん》）の時代になって蔡倫《さいりん》という人が、それまでに利用されていた筆写材料を改良して、紙という革命的な筆写材料を完成させました。紙は大量生産が可能で、かなり耐久性もあって、軽くてよく残るので、転写もしやすく、これで歴史が確実に残せるようになった。ですから、どの文明でも文字を発明するのですが、それを何に書いたかということがじつは大きい。筆写材料の開発は、偶然に左右された要素も大きい。メソポタミアには粘土しかなかったわけですから。しかし、書かれたものの耐久性が何をもたらすかといえば、「ずっと残るものだったら」と、書くほうにも気合いが入るじゃないですか。「よし、あのことも書き残そう」という具合になっていく。

歴史は、ほとんどが文字で書かれたものです。文字は情報量が圧倒的に多い。絵などと比べると情報量がまったく違うので、文字を抜きにした人間の歴史はないといっても決して過言ではないと思うのです。

## ■始皇帝《しこうてい》が完成させた文書《ぶんしょ》行政が、歴史の発達を促進させた

四大文明の中で、歴史が一番よく残っているのは中国ですが、紙の発明の次に、中国の歴史を発達させたものは天才始皇帝の独創によって完成されたシステム、文書行政です。このウェイトがかなり大きい。

どうして文書行政が、歴史の発達と関係があるのか。少し長くなりますが、平たくいえば、次のようなことです。

中国ではもともと、亀の甲羅を火で焼いて祭祀《さいし》を行なっていた。そして、その結果を甲羅に書いた。これが甲骨《こうこつ》文字です。これを書いたり読めたりする人は、ほとんどいなかっ

た。それはいわば国家の企業秘密であったので、商《しょう》（殷《いん》）を滅ぼした周《しゅう》という国も文字を書ける職人を独り占めにしていました。

なお、商という国は、中国で実在が確認し得る最古の王朝です。ＢＣ17世紀からＢＣ11世紀頃まで、約30代、６００年間、存続しました。商は古代の都市国家として、しばしば遷都を繰り返しましたが、後半の約２７０年間を河南省安陽市《かなんしょうあんようし》北西の殷墟《いんきょ》の地に都を定めていました。このことから商は殷とも呼ばれているのです。商の実在とその歴史や国の有様は、殷墟から発掘された大量の甲骨文字によって、明らかになりました。その甲骨文字は、祭政《さいせい》一致国家であった商が、戦争の勝敗、日時の吉凶、祖先の祭祀などについて、卜《ぼく》占《せん》した結果を記録したものでした。

さて、商を滅ぼした周ですが、ＢＣ７７０年頃、周の都は現在の西安《せいあん》（長安《ちょうあん》）の近くにありましたが、犬戎《けんじゅう》という部族が襲来して幽王《ゆうおう》という周の王様を殺害します。周は一度滅びます。そのあと、周はもう一度復活して西安の東の、現在の洛陽《らくよう》に都を置きます。西安時代の周を西周《せいしゅう》、洛陽に都を置いた周を東周《とうしゅう》と呼んでいます。

さて、滅んだ西周に囲われていた字を書ける書記、金文《きんぶん》職人と呼ばれた人々の運命のことですが、彼らインテリゲンチャは、国が滅んだので職を失いました。フランス革命のときに、ブルボン朝の料理人がクビになってフランス料理店を開いたのと同じことが、ここで起こります。

パトロンの周室を失った書記たちは、いまさら農民になるのはいやだ。どうやって年収を確保するのかを考え、それぞれ地方の領主のところへ散って行きます。こうして諸侯の間に漢字が広まります。中国はヨーロッパよりも大きいので、ヨーロッパ中に漢字が流布したようなものです。

BC5世紀頃地球が暖かくなって、同時期に鉄器が広く使われるようになりました。即ち生産力が向上して高度成長時代が始まる。高度成長は国が大きくなるということです。生産力が低い時代は、ちんまりした都市国家が横並び状態でいるわけですが（春《しゅん》秋《じゅう》時代）、高度成長が始まると強い国が出てきて、製鉄には大量の火力が必要なので森林を大々的に伐採したり、鉄器で原野を開拓したりして、猛烈に高度成長を始めます。要するに国が大きくなる。ちんまりした王様は、強い王様に征服されてしまう。

中国は、何百もの都市国家群の時代から、いくつかの大国並列状態（最後は7国）になって競合し始めます（戦国《せんごく》時代）。

小さい都市国家だったら、王様の話したことは伝令などを通じて、あっという間に知れ渡ります。でも国が大きくなって、地方に行くのに三日も四日もかかるような遠くまでを支配するようになると、そこに行きつく間に、伝令が酒を飲んで王様の話したことを忘れるかもしれない。そこで、各王様のもとには字の書ける書記がいますから、伝令には木簡などに字で書いて渡すようにする。こうすれば誰も王様の命令を変えることはできない。これが文書行政の始まりです。

さて、ここで字が読める書記たち、インテリはどのように変化していったかといえば、最初は周の王様に囲われた特別な技能集団として、比喩的にいえば、年収2000万円ぐらいで左団扇《ひだりうちわ》。西周が滅んだあとは地方の王様のところに行った。年収は1000万円に下がるけれど、背に腹は替えられずに散っていきました。こうしてインテリが地方に移住したので、漢字が広まった。独占されていた技術が、拡散しました。中国全土の小国に、それぞれ漢字の読み書きができる人がこうして育っていったのです。そして、その小国が制圧されて大国の一部となった。そうするとインテリたちは、王様の命令や考え方を文書に書いて地方に出して与えたり、地方でそれを受け取って読んだり報告を書く役割を担うようになりました。ここに官僚が誕生し、文書行政が始まるのです。

文書行政が始まったら何が起こるかといえば、文書は残しておかなければいけない、という意識が育ちます。王様から、こういう奴を捕まえろという命令が来た。それを読んで捕まえた。しかし、あとになって都から偉い人がやって来ておまえは勝手にこういう人を捕まえたな、私利私欲ではないかなどといわれたらいやだから、命令文書を保管しておく。

「そんなことはありません。3年前にいただいたこの文書のとおり、私は指示どおりの仕事をしたのです」

きちんと申し開きをするために、文書を証拠にする。そうしないと怖くてしょうがない。昔もいまも、宮仕《みやづか》えには、ありがちなことです。

こうして中国では、文書が蓄積されるようになります。文書行政のおかげでさらに国は大きくなり、高度成長を促進しました。このような時代背景の下《もと》で、天才始皇帝が登場して郡県制《ぐんけんせい》という制度を始めます。これは平たくいえば中央のエリート官僚が地方に行き、そこを治めるというシステムです。官僚が派遣されて世界を治める近代的な中央集権システムです。

封建制は自分の信頼する子分を地方に送り、税金さえ送ればあとは何をしてもいい、すべて任せるというシステムです。子分は地方に根付き土着の王様になります。ところが始皇帝がつくったシステム、中央集権制は、自分の考えたことを全国に行きわたらせるために中央から官僚を送り、いわば知事にするわけです。全国の知事を皇帝が任命するのですから、彼らを思うとおりに動かすためには、大量の文書で指示を出さなければならない。文書行政を核として統治を行なおうとしたら、漢字という表意文字は強力な武器になります。漢字には多くの情報量を埋め込むことができる。ツイッターを見たらわかります。140文字の中で書くとき、「情報」は2文字、「information」は11文字です。漢字は表意文字なので、文書行政にしても少ない文字数でたくさんのことが表現できるわけです。さらに筆写材料が竹簡とか木簡、さらには始皇帝の頃には紙の原型もできていました。漢字の特殊性と筆写材料の進歩という技術、さらには天才始皇帝によって完成された文書行政による中央集権システム、これらが相俟《あいま》って、記録を残すことが生活の中でも習慣化し、中国で歴史が発達する要因となりました。

このように検証してみると、「紙」という筆写材料の発明が、とてつもなく力があったことがよくわかります。大量生産が可能で軽くて保存しやすく保管する場所もとらない。いま世界で文献がもっとも残っているのは中国とイスラーム世界だといわれています。なぜ多量の文献がイスラーム世界に残っているかといえば、8世紀中葉に現在のカザフスタン共和国の南東部タラス河畔で、イスラーム軍が唐軍を破ったその前後に、紙がイスラーム世界に渡ったためです。

余談ですが、当時のアラブ人は異常な知りたがり屋でした。「楽しみは、馬の背の上、本の中、そして女の腕の中」という諺《ことわざ》が残されているほどです。このような知りたがり屋のアラブ人が紙をゲットしたために、彼らはペルシャで保存されていたギリシャ、ローマの古典をはじめとして、ひたすら文献を残すことに没頭しました。そのようなわけで中国とイスラーム圏に歴史等が書かれた書物が圧倒的な量で残っているのです。それは紙という筆写材料の偉大な貢献であるといえます。

## ■孟子《もうし》の革命思想が、中国の歴史をさらに発達させた

中国でもう一つ歴史が発達した原因として、孟子の革命思想が挙げられます。

BC11世紀に、中国の王朝は商から周に替わりました。この転換は中国では画期的な事件です。商周《しょうしゅう》革命とか殷周《いんしゅう》革命と呼ばれています。商の時代には天上の空にいる（先祖の）神様を帝《てい》と呼んでいた。それが周の時代から天《てん》と呼ぶようになったのです。また、語順も、変わりました。商の最後の王様は帝辛《ていしん》（紂王《ちゅうおう》）と呼ばれています。周の時代にな

ると、王様たちは文王《ぶんおう》とか武王《ぶおう》と追号されました。秦の王様は、始皇帝と名乗った。文王は「文に長《た》けた王」、始皇帝は「初めての皇帝」という意味です。帝辛と比べると、修飾語の語順が逆になっています。

周の時代に、天空の支配者と人間界の支配者が明確に分離しはじめた。商の時代は祭政一致でしたが、周の時代から祭政が分離した。いかに偉大な王様であっても、彼は神様ではない。神様は天空にあり人間を見ている。そのような考え方が育ってきました。西洋に比べればずいぶん進んでいます。はるか後代のローマ皇帝は死んで神になったのですから。

そういう歴史を経た中で、儒教《じゅきょう》を大成した孟子が易姓《えきせい》革命という理論をつくってしまった。

これは「主権は天が持っている」という理論です。孟子の時代は、まだ周の王朝が続いていましたから神様は天です。天が主権を持っている。地上にいる王様は、この天の命を受けて天の代行で人民を治めていると孟子は考えました。天は常に下界を見ている。そして王様が少しでも変なことをしたら合図をして、おまえちょっとは反省しろ、と通知します。それは大雨であったり、大洪水であったりしますが、天変地異が起こるということは、天が怒っているわけです。「おまえのやっていることはあかん」と。しかし、それを聞いて反省して立派な政治を行なったら、それはそれでいいのですが、なかなかそうはいかない。

そもそも天変地異が起こるということは気候がおかしくなって、みんな困って貧しくなる。それが高じれば叛乱《はんらん》が起こって国が潰《つぶ》れるわけです。

易姓革命の理論では、悪い政治に対して、まず天が合図して、それでもいうことを聞かないと天命によって王朝が革（改《あらた》）まる、王様の姓が易（かわ）るのである、こういう革命思想を孟子がつくったわけです。

実際は、気候が悪くなると食糧が不足し、人民の不安が高まって叛乱が起こり、叛乱の大将がだいたい次の王様になるのです。それが事実なのですが、新しい王様は自分がなぜ王様になったかといえば、悪い王様の代わりに、天が自分を選んでくれたのだということを論証しようとします。いわば自分の正統性を格好よく歴史に残しておこうと考えます。こうして中国では、ますます歴史の発達が促されることになったのです。

『史記』を著わした西漢の歴史家、司馬遷《しばせん》以降、中国には正史をつくるという習慣が根づきます。王朝が替わったら、新しい王朝の最初の仕事は、前の王朝の記録をつくることになりました。ちゃんと記録を残して、前の王朝はこういうふうにして始まり、立派な政治もやっていたけれど、最後に過ちがあって滅びましたという記録を残して、前の王朝の皆さん、どうぞ成仏してくださいということになるわけですが、こういう習慣が身につくと、歴史は非常に大事なことで、きちんと残しておかなければいけないという意識が芽生えてきます。

ところで、この易姓革命の考え方に立って歴史を残すと、困ったこともたくさん生じてきます。前の王朝の最後の王様を可能な限り悪く書く。そう書かないと新しい王朝の正統性が担保できないので、最後の王様はだいたいみな、悪政を行ない美女にうつつを抜かして滅んでいきます。これは典型的な例ですが、商の最後の王様は帝辛が正式な名称ですが、「義を残ない、善を損《そこ》う」という意味を表わす紂王と呼ばれてかなり悪く書かれています。実際に甲骨文字に残された記録を見ると、先進的で賢い王様だったらしいのですが、妲己《だっき》という美女にうつつを抜かして酒池肉林で遊んだと書かれています。

史実では、商は西周の武王と東方の山東《さんとう》省の太公望《たいこうぼう》の挟み撃ちにあって滅んだようです。

また西周最後の幽王もろくなことが書き残されていない。彼は褒姒《ほうじ》という美女を愛していましたが、この美女がめったに笑わない。ある日のこと、誤って誰かが烽火《のろし》をあげてしまった。これは敵襲の知らせです。取るものも取りあえずに家来たちがあわてて都に集まってきた。この様子を眺めていて褒姒が嫣然《えんぜん》と笑ったので、さあたいへん、それからはしょっちゅう、幽王はその烽火をあげさせました。そして、ほんとうに敵がやって来たときには、誰も駆けつけなくて西周は滅びてしまった。

前の王朝の最後の王様は全部悪く書かれるのです。悪政を行なったから王朝が替わったのだというロジックですから、前の王様が立派だったら、この論理が成立しなくなるのです。

隋の二代目の皇帝である煬帝《ようだい》は、中国の南北をつなぐ大運河をひらいたり（これは後世に残る大事業です）、積極的に外征を続けたりしましたが、高句麗《こうくり》遠征に失敗して農民や豪族の叛乱を招き、殺されました。彼は、初代の皇帝である父を殺し皇太子である兄を失脚させて、皇位を簒奪《さんだつ》しました。実質的には煬帝の時代で隋は滅びて、唐が興《おこ》るのですが、そこには次のような話があります。

唐室は親戚関係から隋に仕えていましたが、李淵《りえん》（煬帝のいとこ）の代になると煬帝に叛旗をひるがえして、煬帝の孫を擁立します。煬帝が死ぬと隋の皇帝は、李淵に禅譲《ぜんじょう》しました。ここに唐王朝が誕生したのです。ところが李淵の次男の李世民《りせいみん》は、皇太子である兄と弟を殺害して（玄武門《げんぶもん》の変）、父を幽閉し、みずから帝位につき太宗《たいそう》となりました。そして後世に貞観《じょうがん》の治《ち》と称《たた》えられる平和な時代（盛世。中国の長い歴史の中でも4回しかないといわれている）を築きました。李世民が兄と弟を殺害した理由は、二人が彼の功をねたんだことに原因があったとされています。太宗李世民は、中国の歴史の中では、理想に近い名君であるとされています。しかし歴史的事実として見れば、煬帝も太宗も肉親を殺して帝位を奪い取ったことに、さほどの違いはありません。だからこそ、煬帝を徹底しておとしめ太宗をとことん持ち上げる必要があったのです。秦の始皇帝を暴虐だと貶《おとし》め、漢の武帝を対比して顕彰するのも、まったく同じ構図です。

この中国の史書の癖は、日本の史書にも大きな影響を与えているのではないでしょうか。たとえば、雄略《ゆうりやく》天皇や武烈《ぶれつ》天皇はかなりめちゃなことをやった。妊婦の腹を割いて赤子を取り出したりした、などと書き記されている。けれども、そのあとに成立する継体《けいたい》王朝になると、立派な天皇が出てくる。そして日本は揺籃《ようらん》期を抜け出していく。この書き方には、おそらく易姓革命の影響が残っているように思います。

## ■中国の神話に大洪水が出てくるのはなぜか

　中国の国を治める起源を語る神話は、治水伝説から始まります。大洪水を起こした川を鎮《しず》める話です。中国の歴史には堯《ぎょう》・舜《しゅん》という伝説の聖天子が登場して、次に夏《か》という王朝をつくった禹《う》という人物が登場してくる。立派に治水をしたので、天子になって夏王朝を開いた王様です。この禹は一日中仕事をしている。堤防をつくるために、自分の家の前を通って行くので、家族が声をかける。お父さん、お父さん、お願いですから、家でゆっくりしていって。それでも耳も貸さずに家の前を通り過ぎて治水の現場に行ってしまった、という有名な伝説が残っています。

　大洪水を治めた人が中国の最初の王様になって、夏王朝を開いた。夏という王朝は文字が残っていないので確証はないのですが（二里頭《にりとう》遺跡が夏だと考えられています）、だいたいＢＣ２０００年頃のことだ

**BC5世紀以前、**
**黄河のほとりは大森林**
**だった？**

商や周の青銅器のサイやトラはリアルなつくり。BC5世紀頃から始まる高度成長期以前の黄河流域には実際にたくさんいたのだろう

と考えられています。この話が、どのような歴史的事実を反映しているのかといえば、じつはBC5世紀頃から始まる戦国時代、鉄器時代の大高度成長時代の史実を反映しているのです。鉄器を使ってひたすら山を切り開いて、木を切り倒す。そうすると何が起こるかといえば大洪水です。

商や周の青銅器に描かれたサイやトラは、ものすごくリアルです。ところが江戸時代のお寺の襖《ふすま》などに描かれたライオンやトラは、まったくリアルではない。僕は京都のお寺で江戸時代に描かれた獅子《しし》を何度も見たことがありますが、まるきりライオンではありません。どの画師も本物を見たことがなかったからです。それではなぜ、商の時代にリアルなサイが描けたかといえば、そこにサイが棲《す》んでいたからです。黄河のほとりには鬱蒼《うっそう》とした大森林があって、そこにはサイやトラが棲んでいた。だからこそリアルな姿を青銅器に彫ることができたのでしょう。

けれどもBC5世紀頃からひたすら山の木を切り倒して、高度成長経済を実現したために山は禿《は》げ山になり、森林は荒野になって、そこで起こったのが大洪水です。その頃にちょうど文書行政も始まって、それまではひたすら周の御先祖様のことだけを、青銅器に彫っていたわけですが、書記も大衆化していろいろなことを書きはじめるようになった。そしてその頃に起きた大洪水の伝承が、中国古代の伝説と化して書き残されたのです。

これは、いろいろなところで出てきますが、BC5世紀頃に地球が暖かくなって、鉄器が広く普及したという事実は、とても重要です。高度成長期が世界規模で訪れました。衣食が足れば、自ずと余裕も生まれる。ソクラテス、孔子《こうし》、ブッダ、現代に名を残す偉人が一斉に現われました。BC5世紀という時代は脳裏に刻んでおくといいと思います。

## 歴史がきちんと残るのなら自分の名前を後世に残したい

歴史がきちんと書かれるようになると、この世の中ではどうでもいいけれど、後世の歴史に名を残したいと思う人が出てきます。もっとも人間には、名を残したいという名誉欲が本来あるのかもしれず、これはニワトリ・卵の関係なのかもしれませんが。

中村愿《すなお》さんが『三國志逍遙』（山川出版社）に次のようなことを書いています。

三国志で有名な蜀《しょく》の諸葛孔明《しょかつこうめい》（諸葛亮《りょう》）は、亡くなった先帝の劉備《りゅうび》玄徳《げんとく》に殉《じゅん》じようとして、曹操《そうそう》がつくった魏《ぎ》に戦争を仕掛けます。亡き皇帝に大恩があるから、中国を統一するのが自分の使命だと考えて、死ぬまで何度も四川《しせん》省の成都《せいと》から北のほうに攻めていきます。

これは忠義そのもので、孔明は歴史に名が残ったのですが、中村さんが指摘しているのは、次のようなことです。三国関係でいえば、蜀は呉《ご》の半分です。そして呉は魏の半分。つまり蜀を1としたら、呉が2で、魏が4。そういう大小関係にありました。1の力しかない国が毎年のように4の力のある国に戦争を仕掛けるということは、1に住んでいる人々、蜀の人々にとっては税金が増えて、戦争で兵士が次々に死んでいくことを意味します。国力に圧倒的な差があるわけですから。

もし当時、世論調査をやっていたら、どうだったでしょう。孔明はとんでもない奴だ、毎年戦争をして兵士が死んでいく。しかも勝てる戦《いくさ》なら領土も増えて豊かになるからいいけれど、結局、勝てないじゃないか。ということで、かなり蜀の政府に対して厳しい調査結果が出たかもしれない。

しかしなぜこういうタイプの人間が生まれてくるかといえば、それは後世で高く評価されるから、こういう行動に出る。歴史が大事にされるという条件があって初めて、こういう人々が生まれてくる。もう一人典型的な人を挙げてみましょう。

13世紀、モンゴルと南宋《なんそう》が戦ったときに、南宋に文天祥《ぶんてんしょう》という有能な官僚がいました。戦い敗れて投獄されましたが、モンゴル（大元《だいげん》ウルス）のクビライはその才能を惜しんで、何度も、おまえは賢いのだから俺の家来になって一緒に中国をよくしようと誘います。しかし文天祥は、断固拒否します。そして獄中で「正気《せいき》の歌」という詩をつくる。私は宋に殉じる。たとえ死すとも宋を守り続けるのだ……後世の人は彼の詩を読んで、判官《ほうがん》贔屓《びいき》がいいとは思いませんが、誰もがなんという忠義な人だったろうと思うのです。

なぜこんな心性《しんせい》が生まれるかといえば、歴史が間違いなく書かれるに違いないということを本人が強く意識しているからです。歴史が残るということは、ある意味ではすごくおもしろいことです。王位を簒奪《さんだつ》したが故《ゆえ》に、必死にいい政治をしようとする。クビライも明の永楽帝《えいらくてい》もそうですね。そうすることで天命《てんめい》はもともと俺にあったんだと歴史に残そうとする。負い目が逆ばねになって善政を行なう。歴史が大事にされて発達した国には、そういうおもしろい人々を生み出すところがあると思います。

## ▶科挙《かきょ》という制度は、紙と印刷の存在で可能になった

紙という筆写材料の発達は官僚制を生み出します。

一般に権力を握った王様が最初に考えるのは、誰が俺を守ってくれるか、ということです。自分一人では権力は守りきれない。

権力の守り方には二つある、という説があります。貴族制と官僚制です。

貴族制は、王様が「おまえを貴族にしてやるから、俺のいうことを聞け」ということで始まる。「あそこの領地をやるから、その代わり必ず俺の命を守れ」。これは何がメリットかといえば、貴族になれば子どもも全部貴族です。子孫も領地の税金で飯が食える。そうすると貴族は、どんな人間でも子や孫は可愛いですから、喜んで王様に忠勤を励みます。「王様が、俺を貴族にしてくれたのだから俺は王様を守らなあかん」

一般的にいえば、貴族制は所領安堵《しょりょうあんど》ですからロイヤリティが高い。でも貴族制の欠点は何かといえば、賢い子どもが生まれるとは限らない。初代の貴族は賢いですよ。有能だから王様の助けを得て貴族になった。でも初代は賢くても、お家安泰になったら、俗っぽくいえば、たいてい美女にうつつを抜かすタイプが出てくる。ところが美女は必ずしも賢いとは限らない。必然的に生まれてくる子が賢いとは限りません。これが貴族制の欠点です。

反対が官僚制です。こちらは一代限りで、優秀な人材を王様が集めてきます。ところが官僚の子どもは必ずしも官僚ではない。官僚制を敷いている限りは必ず優秀な人が集まるけれど、ロイヤリティは生まれない。そればかりか、優秀な人が王様に仕えると、世襲の保証がないので王様を見ていて、考えるかもしれません。

「こいつ、えらいとろい奴やな。じゃあ、いっそのこと、こいつを殺して俺が王様になってやろうか」

優秀な官僚は、優秀なだけに必ずそういうリスクが生じてきます。

もちろん貴族制と官僚制とを組み合わせることも可能ですが、いま述べてきたような特徴とメリット・デメリットがあります。ロイヤリティが高いか低いか、有能か無能か。単純なX軸・Y軸でいえばそういう関係になるでしょう。

さて中国では、すでに10世紀の北宋《ほくそう》の時代に官僚制が確立しています。それ以前の貴族制の時代から科挙が導入され、官僚の登用が始まっていました。科挙とは全国的な官吏登用試験のことです。隋の時代に不完全な形で始まっていましたが、北宋の時代になって高級官僚選抜試験として完成しました。

なぜ科挙という全国統一テストができたかといえば紙と印刷です。科挙って試験でしょう。試験をやろうと思ったら、まず何が要《い》るかといえば参考書です。参考書が全国の受験者に行きわたらなければ、試験は実施できない。そうすると10世紀の中国では、すでに紙と印刷技術が進歩して、参考書が広く国内に行きわたっていたということがわかります。

技術が、いかに制度に影響を与えるかという好例です。

宋の時代はヨーロッパではローマ皇帝の冠を受けたオットー大帝の時代ですが、もしオットーが自分のザクセン朝を守るため、全国から優秀な人材を集めようと思っても、紙も印刷技術もなかったのでまず物理的に試験ができなかったことでしょう。一人の王様の力量というものも、文明の技術に大きく左右されることを、紙という筆写材料と印刷技術の発達が物語っていると思います。

COLUMN

## 帰って来る中国人留学生

外国からの留学生が多い国は圧倒的にアメリカです。なかでも中国からの留学生は、37万人に迫ります(国際教育機関IIE報告、2018/2019年。アメリカへの留学生の数は、国別では中国が1位)。

この数字をどのように考えればよいでしょうか。

10年以上続いた文化大革命や、その後に起きた天安門《てんあんもん》事件のときには、多くの優秀な人材が海外に流出しました。そこから類推して、いまでも優秀な人材の流出が続いていると考える人もいるようです。

また逆に、アメリカに留学しているのはほとんどが共産党幹部の子弟で、ドラ息子やドラ娘だ、と思っている人もいるかもしれませんが、そういう事例は多く見積もっても、せいぜい1万人以下ではないかと思われます。

アメリカに留学している中国人学生の大多数は、優秀で賢くて、アメリカで勉強して一旗揚げようと思っている人ばかりです。

アメリカに留学して帰ってきた日本人は、よく中国人は勉強してばかりだといいます。そのとおりで、彼らはみんな必死に勉強して成り上がろうと決意を込めてアメリカに行った人たちです。

彼らはアメリカの大学で優秀な成績を取ります。彼らがどこに就職するかといえば、その多くは中国へ帰るのです。それはなぜか。アメリカの経済成長率は、2~3%です。中国は、6~7%あります。中国のほうが成長率が高いということは、アメリカで就職するよりも中国で働くほうが、一旗揚げて儲かる確率が高いということになるからです。

つまり優秀な人が帰って来るのです。彼らは「ウミガメ」といわれているようです。生まれた国の海岸へ、卵という宝を持って帰って来るわけです。ちなみに、海亀(海龟、haigui)と、海帰(海归、海外から帰国した人)は、同じ発音です。

中国の未来については、楽観論と悲観論が交錯《こうさく》していますが、楽観論の一つの根拠は「ウミガメ」にあるのではないでしょうか。

ちなみに日本からアメリカへの留学生は2万人を割り込んでいます。日本と中国、どちらが将来アメリカ人の友人を数多く持つことになるのか。「アメリカと連携して中国にあたる」ということが果たして可能なのか。外交は友人の頭数という学者もいます。いろいろと考えさせられます。

第3章

# 神は、なぜ生まれたのか。なぜ宗教はできたのか

## キリスト教と仏教はいかにして誕生したのか

## ■本章でお話ししたいこと

人間の歴史は、宗教と深くかかわりあってきました。宗教は信仰という側面だけではなく、権力や民族問題などともからみあっていることを、きちんと理解することが大切であると思います。信じられないほど残虐な行為や文化遺産の破壊が、一つの宗教を信じているが故《ゆえ》に実行された例は、過去の歴史だけではなく今日でもたくさん見られます。外国で働いていて、その国の宗教的な習慣を知らないが故に不要なトラブルに巻き込まれることもあります。

しかし、それでは宗教とは何か、と改まって問われても、なかなか答えにくい問題です。

宗教について、本章ではまずその生まれてきた過程から考えてみたいと思います。そして、人間が宗教から離れられなくなる理由についても、人間の歴史の歩みを辿《たど》りながら考えていきたいと思います。

合理性とか理性的判断とか、正義の理論などでは理解しきれない宗教を信じる心情が少しでもわかってくると、宗教の異なる国や人々との関係にも、少しは役立つかもしれません。

## ドメスティケーションの最後が、神の誕生だった

20万年ぐらい前に、アフリカのタンザニアにある大地溝帯《だいちこうたい》のサバンナで、ホモ・サピエンスは誕生しました。彼らはその地で10万年ぐらいは暮らしていたようですが、その間に近くにいるウシとかシマウマなどをほぼ食べ尽くしました。食べ尽くしたといっても、たいした武器もありませんからウシやシマウマは絶滅してはいないのですが、少なくなっていった。要するに簡単に獲《と》れなくなった。

人類は雑食性なので、ウサギや鳥も食べることができますから、大型草食獣が少なくなってもじつはそうは困らないのですが、やはりおいしいステーキを食べたいという人が出てくる。

「このあたりでは、もうあまりステーキが食べられない。向こうのほうにもまだ陸地が続いているようだ。あっちに行ったらステーキが食えるかもわからんぞ」

「でも向こうのほうに行ったら、お化けが出るかもわからない。俺はこっちでウサギを食べる」

というわけで、冒険心に富んだ人がステーキを食べたいと、ユーラシア大陸に出ていきました。たぶん小さな丸木舟で、アフリカ東海岸からアラビア半島づたいに、ユーラシアに向かって広がっていったのでしょう。彼らは知恵もあり適応力も高かったので、ユーラシアを東へ向かい、さらに北上してベーリング海峡を渡り南アメリカの先まで、ステーキを追って広がっていきました。これが、グレートジャーニーと呼ばれる人類の足跡です。グレートジャーニーがどうして証明されるかといえば、化石上、大型草食獣の骨が激減する時期とホモ・サピエンスの骨が出始める頃がほぼ一緒なのです。ある時期に突然少なくなるので、新しく来たこいつが食べたに違いないという話になって、ほぼ説明がつくのです。

そういう形で、人類は世界中に広がっていったのですが、それはいま述べたように獲物を追いかける生活です。ところが1万2000年ほど前に、人類はひょっとしたら突然変異かもしれませんが、

「獲物を追いかけていく生活は、もうやめたい。俺は周囲を支配したい」

そう考えはじめる。そういう脳の構造に変化する。これをドメスティケーションという英語で呼んでいます（domestication を直訳すれば、飼い慣らすこと・栽培化・家畜化で

すが、学術用語としては、定まった日本語訳はまだないようです）。

世界にあるものを追いかけていくのではなく、自分が主人になって世界を支配したい。植物を支配するのは農耕です。動物を支配するのが牧畜、これは相手が動物だから少し骨が折れる。金属を支配するのが冶金《やきん》。これも岩石を掘ったり火を使ったりするので、かなり骨が折れる。こうして植物、動物、金属と順番に支配していくうちに、人間は自然界のルールをも支配したいと思うようになるわけです。この世界をつくっているルールを支配したいと考えはじめる。それがたぶん神の誕生につながったのだろうと思います。

人間の周囲にあるものを順番に支配していって、具体的なものから最後に抽象的な原理までも支配したいと思いはじめる。必ずしも神と呼ばなくてもいいのですが、自然界を動かしている原理をつきとめたいという気持ちが、ドメスティケーションの最終段階になって生まれてきたように思います。何者かが自然界のルールをつくっているのではないか。それは誰だろうと、思いはじめた。

この仮説はどのように裏付けられるかといえば、農耕とか牧畜は遺跡によって論証可能です。人間が住んでいたところが、突然火事になった。生活している状態のまま火事になれば、そのまま炭化して残りますから。そこから、たとえば小麦の貯蔵の跡とか、犬や羊などの遺骨が出てくれば、生活の様子がわかります。

なぜその頃、神について、人類が何か意識しはじめたのではないかとわかるかといえば、BC8000年代や9000年代の西アジアの遺跡から、用途の説明がつかない土偶が現われるのです。赤ちゃんを産むという神秘的な力を持つ、女性を象徴したような土偶です。それは、拝んでいたとか、それを眺めて何かを考えていたとか、他に推測のしようがないのです。植物、動物、金属と支配するようになって、その次に何となく神というような概念を考え出して、それを人間に似せた形につくったのだろう、そう思えるのです。

自然界を含めた外界について、それは誰が支配しているのだろう。そのことを考えはじめたとき、その原理や存在のしかたを、人間はどう考えたのでしょうか。きっと人間の姿に似た全知全能の神がいて、「太陽よ昇れ、月よ昇れ」といっているに違いないと考えたことでしょう。現代人が宇宙人の姿を想い浮かべる場合もそうです。所詮《しょせん》、人間や動物のデフォルメでしょう。僕は人間の想像力は、じつに乏しいと思っています。人間の頭は、人間に似たものしか考えられないので、そこで神様の姿形が生まれたと思うのです。また1万年ほど前には、最古の宗教遺跡と考えられるギョベクリ・テペ（アナトリア）が完成しています。

こういう過程を経て神様が生まれ、さらに抽象化された宗教が、人間の社会に存在するようになったと思います。

ただ、こうして、神様や宗教が生まれたのですが、なぜそれが発展して今日まで長続きしているかといえば、その存在が、本質的、歴史的には「貧者の阿片《あへん》」だったからです。不幸な人々の心を癒《いや》す阿片です。もちろん、生きるよすがを与えたり、人を元気づけるなど宗教にはその他にも積極的な存在理由を見出すこともできますが。

農業が発達して余剰生産物ができると、支配階級と被支配階級が必ず生まれます。もちろん、大多数は貧しい被支配階級です。彼らにしてみれば、王様に収穫の大半は取られてしまって生活が苦しい。頑張ってもそんなにたやすく報《むく》われそうにもない。けれども、この理不尽さを持っていくところがありません。そのときに、次のようなことを囁《ささや》かれたらどうでしょうか。

「現世はいろいろな苦しみに満ちているけれど、死んだら次の世界があるよ。いま苦しんでいる人は、みんな救われるよ」

現世とあの世を分けて、あの世では救われるという宗教のロジックは、普通の人には非常にわかりやすい、納得できるロジックです。

もしも、こういう行ないを積めば2年後には金持ちになれますよといって、そのとおりになれば、それは圧倒的な力を持つ宗教になるでしょう。けれどそれは、誰にもできない。どんなに力のある宗教でも、これをやれば必ず成功する、などという教えはない。そうすると、貧しい人を納得させようと思えば、この世はいろいろな理由があって苦しみに満ちているけれど、彼岸《ひがん》に行ったら楽しいことがありますよ。だから、いまは忍んで耐えて明るく暮らそうね。そう述べてごまかすのが、一番てっとり早い。

宗教は現実には救ってくれない。けれども心の癒しにはなる「貧者の阿片」なのです。いつの世も貧しい人が大多数ですから、「貧者の阿片」の需要は多い。宗教は盛んになります。

ところでおもしろいことに、寄生階級であり支配階級でもある人々は、普通の人から年貢や税金を取って生きている。誰からでも収奪します。反抗する者に対しては、武力も行使します。それなのに神様からは、いまも昔も税金を取らない。ローマ帝国もそうでしたし、現在の日本でも宗教法人への課税はゆるい。神様に税金を請求して、祟《たた》られたらどうしようとか、何となく心の中で思っている。昔はなおさらでしょう。

そうすると、ひとたび宗教が成立して、非課税になると、生活に苦しむ人が心から信じて寄進するお金が、ふくれ上がっていく構図が出来上がります。「長者の万燈《まんとう》より貧者の一燈《いっとう》」などという諺《ことわざ》もあって、貧しい人の真心の一燈が集まったときの力は、とてつもなく大きいものです。そういう形で、どこの社会でも宗教が成立し、お金が潤沢に流れ込むようになって組織が維持できるようになり、宗教は長続きしていったのではないだろうかと、考えています。

## ▶最後の審判という概念はどのようにして生まれたか

神という概念がほぼ完成した後、人間が最初に何を具体的に神様と見立てたかというと、やはり太陽だと思います。「太陽の恵み」という言葉がありますが、農業との関係で考えると、太陽がいかに大切であるかが、よくわかります。大昔も火を焚《た》くことはできましたが、それ以外にまだ夜を明るくすることはできませんでした。朝になると明るくなって、夜になると暗くなる。明るくないと農作業はできません。また、夏になると麦などがたくさん穂をつける、でも冬になったらみんな枯れてしまう。農業で生きている社会にとって、太陽はほんとうにありがたい。大きな力を持っている。神様とするには、うってつけの存在です。

太陽の勢力が一番強くなるのは夏、一番弱くなるのは冬です。そういう運行を見続けていると、人間はなんでも自分たちと同じように考えようとしますから、人間は生まれて死ぬけれど、太陽にも誕生と死があるのじゃないかと考えはじめます。冬至《とうじ》の日に太陽は一番弱くなる。それからまた、少しずつ強くなって、夏至《げし》の頃に一番強くなり、また弱くなって冬至に至る。この太陽の運行に気づいた人間は、太陽は冬至を境にして生まれ変わるのだと考えた。それはごく自然な発想であると思います。

地球は周期をもって動いていて、太陽の夏至・冬至でだいたい1年になる。1年という か、何と呼んでもかまいませんが、そういうことを人間はおおづかみな形で理解した。これはワンサークルであるな、と。

もう一つ、空を見ていてわかりやすいのは、月の満ち欠けです。人間は暑くなり寒くなることで1年ぐらいのまとまった時間のスケールを知った。その一方で人間は、太陽が昇り朝がくる、沈んで夜がくることで、一昼夜の1日という概念をも持つようになりました。太陽を起点にして理解しやすい二つの時間の概念が生まれたのですが、1日と1年だけでは365倍の差があるわけですから、その中間にくる概念が欲しいと考えた。そのときに夜空で満ち欠けする、月の運行に注目したわけです。その満ち欠けを数えていると満月を真ん中にして、おおよそ30回の日を重ねます。つまり1カ月弱で満ち欠けする、そのことに気づいたわけです。

そこでシンプルに考えれば、こうなります。少し長いサイクルは太陽が弱くなったり、強くなったりする1年。短いサイクルは朝晩の1日。その間の日数は月の満ち欠けでだいたい12カ月とか13カ月でちょうど割れるなということを、人間は覚《さと》ります。原始的に粗っぽく考えれば、太陽と月で暦《こよみ》の祖型ができます。この暦を見ることで、種を蒔《ま》く時期や動物の交尾期もちゃんとわかるようになっていきます。このようにして、人間は時間を管理するようになりました。これもドメスティケーションの一環です。

今日でも世界の暦のほとんどは太陽太陰暦、太陽の運行と月の満ち欠けを両方併せたものです。1日は太陽、1年も太陽。しかしその間は太陽の運行だけでは、区分するのがむずかしい。そこで月の満ち欠けをプラスした。一方で、月だけで1年を割っていくと、太陽の運行とずれが生じてしまって、閏月《うるうづき》が必要になる。1年が13カ月になる年が生まれてしまいます。そこで、暦はうまくバランスの取れる太陽太陰暦に収束していきました。

このように、最初の神様である太陽信仰を基盤にして、時間の概念(暦)が生まれてくるのですが、もう一つの神様を人間はつくり出します。それは女性をイメージしたものです。女性は子どもを産むことができる。子どもが生まれるということは、原始社会の人々にとっては新しい生産力の獲得を意味します。子どもがたくさん生まれたら、その一族は強くなります。ですから、人間は、女性の生殖能力に対して、非常に強い畏怖《いふ》の念を持っていました。社会の形がつくられはじめた頃は、きっと女権社会だったと思うのです。これが、最初につくられた神様の像が女性であった理由です。天にいる太陽神に対して、女性に象徴される神様を、一般に大地母神と呼んでいます。いわば、万物が生育する大地と女性の生殖能力を神様と考えたのです。

さてここまでは最長1年の単位で、時間の話をしてきました。けれども人間は生まれてから何年も年を経て死んでいく。とすると、1年から先の時間を、人間はどのように考えたのでしょうか。

有名なギリシャ神話のスフィンクスの謎があります。朝は四つ足、昼は二本足、夜は三本足で歩くのは？　答えは人間です。この質問では、時間を直線（線分）的に考えていることに気づきます。一本の線グラフの中に、四つ足の赤ちゃんがいて、歩行する大人がいて、腰を曲げた老人が杖をついて歩いている。時間というものが、一本につながって、まっすぐに流れていくイメージが浮かび上がります。スフィンクスの謎のように、まっすぐに流れていく直線の時間の中で誕生があり、死があると考えたら、1年を超える時間もまっすぐに流れていくものだという概念が、生まれます。

そうすると、一直線だったら必ず始まりと終わりがあるはずです。始まりは何かといえば、それは神様が世界をつくったときです。これはどの民族の神話にもあります。日本だったら伊邪那岐命《いざなぎのみこと》と伊邪那美命《いざなみのみこと》、聖書だったら天地創造、中国だったら古代の伝説上の帝王伏羲《ふくぎ》でしょうか。それでは終わりはどこだろう。時間の終わりはいつだろう。そう考えるのは、とても自然なことだと思います。宇宙科学でも人間は同じことを考えています。ビッグバンで宇宙は始まり、それからすでに138億年が経《た》っている。あと何年で宇宙は終わるのだろうかと、学者の皆さんは一所懸命議論しています。昔とそんなに変わっていない。

BC1000年頃のことですが、何年頃に生まれたのか本当にはわかっていないのですが、ペルシャの地にザラスシュトラ（ツァラトゥストラ、ゾロアスター）と呼ばれる天才が現われて、新しい概念を考え出しました。

「世界の始まりは神様がつくったのである。世界の終わりには、人間がやってきたことを神様が審判をして、正邪を分ける」

一直線に流れる時間の終わりに神様の最後の審判を置く、という画期的なアイデアをザラスシュトラは生み出したのです。これで直線の時間は完結しました。神様は人間の世界をつくり、万物をつくり、この世の終わりには神様が審判をして、そこでこの世界はいったん終わる。そのあとは無限の天国と地獄があるとか、いろいろな発想がありますが、ともかく時間には終わりがあって、最後には神様が審判をする、という概念が一つできました。この概念が、直線に流れる時間という考え方に革命的なインパクトをもたらしたと思います。

蛇足ながら、ツァラトゥストラはドイツ語読み、ゾロアスターは英語読みです。哲学者ニーチェの著書『ツァラトゥストラはかく語りき』から、よく世に知られるようになりました。音楽家のリヒャルト・シュトラウスにも、この本と同名の楽曲がありますね。

## ■直線の時間と、ぐるぐる回る時間がある

ザラスシュトラのように最後の審判といった高度な抽象思考をする人は、昔の社会にはあまりいませんでした。神様はおそらく太陽と女性から始まったのですが、ふつうの人が

考えることはもっと単純ですから、太陽の神様がいるのだったら当然月の神様もいると思う。女の神様がいたら、男の神様もいる。水の神様も風の神様もいる。そのように神様は自然に増えていきました。

人類最古の文明であるメソポタミアの世界でも神様はたくさんいました。そのうちメソポタミアの人々は考える。神様はたくさんいるけれど、俺の神様は誰だろう。これだけいるのだから、俺を守ってくれる神様がきっといるはずだという考え方が生まれてきます。日本でもありますね。学問の神様は天神様とか、お金儲けだったら大黒様や稲荷様だというのと同じです。神様もたくさんいると、分化してそれぞれに専門家が出てくる。氏神様《うじがみ》というのもありますね。一族の守り神になる神様のことです。藤原氏の春日《かすが》大社とか、平家の厳島《いつくしま》神社など、たくさんあります。

そのうちにセム語族の中のヘブライ人（ユダヤ人）が、独占欲の強いかつたいへん嫉妬《しっと》深い氏神様を生み出しました。

「交換条件を出すぞ。おまえを守ってやるけれど、その代わりおまえも他の神様に浮気せえへんやろな。浮気したら、俺はおまえを滅ぼしたる。ええな」

こういう怖い神様の概念をつくっていったのです。これがセム的一神教といわれている宗教グループの始まりです。ユダヤ教から始まって、キリスト教、イスラーム教、すべて同じ神様です。ヘブライ語ではYHWHと表現されていて、ヘブライ語はいまでも母音がないので何と読むのか定説はありません。一応、ヤハウェと呼んだりしています。一説では、北シリアの地中海沿岸に栄《さか》えたウガリトという港町の神様と、シナイ半島の山の精とが合体して、ヤハウェができたのではないかといわれたりしています。時間を直線的にとらえるグループの中で、セム的一神教が生まれてきて、これがキリスト教、イスラーム教に代表される一神教の大木に育っていきます。

さて宗教が貧者の阿片であるといわれる所以《ゆえん》は、この世は地獄だけれど、あの世は天国だと考えるからです。セム的一神教やザラスシュトラの考え方の基本は、最後の審判のときに、この教えを信じていれば、天国に行って幸福になれる、そうでない者は地獄に落ちるぞ、だから苦しくても神様を信じて真面目に生きよ、ということです。だから、最後の審判のときに復活できるように土葬となるのです（火葬では、復活できる肉体が残りません）。でも、最後の審判はずっと先の話です。ある教義では、金の時代が1000年、銀の時代が1000年、銅の時代が1000年、鉄の時代が1000年というかたちで、どんどんひどい時代になってくると説かれています。救われて天国に行きたくても、最後の審判はいつ来るんだ、来年でも再来年でもなさそうじゃないか。当時、人間の平均寿命は30歳ぐらいでしたから、最後の審判までとても待てないと思う人も出てきます。

こういう人間の心性を前提に、回っている時間という考え方も別途生じてきました。人間の生から死までと考えたら、たしかに年老いていくことは一直線ですが、けれども草は1年ごとに生え変わるじゃないか。葉は枯れても根が残っていたり、種子が発芽して、また生えてくる。だから、じつは生命というものは回っているんだよ。いままで、あなたの体の中にあって生きていた生命は死ぬと肉体からは離れていくけれど、時間と一緒に回っていて、草の種子が芽生えるように、どこかでまた新しく生まれてくるんだよ。だから終わりがないんだよ。時間は回っていて、生命も回っているという考え方が、登場してきます。

宗教としては、このことをどう説明すればいいでしょうか。

「この世の中では、君らは貧乏に生まれて申し訳ないね。でも善行を積んだら来世は王様に生まれ変わるよ。悪いことをしたらカエルになっちゃうよ」

と、脅かすのが一番わかりやすい。最後の審判、永遠の地獄も相当効きますが、こちらも結構効くことがわかるでしょう。最後の審判より来世のほうが早く来ますしね。これが、インドで生まれた輪廻《りんね》転生《てんせい》という考え方です。そうすると、みんな考えます。そうか、カエルやヘビになるのはいやだな。牛になってこき使われるのもつらいな。いまは苦しいけれど真面目に生きて、来世こそ王様に生まれ変わりたいな。

このように時間を循環する円環でとらえる宗教の代表が、たぶん仏教だと思います。この循環する時間の考え方は、インドからペルシャを経てヨーロッパにも流れていきました。ギリシャの哲学者・数学者・宗教家でもあったピタゴラスは、マグナ・グレキア（南イタリアにあったギリシャの植民地）で自分の教団を組織しました。このピタゴラス教団は、霊魂の不死や輪廻という考え方を信じていたようです。

さて、時間が回って輪廻転生が生じると考えたら、そこからどのような思想が生まれてくるかといえば、この世は全部仮の姿である、という思想です。たとえばお釈迦《しゃか》様の前世についても、さまざまな話が残っている。薩埵《さった》王子《おうじ》や雪山《せっせん》童子《どうじ》は有名ですが、さまざまな人や動物になった物語で、これはじつはヒンドゥー教から借りてきたものです。けれども、あまりにも生き変わり死に変わりして、それが続くとなると、この世も自分もすべてが仮の姿になってしまう。どれが本当の姿なのか。そうすると本当の姿を探し求めたいという、要求が生まれてきます。この要求を思想として大成したのがおそらくプラトンです。彼はピタゴラス教団から多くを学び、たいへん大きな影響を受けました。そして彼は、世の中にある姿はすべてが仮の姿で、美しいものを美しいと感じたり、正義を愛するような、生成消滅することのない永遠の本質を人間や世界は持っていると考えて、それをイデアと名付けました。

僕は、プラトンのイデアという考え方の大本は、時間の循環論から来ているような気がします。

いずれにしても、時間をどうとらえるかということは人間にとってはたいへん重要な話で、そこを起点にして、いろいろな発想が生まれてきたと思っています。

## ▶善悪二元論が、生まれてきた理由

神様は世界をつくれるのだから、当然に全知全能です。全知全能の神様がいて、それを信じれば世界の最後の瞬間には助けてくれることはわかりました。けれども、そもそも全知全能の神様がいるのなら、なぜこの世の中から悲惨とか貧乏とか不公平とか、悪とか戦争がなくならないのか。神様はふだんは何をしているのか。こういう疑問が必ず起こってきます。遠藤周作《えんどうしゅうさく》の小説『沈黙』（新潮文庫）にも描かれた大きなテーマです。神様はオールマイティのジョーカーなのだから、最後のときには何かしてくれるにしても、現実の世界では大変なときにも全然出てこないじゃないか、なぜなんだ。こう問われたらどう説明するか、ということはかなり難しい問題です。

この問題はセム的一神教の一番の弱点かもしれません。なにしろ神様は一人でオールマイティ、ほかの神様を祀《まつ》ったら俺は祟ってやるとかいって嫉妬深い。しかも、わかりました、あなたしか崇《あが》めませんといって、毎日捧げ物をしているのに、本当に困っても悲惨な状況になってもなぜ助けてくれないのか。

この難問に答えを出した最初の人も、天才ザラスシュトラでした。善悪二元論です。つまり時間軸で解決するのです。全知全能の神様が世界をつくった。ここがスタートです。そして最後は全知全能の神様が最後の審判を行ない、正邪を分ける。しかし、それまでの間は、正しい神様と悪い神様が争っている。だから悪い神様の勢いが強いときは、悪や悲惨がはびこっているように見えるのだ。このように最後の審判までを、善と悪の闘争の期間であるという時間軸で逃げるのです。これはとてもわかりやすい。この善悪二元論はゾロアスター教から分かれたマニによって大成されました。

マニは3世紀半ばのサーサーン朝ペルシャの人で、バビロニアに生まれました。ゾロアスター教をもとに、キリスト教と仏教の要素を加えてマニ教を創始しました。その教えは、西は北アフリカや南フランスへ、東は中央アジア、インド、中国（明教、摩尼《まに》教）にまで広がりました。この世は善と悪、光明と暗黒の対立が続くという教えで、きわめて厳しい倫理観も説いています。この教えは知識人を中心に大きな影響を与えて、キリスト教の中にも二元論が、根強く残っていきます。

オールマイティの神様一人であるために生じてくる矛盾、宗教上の疑問を善悪二元論は巧みに解決してくれます。考えてみると光と闇が戦っているという善悪二元論は、いくつかのアナロジー（類推）も可能にしてくれます。昼と夜がある、1年の中にも太陽の強い時期と弱い時期がある。それと同じように、神様にも光と闇があって戦っているのだと説明したら、なるほどわかった、という感じになって、一神教の信者も納得しやすかったのではないでしょうか。現代の『スター・ウォーズ』もそうですね。

## ◆キリスト教と仏教はいかにして生まれてきたのか

### 1 キリスト教の誕生　それはユダヤ教の宗教改革として始まった

ドメスティケーションから、神の概念が生まれ、それが宗教に発展しました。生と死や時間をどう考えるかで、時間の直線論や循環論も生まれてきました。ここでは、直線論、循環論の代表であるキリスト教と仏教がどのように生まれてきたのかという話をしてみたいと思います。

まず、キリスト教です。セム的一神教の中では、ユダヤ教が最初に生まれたのですが、その由来は、おそらく次のように理解するのがいいと思います。

BC1000年頃、地中海の東海岸パレスティナの地にユダヤ人の部族連合体があって、イスラエル王国と呼ばれていました。伝承にいうダヴィデやソロモンの時代です（ダヴィデやソロモンの実在は疑問視する学者が多いのが現状です）。イスラエルが南北に分裂して二つの小国になり、北王国はイスラエルと呼ばれサマリアを首都としていましたが、強国アッシリアによって滅ぼされました。南王国はユダと呼ばれ、エルサレムを首都としていました。比較的安定した国でしたが、アッシリアを滅ぼした新バビロニア王国によって攻略されます。このときにヘロドトスも語り残している「バビロン捕囚」という事件が起こります。

新バビロニアの王様ネブカドネザル二世（イタリア語ではナブッコ）はエルサレムを占領しましたが、ユダ王国の人々はヤハウェという神のみを信じていて、妙に理屈っぽい人々なので、新バビロニアの都、ユーフラテス河畔のバビロンまで、主だった人々をぜんぶ拉致《らち》して連れていきました。

**バビロン捕囚**
新バビロニアの王に拉致されたユダの人々。彼らはその不幸を嘆いたと伝えられるが、実際はどうだったのだろう

これはすごく合理的な方法です。僻地《へきち》に文句をいう奴がいたので軍を送り降服させた。しかしそのまま放置して帰ってしまったら、また反抗するに決まっています。また大量虐殺は、たいへんなエネルギーを要します。

コストの面で、拉致と現場に軍隊を残して監視するのとどちらが安いか。エルサレムに部隊を置けば、バビロンからその補給や指揮命令を伝達するのがまたたいへんです。だとすれば、指導者を全部連れ帰って、目の届くところで仕事をさせるほうが安心です。だから「バビロン捕囚」はユダヤ人だけになされた受難ではなく、当時の戦争の方法としては、ごく一般的な戦術でした。古代中国においても散見されますし、近年ではスターリンも行なっています。

バビロン捕囚から、50年近く経った頃、ペルシャのアカイメネス朝のキュロス二世が新バビロニア王国を滅ぼしました。そして理想家肌の彼は、ユダヤ人のエルサレム帰還を許しました。ところが喜んで帰ったのは、祭祀階級の人々だけでした。帰郷した人々は、なにか民族の拠《よ》り所になるものをつくっておかなければ、このままではユダヤ民族は消えてなくなるのではないかと思って『旧約聖書』をつくりはじめたのです。誉《ほま》れあるユダヤ民族の物語をきちんとつくっておこう、そう思ったのですが、彼らもじつは遠い昔のことはよく知らない。そこでバビロンで見聞きしたことが、『旧約聖書』に記述されることになります。たとえばメソポタミアの大洪水の伝説が、ノアの方舟《はこぶね》の話になっていきます。エデンもメソポタミアの地名です。古代の物語ほど新しい（最後に書かれる）のは、世界共通の真理です。

こうして、『旧約聖書』がつくられました。すると『旧約聖書』に書かれたことが命をもって生きはじめる。いったん書かれてしまえば、もうぶれることはありません。教理が定まります。それを読んで信ずる人は必ず出てきます。

エルサレムに帰って『旧約聖書』を一所懸命にまとめた人々は、若い人たちに帰ってもらいたい一心で書きました。ユダヤ人は、もともと数の少ない民族です。彼らの心配も理解できる。しかし、エルサレムの人たちには、バビロンで生きる人たちへの多少の嫉妬や対抗心もあったかもしれません。

一方でバビロンに残った人々も、大都会のにぎやかで華美な生活は大好きでしたが、ユダヤ人の信条としてユダヤ教を守っていました。ただ彼らはバビロンに連れてこられて、土地が持てない中で、商売に生きる道を見つけて、才能を発揮しはじめました。もともと交易の才能がある民族です。『旧約聖書』では、「バビロン捕囚」によって、ユダヤ人はバラバラになったと嘆きますが、彼らはおそらく充実した都会生活を送っていたのです。

「俺たちは故郷に帰らなくても、商売しながら、楽しく異国で生きていくぜ」

このようなユダヤ人の生き方「ディアスポラ」を、最近では「散在」と訳しています。「離散」ではなく「散在」と訳すのは、彼らが無理矢理に「離散」させられたのではなく、自らの意思で散開して生活する道を選んだと思われるからです。

ところで、エルサレムに帰郷した人たちは、純粋で一途なユダヤ教徒たちです。清く正しく貧しい人々です。清く正しく貧しい人々は、ともすれば、狂信的になりやすく、偏屈になりやすい。バビロンに対抗しようと考える。俺たちが本流なんだという気持ちがあります。それで、ヴァチカンと同じようにエルサレムの神殿を美しく豪華にし、祭祀階級はきらびやかな衣服を着るようになる。生活もぜいたくになる。

しかし、最初はバビロンへの対抗意識であったかもしれないけれど、神殿を飾ったり、きれいな服を着るようになるというのは宗教の堕落です。彼らは汗水たらして働いているわけではなく、人々の喜捨《きしゃ》によって食べているわけです。エルサレムのユダヤ教の精神が、ゆがんできたのです。

これはやっぱり変じゃないか、ということで革新運動が起きる。『旧約聖書』に書いてある神の教えとえらく違うじゃないか、と指摘する人々が出てきます。それがたぶん、イエスの運動（キリスト教）だったと思います。イエスの運動が、ユダヤ教の革新運動としてスタートしたことはほぼ確実だと見られています。

このイエスが刑死したあと、パウロという天才が登場します。

**タルススの聖パウロ教会**
パウロの生地タルススは、地中海に面したアナトリア半島にある
©KAKU SUZUKI/SEBUN PHOTO/amanaimages

彼は小アジア（アナトリア半島）の地中海に面したタルススという都市で、ローマ市民権を持つユダヤ人の家庭に生まれました。最初はキリスト教を迫害するパリサイ派のユダヤ教徒でしたが、イエスの死後に、天啓を受けてキリスト教徒となりました。したがってイエスの最初の12人の弟子ではありません。しかも、イエスの死後エルサレムのイエス教団は、イエスの弟ヤコブが継いで統率していましたから、パウロはいわばあとから入った中途採用の社員のようなものです。彼はイエスの教えはいいなと思いながらも、エルサレムに行って布教活動をすることができません。そこで結局、地

中海沿岸のユダヤ人居留地をベースに、イエスの教えを説くようになりました。

エーゲ海周辺はローマ帝国の領域で、コスモポリタン的な街が多い。ユダヤ人はシナゴーグ（礼拝堂）以外では当時のリンガ・フランカであるギリシャ語（コイネー）で話をします。イエスの言葉はアラム語でしたが、パウロはコイネーで話をしました。パウロの置かれた境遇によって、キリスト教はユダヤ人を相手にしたユダヤ教の刷新運動という立場を離れて、少しずつどの民族にも開かれた世界宗教になっていった。枝葉を捨てて、ごく単純にいってしまえば、パウロがイエスの言葉を、世界宗教として翻訳していったのだと思います。

## 2 仏教の誕生と発展は、新興ブルジョアジーに支持されたからである

仏教の話に入ります。BC5世紀頃には、インドでも鉄器が広く行きわたるようになります。何度か触れてきたBC5世紀代の地球温暖化と高度成長の時代です。この頃、インドでは牛に鉄製の犂《すき》を引かせることで農業の生産性を上げた。特にガンジス川の中流、ヒンドスタン平原の地域です。牛に犂を引かせれば、人間が耕すよりはるかに効率的です。牛＋鉄器は、金持ちになるための必需品です。牛と鉄器を使って、農業の生産性を上げて

お金を貯めた人が都市住民になっていきました。

ところで、その当時のインドでは、バラモンと呼ばれる祭祀を専門とする人々がいて、彼らが一番偉いとされていました。そして都市に住む貴族（クシャトリヤ）や商人・農民（ヴァイシャ）を支配して、政治を行なっていました。この身分階級は厳しく識別されていましたが、鉄器が使われて生産性が上がるに従って、都市に住むクシャトリヤやヴァイシャの力が強くなっていきました。ブルジョアジーと呼ぶべき存在が生まれてきたわけです。しかしバラモン階級は伝統的、宗教的権威を持ち、精神的な支配力を維持していました。

ところで、当時のインドを支配していたアーリア人は、はるか昔にカスピ海の北方からやって来た人たちです。ギリシャ人とも祖先を同じくする人々です。ギリシャでは、ゼウスやいろいろな神様に祈るときは牛を焼いて、その煙を捧げます。肉を焼くとすごくいい匂いがして煙が上りますから、神様に食べてもらったといって、結局は司祭や支配階級が牛肉を食べている。

インドのアーリア人の神様も、ギリシャの神様と同じです。やはり貢ぎ物として牛を捧げて祈ります。これらの神様に捧げるために、バラモンたちは牛を勝手に調達していきます。牛は、農村にいます。けれど、その所有者は都市に住むブルジョアジーです。調達があまりにもしばしばなので、ブルジョアジーは激怒する。バラモンは神様にといいながら、結局自分たちが食いたいだけじゃないのか。この牛を耕作に使えば、いくらでもお金が稼げるのに、毎日のように牛を屠《ほふ》っている。こんな奴は許せん、と思うのですが、いかんせん、その許せないと主張する根拠がない。

神様に捧げるのだぞ、おまえは神様に抵抗するのかと問われたら、理屈では勝てません。ちょうどその頃に、仏教を始めたブッダとジャイナ教を始めたマハーヴィーラが、ほぼ同時期に現われて同じような教えを説きはじめます。生き物を殺したら、来世はヘビやカエルに生まれ変わるぞという教えです。平たくいえば、牛を殺したら来世は期待できないぞという宗教です。これはブルジョアジーにとって願ってもない論拠になります。われわれは仏教徒です。われわれはジャイナ教徒です。神様の教えで牛を殺してはいけないと教えられています。牛はお渡しできませんといえばバラモンに堂々と抵抗できるからです。このことで仏教は都市のブルジョアジーの圧倒的支持を受けます。特にブッダは貴族の出身ですから、ブルジョアジーにはなじみやすい。またジャイナ教は不殺生を厳しく求めたために、マハーヴィーラの信者は商人が多くなりました。

ここで興味深いのは、インドではアーリア人が侵入する以前から牛は聖獣と考えられていたことです（インダス文明の印章にも牛が多い）。仏教やジャイナ教が支持された大きな理由でもあります。また、一敗地《いっぱいち》に塗《まみ》れた（都市を追われた）バラモン教も、次第に牛を殺すことを止《や》めて、ヒンドゥー教と呼ばれるようになっていきます。牛を殺していたら覇権を失うからです。アーリア人の宗教から、よりインド土着の宗教になっていく。

仏教の教えは輪廻の思想が根本にあります。人間は転生する。来世は何になるかわからない。悪いことをしたら動物になってしまうかもしれないぞ、という教えです。一番悪いことは人間を殺すことだ、そして生き物を殺すことだ。次に泥棒をすることだ。他人の妻を盗むことだ。そのように悪をいましめた。そうしないと、来世は動物になるか、地獄に落ちますよ。けれども、なるほど善行を積めば、お金持ちになれるかもしれないし、王様になれるかもしれないが、いったい何回生きたり死んだりグルグル回るのだろう。くたびれるじゃないか。4、5回で許してもらえないか。生きているのが、つらくなる。

そう考える人も出てきます。けれども、こういった高次元の、生きる悩みを考える人は生活が豊かで知識水準の高い人です。極言すれば、食うための苦労とは無縁な人々の悩みです。生きることに精一杯の人々には、生きるための悩みはあっても、このような形而上学的な悩みは、生じてくる余裕がありません。

ブッダは、都市のインテリ階級を対象に、この輪廻転生の輪から抜け出る道を教えました。それが涅槃《ねはん》です。この世界を深く見つめ、自分が人間として正しく生きていけば、人は自然に永遠のやすらぎ、涅槃に到達できますよ、死は恐ろしくありませんよ、と教えました。

こうして仏教は始まりました。仏教は、当初から担い手が都市のブルジョアジーであったのです。

ブッダの教えにもっとも近いとされる『スッタニパータ』や『ダンマパダ』には、簡単明瞭な言葉で、生きる悩みに答える含蓄《がんちく》に富むブッダの教えや生活の指針になる言葉が残されています。これらの書物は、現代の知識人にも広く読まれています。ブッダはインド社会の身分制度を否定し、女性蔑視も許しませんでした。また、無益な殺生も否定しました。しかし、ここには、慈悲につながるような広大無辺な愛の言葉はほとんど登場しません。その登場は、500年後の大乗仏教経典まで待たねばなりません。

**ローマ市民が信奉していたミトラス教とイシス教**
左は牛を屠るミトラス像。右はわが子ホルスを膝に乗せている女神イシス像。キリスト教のクリスマスやマリア像のルーツ

## 3 パウロの後、キリスト教は、どのような人たちに広まったか

もう一度キリスト教に戻ります。初期キリスト教のゆらぎの話は割愛します。

キリスト教が生まれたのは、ローマ帝国の領内でした。それは初代皇帝アウグストゥスの時代です。ローマ帝国はユピテル（ゼウス）などギリシャ伝来の神様をほぼそのまま祀っていましたが、それ以上にローマの支配階級はストア派の哲学を信奉していました。

それはBC300年頃、アテネのストア・ポイキレ（彩飾柱廊）でゼノンが説いた教えです。それはどちらかといえば無神論に近い、きわめて道徳的欲求の高い哲学でした。そこから導き出される教えを意訳すれば、次のようなことでした。

「指導者たるものは、身を慎んで、美食や美女に明け暮れするような生活をしてはいけない。普通の服を着て粗食に耐えて、軍《いくさ》を戦い国を治めるのだ」

ストア派の、このようなストイックな教えがローマの支配階級の真の宗教であり信念でした。表面的にユピテルなどを祀ってはいても、心の中は無神論に近かったでしょう。ローマ人は、きわめて合理的かつ現実的な人々でした。

ローマの支配階級からローマ市民に目を転じると、彼らが信奉する宗教が二つありました。一つはペルシャから来たミトラス教です。もう一つはエジプトから来たイシス教です。

ミトラスは太陽神です。人類に繁栄と救済をもたらした神様であると信じられていました。このミトラスを大々的に祝う祭祀が、ローマにありました。太陽神であるミトラスは冬至に生まれて、夏至に最強になって、また冬至に死にます。その冬至をミトラスが「再び生まれる日」として、ローマでは信者たちが盛大にお祝いをしました。豊穣《ほうじょう》のシンボルである牡牛を殺して、その血をミトラスに捧げ、礼拝をしました。それから肉を食べて、ワイン（ミトラスの牝牛の血の象徴）を飲みました。

イシス教はイシスという女神が主役です。イシスはオシリスというエジプト王の妹にして妻でしたが、夫がその弟セトに殺されます。しかし彼女は夫の死体を復活させただけではなく、我が子ホルスを苦労して育てて、ついに父の仇《かたき》を討たせました。イシスは偉大なる大地母神として信仰されていて、ローマでは彼女がホルスを膝《ひざ》に乗せて抱いている像が、市民に敬愛されていました。

さて、ローマにやって来たキリスト教は、まだまだ教義も不完全ですし、儀式もありません。新興宗教としての呼び物がありません。そこで物まねが大好きというか、たいへん柔軟に考えました。信者を獲得するのが目的だから、世の中で流行《はや》っているものは何でももらってくればいいじゃないかと。

ミトラスとイエスを一緒にしてしまおう。イエスの誕生日を、冬至の頃にしてしまおう。さすがに牛を殺して血を捧げたり肉を食べることは無理だから、イエスの降誕を祝って、パンと葡萄《ぶどう》酒のミサをやったら、ミトラス教の信者も、こっちもいいかなと思って来るかもしれない。そう考えて、クリスマスをつくってしまいました。イエスがいつ生まれたのかは、もちろん不明です（ちなみにクリスマスが12月25日になったのは、4世紀だそうです）。

続いてもう一つ、イシス教の人気にも便乗しようと考えました。幼子イエスを抱いた聖母マリアの像というのはどうだ？　キリスト教というのは優しいんだな、偉大な聖母がいるんだなと思ってもらえる。イシス教の人気もいただけるかもしれない。マリアの顔は優しく美しくつくってもらえばいい。成人したイエスの顔がないな。ユピテルの顔を借りてこよう。おそらくこんな具合であったのでしょう。

このように、いろいろな宗教から美味《おい》しいところを取ってきた柔軟性が、キリスト教を大きく成長させていった一つの要因だろうと思います。キリスト教と仏教は、生まれたときの環境や発展していく道程が、まったく異なっていたと思います。もちろんそれは、宗教自体の優劣の問題ではありません。

## ゾロアスター教の永遠の火

最後にもう一言。

ザラスシュトラが創始者となったゾロアスター教（拝火教）は、アーリア人の宗教が源になっています。この民族は、カスピ海の北方にいたようです。彼らは地球が寒くなったときに、カスピ海を南下してきたのですが、アゼルバイジャンのバクーのあたりまで来た

**東へ向かったアーリア人**
ゾロアスター教の拝火神殿（左）と、延暦寺の根本中堂の「不滅の法灯」。火の神アグニを象徴する「永遠の火」はインドを経て仏教に入り、日本まで伝わったのではないだろうか
左：©TAKASHI KATAHIRA/SEBUN PHOTO/amanaimages　右：朝日新聞社/amanaimages

とき、あのあたりはいまでも石油の大産地ですが、石油が自然に発火して燃えているところを通ったのです。火は、火打ち石で一所懸命熾《おこ》さなければいけないのに、ここでは自然に燃えている。地下から噴き出すように燃えている。アーリア人は、この炎を神様と思ったに違いありません。そして、このバクーに燃える炎の伝承が、ザラスシュトラに新しい宗教に目覚めさせる大きな契機となりました。いまでもバクーの地には、ゾロアスター教の「永遠の火」を象徴する聖地が残されています（「永遠の火」はイランの「ヤズド」でも燃え続けています）。

アーリア人はカスピ海を南下して東に向

〈第3章の関連年表〉
## 宗教誕生関連史（BC11世紀〜AD3世紀）

| 西暦（年）・世紀 | | |
|---|---|---|
| BC | | |
| | 1000頃 | ペルシャで、ザラスシュトラ活躍。ゾロアスター教を創始 |
| | 10世紀後半 | イスラエル王国、南北分裂（南にユダ王国、北にイスラエル王国） |
| | 721 | イスラエル王国、アッシリアに滅ぼされる |
| | 612 | アッシリア滅亡 |
| | 586 | ユダ王国滅亡。バビロン捕囚 |
| | 525 | アカイメネス朝、オリエント統一 |
| | 5世紀頃 | 地球温暖化による高度成長期。鉄器が広く行きわたる<br>仏教、ジャイナ教の教えが説かれはじめる |
| | 4世紀頃 | 旧約聖書成立 |
| AD | | |
| | 30頃 | イエス刑死 |
| | 40頃〜60頃 | パウロがイエスの教えを伝道 |
| | 3世紀半ば | ゾロアスター教、サーサーン朝の国教になる<br>マニ、マニ教を創始 |

かってインドに入り、その後イランに入りましたが、彼らはバラモン教の大切な火の神であるアグニを、インドにもたらしました。このアグニを象徴する「永遠の火」は、仏教に入り形を変えて日本まで伝わっているのではないかと、僕は思います。それは比叡山《ひえいざん》延暦《えんりゃく》寺に、いまも燃え続けている不滅の法灯《ほうとう》です。唐から帰朝した最澄《さいちょう》が延暦寺に灯《とも》してから、織田信長《おだのぶなが》の焼き討ちのときも、誰かが守った。そして今日も灯っています。そこには、遠い昔のアーリア人のバクーの記憶がひっそりと伝えられているのです。

第4章

# 中国を理解する四つの鍵

## 難解で大きな隣国を誤解なく知るために

## ◆一つめの鍵は中華思想にある

中国は日本にとって古くから縁の深い国です。しかし同時にまた、中国ほど難解な隣国はないようにも思われます。しかも日本人は、同じく漢字を使用しているせいか、なんとなく中国のことをわかっているように思いがちなところもあります。この大きな隣国を誤解なく知る方法はあるのか、中国を理解する四つの鍵についてお話ししたいと思います。

中国を理解するためには、中華思想が最初の手掛かりになります。中華思想は、周《しゅう》という国に対して他の諸国が抱いてしまった過度な尊敬の念に端を発しています。とても重要な話なので、第2章でも触れた、周の前の王朝、商《しょう》の時代から復習してみましょう。

この古代王朝、商は、いわば大都市国家で周辺の諸部族としばしば戦い、それらを従属させる形で強大になっていきました。祭政《さいせい》一致国家である商の戦争は、まず王様が帝と呼ばれていた祖先神に、戦いの吉凶を占うことから始まります。そして戦場においては、まず前線に巫女《みこ》が並んで、敵を呪詛《じゅそ》するまじないの歌を詠《よ》みあげることから戦闘開始となるのでした。戦いに勝利すると、敵方の王族や貴族の有力者たちを連れ帰ってきて、自国の郊外に強制的に住まわせました。人質です。そして、この人質の命と生活の自由を認める代わりに、年貢を献上させました。また、ときおり、人質を戦場に戦力として駆り出すこともあったようです。江戸時代の参勤交代と、多少似ています。

商の場合、征服した他部族や都市国家に軍隊を駐留させることはしないで、その一族を集団で連れ帰りました。「バビロン捕囚」と同様です。当時としては、これがもっとも合理的な戦術であったのです。コストパフォーマンスの面でもすぐれていた。

たとえば一族を人質にして、郊外に住まわせていた南方の国に、叛乱の気配があるとします。すると王様の使者が、郊外のその国の人質集落を訪れて、彼らに告げます。

「今朝《こんちょう》、我らが王様が占ったところ、南方の国にまがまがしきことあり、とのお告げであった。変な考えは捨てるように、即刻本国に告げよ。さもなければ、汝《なんじ》ら4、5人の首を切るぞ」

きっと、こんな具合だったのでしょう。

**青銅器の代表、鼎**
周時代の鼎。鼎は威信財交易の重要な礼器だった

商はBC11世紀に周に滅ぼされます。商周革命と呼ばれる大きな変革がありました（次の大変革は唐宋革命です）。しかし周が商から受け継いだものもあった。青銅器をつくる技術と、そこに刻まれる文字の読み書きができる金文《きんぶん》職人、書記といってもいいのですが、このインテリ集団を引き継いだのです。青銅器の代表は鼎《かなえ》と呼ばれる容器です。もとは肉などを煮る器でしたが、後にさらに立派なものになって、王権や身分を象徴する重要な礼器《れいき》になりました。「鼎の軽重を問う」という言葉もありますね。周は、この青銅器を威信財《いしんざい》交易によって諸国の王様に与え続けました。

交易には大別して二つのパターンがあります。まず普通の商売ですが、需要と供給をマッチさせ、ウィン・ウィンの関係で交易が成立します。これが圧倒的に多いのですが、もう一つ、威信財交易があります。昔は各地に王様がいました。農耕が始まり、余剰農産物ができると、豊かな人、貧しい人の二極化が起きて、寄生階級が生じます。その寄生階級の中から王様が出てくる。王様が各地にたくさん生まれてくると、最初に試みるのは、互いの力くらべです。

西の方角に三日行ったところに別の王様がいるらしいと聞くと、どんな奴か試してやろうと思うわけです。俺より強いか、俺より偉いか。三日もかかるので直接行って相撲《すもう》をとるわけにもいかないので、使節を出します。そのときに宝物を持っていきます。一番いいのは自分のところに置くのでしょうが、たとえば大きいタカラガイとか、おいしい果物とか、美しい女性とか、貢《みつ》ぎ物を持っていく。その貢ぎ物を持っていく意味は、どうだ、俺は偉いだろうと述べているわけです。これほど大きいタカラガイとか、お前は持っていないだろう、どうだ、まいったかと問うために持っていくのです。

それを受けたほうは、こんなものはちょろい。俺はもっとすごい宝物を持っているといって、倍返しをするのです。これによって、どうやらあっちが上だなという序列ができる。このような王様同士の交渉を、威信財交易と呼んでいます。王様の威信と財物が取引されるのです。

周は中国のど真ん中を支配していた伝統と力のある王朝でしたから、貢ぎ物を持ってきた相手に、何をやったら驚くだろうかと考える。

それが青銅器です。青銅器をつくれて文字を書ける職人は、周が全部囲い込んでいます。たぶん文字が書かれた大きな鼎が主だったと思いますが、「これは誰にもつくれない。周の宝だ。おまえにはこれをやろう」と、相手に贈った。

もらった相手は驚愕《きょうがく》する。第一重いし、きれいだし、なんだかよくわからない字も書いてある。そこで、周の王様はやっぱり俺より偉いのかなと、納得するというわけです。

ところが周がBC770年頃にいったん滅ぶと王朝の秘密兵器であった、金文職人、書記たちは、失業し、職を求めて諸国に拡散します。青銅器の後を追うような形でインテリゲンチャが諸国に散っていきました。こうして、諸国の王様は、書記をゲットしたことで初めて青銅器に書かれていた内容を読み解くことができました。それは、文字を持たない彼らにしてみれば、とうてい記憶することのできない、はるか昔の物語でした。周は300年を経ている。当時は20年、30年が一代ですから、西周は十二代続きました。そして青銅器に書かれていたのは、周の文王《ぶんおう》とか武王《ぶおう》とか、その二人を補佐した政治家周公旦《しゅうこうたん》の治績など、立派な業績を挙げた周室の先祖の話だったのです。

それを読み聞かせてもらった諸国の王様は、周の王族は俺たちとは違う人たちかもしれない。貴種なのだ。貴《とうと》いのだ。俺たちとは違って立派な先祖を持っているんだと思い込んで、勝手に尊敬してしまった（少し意地悪をいってしまえば、周の先祖のことを金文職人たちが、もみ手をしながら誇張して書いた内容であったかもしれません。けれど記録に残ると、俄然《がぜん》、説得力が出ます。当時の王様に対しても、現在の僕たちにも）。

周は西周から東周へと逃げていき、より小さい国になったのに、漢字の魔力によってかえってみんなが崇《あが》めてくれるようになったのです。いつのまにか周の王室は特別な存在であると考えられるようになりました。これが「中華思想」の起源です。中華とは、周の都とその周囲の地域を示す言葉でした。中夏《ちゅうか》、中国という言葉も同義です。

このように、中華思想は漢字の魔力を介して周とその周囲の小さな王国に起こったことが始まりでした。後世まったく同じ現象が東アジア全体に起こります。中国から漢字が朝鮮やベトナム、日本に広まっていったときに漢字で書かれた中国の歴史を読んだ周辺国の人たちは、俺たちの祖先はとてもかなわないと思うようになったわけです。中には、だいぶ後の話になりますが、日本のように中国に対抗するために自分たちも歴史をつくらなければいけないということで、『日本書（紀）』などをつくった国もありました。俺たちはもっと古いといい募りますが、所詮《しょせん》思考のモデルは中国です。それのミニチュア版でしかありません。

中華思想について、現在では誤って、中国は世界の中心で俺たちは誰よりも偉い、という唯我独尊的な考え方である、と一般にはとらえられています。しかし本来の意味は、中国が自分からいい出したことではなく、周囲の人々が勝手に中華ってすごい、中国ってすごい、と思い込んでしまったことが始まりです。

しかし、周囲がそういうふうに思い込んだことがわかると、今度は中華の人、つまり東周の側にも、良からぬ知恵が出てくる。自分たちには武力はないけれど、みんなが尊敬してくれるのでこの幻想を使ってやろうと思う。俺たちは偉いんだぞ、と主張し始めます。そのうち、ほんとうに、そう思い込んでしまうこともあったかもしれない、そして、そういうことは時代が変わっても中国で何度も繰り返されたかもしれない。けれども、もともとは、順番が逆で、最初に偉いと思い込んだのは周囲のほうであったということを、記憶しておきたいと思います。

なお、東周という小さな国は、その後500年以上も戦乱期の中国で生き残り、始皇帝《しこうてい》が建国した秦《しん》に吸収されます。彼が、漢字のつくり出した広域文化圏全体を引き継いだ形になりました。それまで、誰も東周を滅ぼせなかったのです。

## ■二つめの鍵は諸子百家《しょしひゃっか》にある

商で生まれた青銅器の金文職人、書記たちは、西周に引き継がれ、その滅亡とともに諸国に散りました。それとともに漢字が広まり、同時に中華思想も生まれてきて、周の一族は尊敬されるようになりました。孔子《こうし》も文王や武王を崇めていますね。一方で、漢字のエキスパートであった書記たちの地位は、だんだん大衆化されて、昔ほどのエリートではなくなっていく。戦国時代に文書行政が始まると、中央集権体制の中で、官僚として国家組織に組み込まれるようになります。

中央で王様に近いポストにいて、政策文書を書いたり素案を考えたりするのは、仕事として張り合いもあるでしょう。しかし、たとえば県庁や市役所のような地方自治体で、本庁からの指令を受け取ったり返事を書いたり、さらに町役場や村役場へ書類を届けたりするのは、退屈だ、いやだと思う官僚も出てくる。彼らは辞職していく。そしてフリーの知識人になっていきます。彼らはそれぞれ自分の得意な分野の知識を、学問や思想、あるいは実務体系として、世に問うようになりました。そして各国に売り込み、あわよくば一国の宰相《さいしょう》や大臣になろうと考えるようになりました。このような人々や、その学派、学説を一般には、諸子百家と呼びます。

したがって、中国の歴史を漢字をベースに考えると、中華思想から諸子百家まで一直線につながります。

諸子百家の中で代表的な学説や思想を、少し紹介してみましょう。諸子百家は儒家《じゅか》、道《どう》家《か》、墨家《ぼっか》、法家《ほうか》、名家《めいか》、農家《のうか》、縦横家《じゅうおうか》、陰陽家《いんようか》、兵家《へいか》、小説家《しょうせつか》、雑家《ざっか》などに分かれていました。これらの中で、文書行政にもっとも役立ったのは法家です。

文書行政とは何かと考えてみると、最初は王様の「麦を100束差し出せ」という命令を書き出すことから始まりました。しかし、さまざまな国家経営上の事柄について、その都度命令を書き出すよりも、決まったルールをつくったほうが効率がよいことは、すぐにわかります。「毎年麦を100束持ってこい。それ以上いるときは、改めて王より命令を出す」とルールを決める。このほうが楽です。およそ政治に必要なことは、悪人を罰する刑法とか、年貢はどれだけ納めるとか、戦争のときに兵隊を何人出せばいいとか、ステレオタイプになっている場合が多いので、法律をつくって治めたほうがいいという考え方が生まれてきます。

これが法家で、その代表が韓非子《かんぴし》です。何か特別の思想があるわけではなく、きちんと法律をつくり、その法律に従って治めたほうが楽ですよ、文書行政がもっと合理的にできますよという考え方です。広大な国を治めるのに役立つので、中国ではずっと法家が主流でした。要するに中国を動かしていたのは、官僚と法家なのです。

でもそれだけでは、格好が良くない。理念や理想がない。

「我が国は、法律によって治めます」

これだけでは、あまり浮き浮きした気持ちにはならない。やはり国を治めるには、夢とか大義とかが必要です。

何か庶民の心に訴えやすくて、夢のある思想が欲しい。それが政治の実務（本音）とは別に必要だと政治家は考えます。本音ではなく次は建て前が欲しい。その建て前になったのが儒家であったと思います。孔子の教えです。これは、たいへんわかりやすくて、同時に支配者にとっては、都合のいい教えです。それで儒家の思想が、少しずつ中国の建て前になっていきます。

まず、儒家は先祖を大切にしますから、立派なお葬式（厚葬《こうそう》）を出すことがとても大切だという考えになる。しかし、立派な葬式を出すためにはお金が必要になる、ということで、これは要するに高度成長を謳歌《おうか》する考え方です。国が豊かになれば、立派な葬式を出して祖先を敬《うやま》うこともできるのだ、ということです。まじめに生き、家庭を治め、社会を治め、王様にちゃんと従い、長幼の序を大事にし、反抗をせず、高度成長を謳歌し、お葬式も立派に出し、税金もたくさん払えるようになりなさい。皆さん豊かになりますよ。

まさに儒家の思想は、BC5世紀の高度成長期の時代の追い風を受けていました。

これに反抗したのが墨家です。墨子《ぼくし》を祖とします。現代風にいえば一種のエコ思想だと思いますが、国土を伐採や戦争で禿《は》げ山だらけにしてしまってどうするのだ、もう高度成長などしなくてもいいじゃないかと主張したのです。高度成長は戦争にも都合がいいので、高度成長を批判する思想は、国にとっては邪魔になる。儒家のように高度成長は正義だといってほしいのです。けれども墨家は、そうは考えない。もう成長はしなくてもいい。自然とともに小さくのんびり暮らそうよ。無駄な贅沢《ぜいたく》は止《や》めようよ、という考え方です。おそらく儒家は自民党で、墨家はドイツの緑の党のような感じだと思えばわかりやすいと思います。

墨子は非武装中立を原則としましたが、攻められたら徹底的に守るということで、専守防衛的な軍事技術がとても発達していました。あるいは武装中立と呼んだほうが適切かもしれません。単なる理想論だけではありませんでした。しかし人間は目先の欲望には弱い動物ですから、高度成長で楽をしようという人がいつの時代でも圧倒的な多数派で、墨子のような思想は、清く、正しく、美しくのイメージはあっても、どうしても少数派にならざるを得ません。

そこで墨家というグループは、秘密教団的になる。少数の人々が自分たちを守ろうと思ったら、必ず秘密結社風になっていく。これは仕方がないことです。まず自分を守らなければならない。

　墨家の考え方は、高度成長を目指す為政者にとっては一番腹立たしい。だから戦国時代には七雄《しちゆう》から、墨家は徹底的な弾圧を受けました。その仕上げが、始皇帝によって行なわれた焚書坑儒《ふんしょこうじゅ》です。焚書坑儒とは、医薬や卜筮《ぼくぜい》（うらない）、農事などの実用書を除く書物を焼き、500人近い儒家を穴埋めにした、始皇帝の暴挙として昔は教わりました。しかし事実は、墨家をはじめとした反体制的な思想が抹殺されたのだと思います。始皇帝は史上まれにみる有能な皇帝でした。彼は墨家の思想を、彼の政策にとって有害無益だと判断して、徹底的に消去したのではないか。そう推測する主な理由は、秦漢帝国以降の中国史の中に、孔子を中心とする儒家や老子《ろうし》や荘子《そうし》を中心とする道家《どうか》の思想は脈々と生き続けているのに、墨家はその姿が消えてしまうからです。

　それでは「老荘《ろうそう》思想」とは何か。諸子百家では道家と呼ばれ、その祖は老子です。彼は儒家の祖である孔子と同時代の人です。老子の教えを受け継いだのが荘子です。何もしないで自然にまかせろ、自我は捨て去って万物の絶対性に従えと、荘子は説いています。このような超然とした思想は、たぶん知識人の発想です。

政府で働いている人は官僚です。中国という大国を動かしている官僚は、みな法家思想を信じている人たちです。日本でいえば霞《かすみ》が関《せき》にいる人が法家だと考えればいいと思います。皇帝が人民に向かって何かを話すときには、儒家の思想を引きます。たとえば儒家の四書の一つである『大学《だいがく》』から、次のような語句を引用して人民に訴えます。

「修身・斉家《せいか》・治国・平天下」

人格のことから天下のことまで、立派な言葉が並びます。これを実行すれば、人民も国も平和になる、というわけで、建て前としてはとてもわかりやすい。すると人民の中にもお調子者がいて、すぐに同調する。気楽な花見酒経済（浮かれた経済状況）のようなもので、そうだそうだ、国が豊かになって立派な葬式が出せて、みんながたらふく食べていい時代になったと、みんなが浮かれてしまう。そういう空気の中で、墨家のように反戦平和で高度成長なんてまっぴらごめんだと思う人々が、首相官邸や国会の前でデモをしたり、座り込んでいる。そのような光景を想像してみてください。

知識人とは、そういう光景をクールに見つめている人々です。もともと官僚などになるのはこりごりだと思っていた人たちです。昔の仲間の法家とか、国家の建て前となる思想を構築して、人民にアジテートしている儒家、それに対してデモを行なっている墨家とか、彼らのことを知識人は、みなどっちもどっちだとクールに見ている。そして、彼らは老荘思想に流れます。いわば知識人の趣味の世界の思想です。儒家は阿呆らしい、墨家も子どもじみている。法家も法家で了見が狭いやつらだ。俺は数千里をひとっとびする大鵬《たいほう》（伝説上の巨大な鳥のこと）に乗って、世界を見下ろすのだとかいって、老子や荘子の世界に遊ぶわけです。

このように考えれば諸子百家は必ずしも対立していたのではなく、棲《す》み分けていたのではないか。老子と孔子が対立していたのではなく、それぞれのポジションをきちんと取っていた。法家は霞が関、儒家はアジテーション、墨家は平和デモ、それを冷ややかに見ている知識人は道家というように、棲み分けていたのではないか。そのように見ることもできます。

現実に中国を体制的に仕切っているのは、全部法家です。しかし、こういう大きな棲み分けの構図がいったんできてしまうと、儒家の思想をいくら建て前として利用するだけといっても、アジテーションを音量をあげて繰り返しているわけですから、そのうちみんなが信じてきます。一方で知識人は、どこの世界にもいますから、アジテーターとそれに踊らされる人々を、クールにじっと見つめています。そういう人々は、たとえば「竹林《ちくりん》の七賢《しちけん》」というかたちで現実をスルーしていきます。自分たちの棲み家《か》を、村はずれの竹林の中に定めてしまう。

墨家は戦国時代に潰《つぶ》されてほぼ消えましたから、中国の思想界は仏教など外来思想が入ってくる前までは、一般大衆を基盤に持つ高度成長万歳という儒家と、知識人をベースにしたクールな道家が、思想界の二大底流を形づくってきた。それぞれに、拠《よ》り所がある。これはある意味では社会の安定につながったような気がします。

棲み分けという考え方は重要です。儒家の中でも性善説と性悪説が対立していたと、物の本には書いてありますが、僕はこれも少し違うと考えています。この二つの説は人間の本性についての言及ではなかったのではないか。中国風に人民を上中下と分けて、上は平たくいえば中央の官僚、中は地方公務員、下は庶民と考えたときに、この性善説と性悪説は本当に対立するのか。人間が全部、性善とか性悪ではなく、上人は性善説である、賢い人は話せばわかるのだから、性は善と考えればいい。下の人、大衆はいつ暴れるかわからないから、これは性悪と考えて教育を施《ほどこ》し法律で取り締まったほうがいい。だから下人は性悪説である。

すなわち、性善説と性悪説も、儒家の中で対立していると考えるのか、あるいはそれぞれに説く相手が違ったんだ、棲み分けていたんだと考えるかで、ものの見方が変わってくる。中国社会の長い安定、古代の始皇帝から同じシステムでずっと国が続いているのは、世界の中で中国しかありません。その秘密はこういった各種思想のいろいろな棲み分けの賢さにあるのではないかとも思います。

## ■三つめの鍵は、遊牧民と農耕民の対立と吸収の歴史

中国の歴史は、北から絶えず入ってくる遊牧民と、長江《ちょうこう》（揚子江《ようすこう》）をベースとした農耕民の緊張関係の中でとらえるのが、一番わかりやすいと思います。そして、この緊張関係の結果は、中国は国土が広くて豊かなので、入ってきた遊牧民が次第に吸収され、贅沢に慣れて消えてしまうことです。遊牧民が農耕民と対峙《たいじ》しているうちは、緊張感もあってまだいいのですが、自分たちが優位に立って支配しはじめるうちに、中国は文化も高く物資も豊かなので、いつのまにか気を許してしまう。そして尚武《しょうぶ》の気風を失って、一つの遊牧民が消えてゆくのです。侵略した側が、侵略された側に影響を受けて吸収されてしまうのが、中国史の大きな特徴だと思います。ここでは、その歴史の大きな流れについてお話しします。

中国はどうしてできたのかといえば、最初は、長江中下流の肥沃《ひよく》な土地で作物をつくっていた人々が、中国の一つの底流を代表していたのだと思います。おそらく太陽神を拝んでいたグループです。商の青銅器には怖い顔をした怪獣面が彫られているのですが、あれは太陽神に由来しているのだろうと思います。ところで、商という国は、黄河《こうが》の中流の地域から興《おこ》っています。この人々は宦官《かんがん》を使っていて、初期の頃から戦車を使っていた。馬で引く戦車で戦争をしていたことが文献に残っています。

宦官は遊牧民の伝統です。遊牧民が家畜をコントロールするときには、雄の数が多すぎたり、あるいは体が弱い雄の子どもを産ませても儲からないので、去勢という方法を採ります。したがって宦官という発想自体が、遊牧民でなければ生まれないのです。また、馬で引く戦車とはチャリオットのことです。西アジアでは馬に引かせた戦車に兵士が乗って弓を射るのが、初期の最強の軍事力でした。最古の例はメソポタミアに登場します。

太陽神を信じていた農耕民の痕跡と遊牧民特有の風習や武器の痕跡が、黄河文明に見られることは、次のように説明できると思います。

世界最古のメソポタミア文明が北上して砂漠を越えて、ユーラシアの大草原で遊牧民と

**チャリオット**
2頭の馬に引かせた戦車、チャリオット。写真はBC2800年～2300年頃のメソポタミアで描かれたと思われるもの。馬の足元には敵が倒れている

遭遇した。宦官や戦車の技術は、大草原の遊牧民から東に伝わり、商を形成した民族に伝わっていったのでしょう。

メソポタミア文明の影響が中国に及ぶまで約１０００年かかっています。陸路は海路（対インダス文明）より倍ほど時間がかかるのです。

中国と交渉のあった遊牧民の歴史を考えるときに、まずユーラシアの大草原にどういう国があったかといえば、始皇帝が中国を統一した頃には匈奴《きょうど》という大帝国がありました。その前はおそらくスキタイです。始皇帝が匈奴と対峙するかたちで中国を統一したとき

西漢（前漢）武帝時代のアジア（BC100年頃）

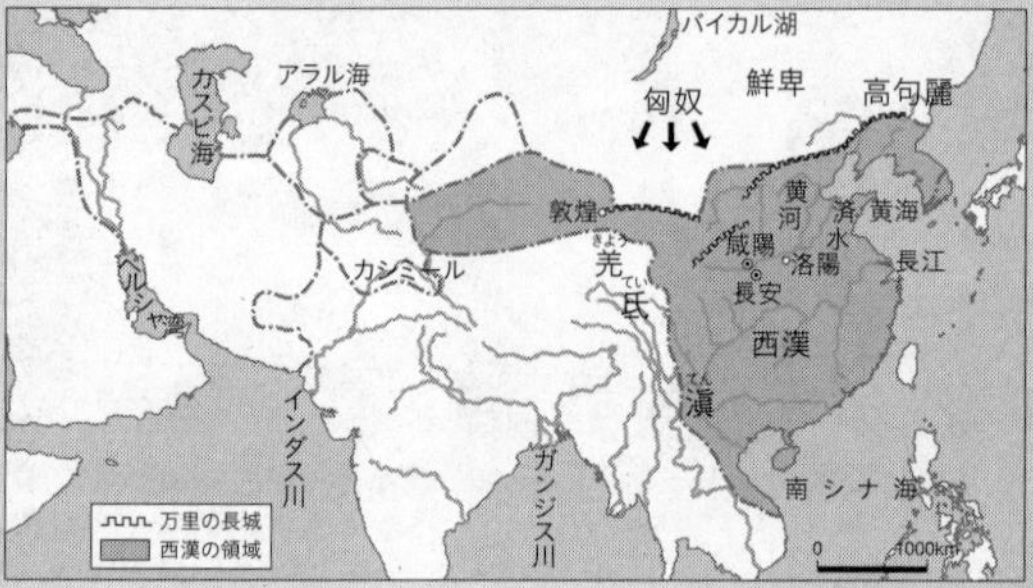


に、最初の万里《ばんり》の長城《ちょうじょう》が築かれました。その次に生まれた漢《かん》という王朝、劉邦《りゅうほう》の国はどうだったかといえば、劉邦が匈奴を攻めにいって逆に囲まれて降伏します。毎年貢ぎ物を出すから許してください、というわけで、漢は匈奴に臣従するかたちでスタートします。

しかし50年ぐらい経つと、最初は項羽《こうう》と劉邦が争った後で国土が疲弊していたのですが、中国はもともと生産力が高いので一所懸命働けばお金も貯まってきます。お金が貯まってくれば兵隊も養えるので、武帝《ぶてい》の頃になると積極的に匈奴を攻める。衛青《えいせい》や霍去病《かくきょへい》という立派な将軍も出て、武帝の全盛期には匈奴を敗北させ漢のほうが強くなります。武帝の後の漢と匈奴は勝ったり負けたりで、漢の皇室と匈奴の皇室はお

南北朝時代の中国(5世紀)

互いに結婚を繰り返し、平和共存していました。小競り合いはたくさんありましたが、大体そう考えてよいかと思います。

ところが2世紀から3世紀にかけて、地球は寒冷期を迎えます。天災や飢饉《ききん》が相次ぎ、大規模な農民叛乱が起きて漢は滅びてしまいます。漢の後は魏《ぎ》・呉《ご》・蜀《しょく》の三国志の時代になります。この時代の天変地異、寒冷期が、いかにすさまじかったかといえば、漢の盛期には人口が5000万人ぐらいあったことが、戸籍調査でわかっているのですが、三国志の時代には1000万人を切ったのではないかといわれるほどでした。この時代はユーラシア全体が寒かった。

地図をご覧になれば、すぐにわかりますが、モンゴル高原は、東はハバロフスクあたりまで、北はシベリア南部バイカル湖あたりまで、そして西は、はるかに中央アジアを越えてハンガリー大平原まで、馬で行ける広大な空間につながっています。そこを大寒波が襲ったので、そこに住んでいたさまざまな遊牧民は、東南と西南の方向に暖かい空気と緑の草原を求めて、大移動を開始しました。

西方に向かった匈奴はフン族と呼ばれ、彼らが西進したことでさまざまな諸部族（ローマ帝国から見れば蛮族となります）が玉突き現象で追い出される、これが僕たちが昔学校で教えられた、いわゆるゲルマン民族の大移動です。ただし、現在では、俗にゲルマン民族と呼ばれる人々の一体性については大きな疑問が投げかけられています。そこでこの本では、実体に照らして諸部族、もしくは蛮族集団という言葉を使っています。そして東方に向かった遊牧民が五胡十六国《ごこじゅうろっこく》となります。どちらも元は同じです。

東の中国では、漢が滅びて三国鼎立《ていりつ》の時代になりますが、そのあたりの権力の推移について、少し触れておきたいと思います。

漢は最初、秦の旧都の近く、長安に都を置いていました。武帝の時代に全盛期を迎えます。その後、王莽《おうもう》が政権を奪って新《しん》を建国しますが15年で滅び、漢は洛陽《らくよう》を都として復活します。長安を都にしていた時代を西漢《せいかん》（前漢）、洛陽を都としていた時代を東漢《とうかん》（後漢）

と呼んでいます。寒冷期を迎えた時代に、魏・呉・蜀の三国が台頭し、東漢は魏によって滅亡させられますが、その魏も実力者である司馬氏《しば》一族（晋《しん》）に国を奪われます。しかし、その晋も遊牧民に攻撃されて南へ逃げる。そして、長江から南の地域を勢力圏として、建康《けんこう》（南京《ナンキン》）を都とする、東晋を建国します。

遊牧民に追われると農耕民である漢民族は長江の南へ逃げてしまう。長江は天然の要塞です。長江の南は、米をはじめとして豊かな農作物が実り、食べるのに困らない。ですから、北の遊牧民が入ってきたら、北を捨てて南へ逃げる。これは、漢民族の一つのパターンです。三国志のあとが、まさにその典型となりました。

寒さに追われて、華北の地に入ってきた遊牧民は、多種多様でした。一般には五胡十六国時代といわれています。五つの胡族が入ってきて16の国を建てた。胡は北の野蛮人という意味で、特定の民族を指す言葉ではありません。匈奴、羯《けつ》、鮮卑《せんぴ》、氐《てい》、羌《きょう》の五胡と、彼らがつくった16に及ぶ部族国家が中華の地域に群居しました。

しかし、五胡十六国という、たいへん語呂のよい言葉が史実どおりであったのかというと、多少の疑問が残っています。

諸子百家の中に陰陽家という集団があって、彼らは陰陽五行説《ごぎょう》を唱えました。世界には天と地、日と月など、陽と陰の二大元気《げんき》がある。それが交合することによって、木・火・土・金・水の五気（五原素）が生じた。この五気は森羅万象の象徴であり、この五つが同調したり反撥しあったりしながら、この世を循環させているという考えが、陰陽五行説のおおまかな主張だと考えていいと思います。行とは、動くこと、廻ることなどを意味します。この五つの要素が、すべての根元にある、ということで、この思想は古代中国の思想や哲学に大きな影響を与えました。そして、どうやら五胡十六国の五も、五行説に引っ張られたのではないか。本当は三か四だったかもわからんぞ、ともいわれています。匈奴と羯は同族であるとの説も根強くあります。10世紀の五代十国《ごだいじっこく》もおそらくそうです。

五胡十六国の乱立時代は、最後に北魏が統一します。この国は鮮卑の中の拓跋部《たくばつぶ》がつくった国です。拓跋部については、第1章でも触れましたが、西方のフランク族のように、強力で優秀な部族でした。北魏が華北を統一したことで、初めて遊牧民が中国の北半分を支配することになります。

なお、江南の地では東晋のあとに宋が興り、中国は北の北魏と南の宋が対立する、南北朝時代に入りました。また、モンゴル高原では、そこにいた遊牧民がほとんど中国に入っていったあとに、柔然《じゅうぜん》という遊牧民の国家ができます。

さて、五胡十六国時代を制して、遊牧民として初めて華北を統一した北魏の人々は、何を考えたでしょうか。

自分たちは中国人ではないということは、わかっているわけです。でも現実には中国を征服してしまった。そうすると、なぜ俺たちは中国の皇帝になれたのだろうか、という自分たちの正統性について疑義が生じます。中国人であったら、自分が皇帝になったのは、前の皇帝が悪政を行なったので、天が怒って風水害を起こし人民を蜂起させて、自分を皇帝に任命してくれたのである。それ故《ゆえ》に皇帝の姓が変わったのである。すなわち、易姓革《えきせい》命であるという、大義名分が成立します。けれども拓跋部は、中国人ではないので、中国を治める正統性の根拠について、悩みました。

ところがちょうどその頃、中国にインドから西域を経て大乗仏教が伝来しました。このとき中国に伝来した大乗仏教はブッダ本来の教えとは異なり、きわめて鎮護国家色の強い教えでした。その教理は、仏教は国を護《まも》るものであり、国を支配する者は慈悲の心をもって臣民を救わねばならないといった、国家仏教的色彩の濃厚な教えが中心でした。悩める北魏の皇帝は、仏教の教理に飛びつきました。中国人ではない彼らに、支配の正統性を与えてくれる教えがやって来たのです。

皇帝は仏である。自分に仕えている軍人や官僚は菩薩《ぼさつ》である。そして中国の人民は救いを求めている衆生《しゆじよう》である。皇帝は国をあげて衆生を救ってやらねばならない。というわけで、易姓革命論に勝るとも劣らないイデオロギーとして、仏教は北魏の国教となったのです。こうして東漢の時代に中国に入ってきた仏教は、北魏の時代に大勢力になる端緒《たんしよ》が開かれました。北魏の都は山西省《さんせい》の大同《だいどう》（当時の平城）にありましたが、すぐ西の郊外にある雲崗《うんこう》の石窟寺院には、端整な容貌の石仏がたくさん残っています。その顔はすべて歴代の皇帝に似せて彫刻されたのだそうです。

しかし当時としては、仏教は異国から来た新しい教えです。北魏の皇帝も、全員が仏教を大切にしたわけではなく、仏教を弾圧した皇帝もいました。また、北魏においてもインテリは道教（道教とは、老荘思想に不老長寿を信じる神仙《しんせん》思想や陰陽五行説などが混じり合ってできた現世利益中心の教え、と考えてよいと思います）や老荘思想に染まっていますから、仏教を批判します。皇帝が仏のはずがない。官僚や軍人が菩薩のはずがない。そんなものは世を惑わす邪教だ。みんな壊してしまえといって、お寺を壊したりする。そういうことも起こりました。日本でも仏教が渡来した頃に、崇仏《すうぶつ》派の蘇我《そが》氏と排仏派の物部《もののべ》氏が、仏教受容の可否をめぐって激しく争ったことがありました。新しい思想や宗教が入ってきたとき、これを広めようとすれば当然反作用も生まれます。これも世界共通です。仏教のロジックは支配の論理としては使えるが、異国の教えなので文句も出る。そこで、もっと簡単な方法に気づいた皇帝もいました。

「そうだ、中国人になりきってしまえばいいんだ。そうしたら易姓革命で天が命じて皇帝になったと、いえるじゃないか」

そう考えた代表的な皇帝が六代孝文《こうぶん》帝でした。彼は先祖伝来の鮮卑、拓跋部の姓を全部中国風に変えてしまう。都も大同から洛陽に移します。鮮卑語を使ったら死刑。中国人になりきれば易姓革命が使えるじゃないか。こういうゆらぎの中で、遊牧民が中国化していったのです。

国家仏教の理念は、紆余曲折《うよきょくせつ》しながらも存続します。拓跋部が

**拓跋国家の中で国家仏教に**

唐の武則天も仏教を大切にした。龍門の石窟の一番大きい仏像は、かつては武則天の似姿ともいわれていた

©Alamy Stock Photo/amanaimages

## 遊牧民と中華帝国

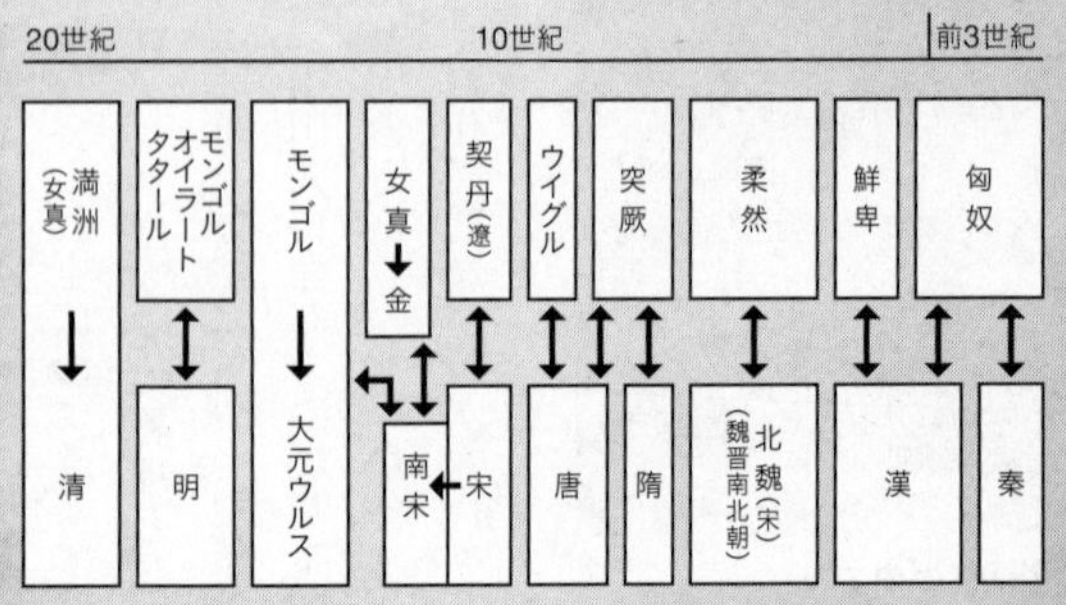


つくった北魏は、その末期には何度も分裂するのですが、それを統一するのは、やはり拓跋部の隋《ずい》です。隋の文帝《ぶんてい》も仏教を大いに保護しました。その隋の後を襲ったのが、隋の親族でもある唐《とう》です。これらの国々は全部拓跋部が建てた国なので、北魏から隋、唐を通して拓跋国家という呼び方もあります。彼らはすべて遊牧民です。漢民族の国家が築く、遊牧民対策のシンボルである万里の長城は拓跋国家にとってはまったく無用の長物でした。当時の中央アジアにいた遊牧民は中国のことをタブガチュと呼んでいました。十字軍を、東方の人々がフランクと呼んだのと同じです。やがて契丹《きったん》の勃興に伴って、中国のことをキタイと呼ぶようになり、これがキャセイ（キタイの英語Cathay）という

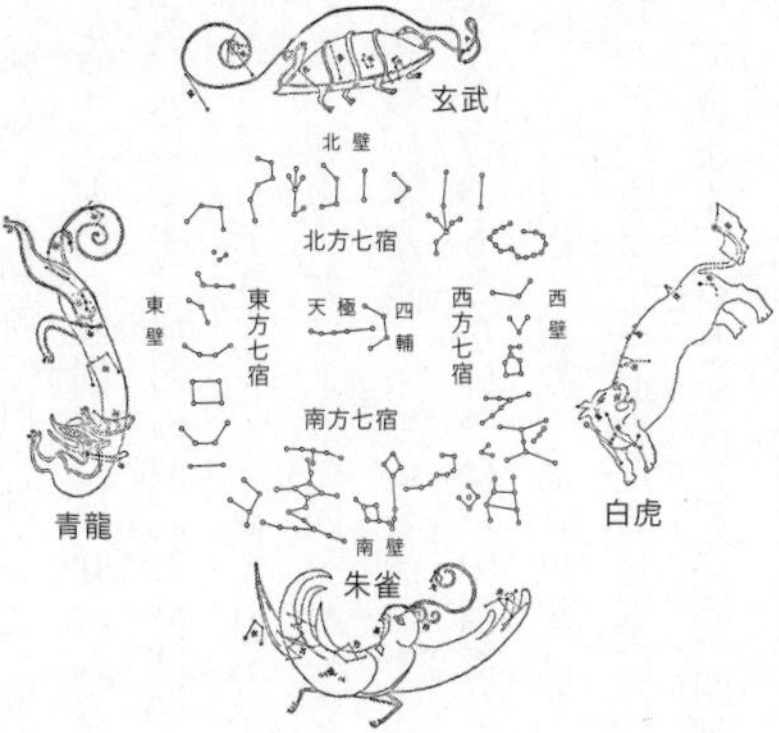


**四神図**
東に青龍、南に朱雀、西に白虎、北に玄武。この四神図は高松塚古墳石室の壁画にも描かれている（図は中国「南京大学天文学」資料より）

言葉のもとになります。

仏教は国家仏教の形で、この時代に生き残っていきます。英明な武則天《ぶそくてん》は唐の前半に、半世紀近くも実権を掌握しましたが、仏教をとても大切にしました。武則天の時代に、龍門《りゅうもん》の石窟で数多くの石仏が彫られます。その中で一番大きい仏像は、かつては武則天の似姿であるとも伝えられてきました（現在の通説では否定されているようです）。武則天は最後の約10年間、唐を奪って、周という国をつくりましたが、私は仏である、官僚たちは菩薩である、人民は救いを求める衆生である、と考えていたのではないでしょうか。

こうして拓跋国家の中に、国家仏教は存続していきます。そしてその理念は、663年に白《はく》村江《すきのえ》の戦いで新羅《しらぎ》・唐の連合軍に敗れて、唐に対して緊張関係を強いられた日本にも波及します。龍門の武則天に似せた大きな石仏の、東の果てに行きついた姿が、おそらく東《とう》大寺《だいじ》の大仏です。病弱の聖武《しょうむ》天皇は、自分と大仏を重ね合わせて考えることで救いを求めました。そう考えると、聖武天皇の子どもで女帝となった孝謙《こうけん》天皇が僧道鏡《どうきょう》を大切にしたのも、国家仏教によって国を治めるというバックボーンがあったからです。それは明らかに拓跋国家から、来ている流れです。

もう一つおもしろいのは、中国で仏教に対峙したのが道教や老荘思想であると指摘しました。ところが、道教や老荘思想は仏教と対立しながらも、互いに影響を受け合って混じり合っていきます。そのため日本に仏教が入ってきたときには、道教や老荘思想も同時に入ってきます。たとえば高松塚《たかまつづか》に四神《しじん》が描かれている。東の壁面の青龍《せいりゅう》、南面の朱雀《すざく》、西面の白虎《びゃっこ》、北面の玄武《げんぶ》(黒い亀)です。これは老荘思想と五行説がくっついたものです。五行説、老荘思想、神仙思想などは、インテリの宗教としてかなり近い関係にあります。

さて、遊牧民と農耕民が交互に覇権を握るという構図は、何回も繰り返されます。唐が滅んだ後は五代十国を経て宋になります。これは漢民族の帝国です。しかし華北では、遊牧民である契丹《きったん》（キタイ）が勢力を拡大し北方に遼《りょう》を建国して、宋を脅《おびや》かします。さらに、この遼も中国東北部に勢力をもつ女真《じょしん》族がつくった金《きん》によって滅ぼされます。そして金は宋の勢力を華北から追い払い、宋は長江の南へ退いて南宋となります。華北の金と江南の南宋、この南北対立時代に終止符を打つのがモンゴルで、遊牧民のつくった史上最大の大帝国です。モンゴル帝国（大元《だいげん》ウルス）の次に、明《みん》という漢民族の帝国ができます。この国は、秦の始皇帝以来となる万里の長城を築きました。一所懸命に遊牧民から身を守ります。そして明の後には東北の満洲《まんしゅう》族の清《しん》が建国します。清は17世紀初めに建国し、20世紀初頭まで続きます。

少し大胆なことをいえば、中国という国は、少なくともこれまでの歴史のうえでは、じつはあまり対外的には侵略的ではないのです。朝鮮やベトナムなど、地続きのところに対しては、始皇帝の時代から自分たちの庭だと思っていますから、かなり無遠慮です。しかし中国の本来的な強さは、むしろ侵略者を全部飲み込んでしまうところにある。飲み込んで自分の腸《はらわた》の中で吸収してしまうような強さなので、マケドニア王から始まって、ギリシャを支配しペルシャを征服してインドまで遠征するなど、生涯を他国への侵略に費やしたアレキサンダー大王のような人はあまり生まれていません。これまた、中国史のおもしろいところです。

## ▶最後の鍵は、始皇帝のグランドデザインにある

始皇帝は戦国時代以降に各地で行なわれていた文書行政を集大成し、全国を36の郡（のち48郡）に分け、さらに郡の下に多くの県を置いて、地方行政の末端まで中央の統制を徹底させる中央集権の郡県制という制度をつくり出しました。これは非常に革命的かつ近代的な考え方で、いわば都道府県の知事は中央から全部派遣するという考え方です。「基本的にこの国を支配する人間集団や組織は貴族ではない。それはエリート官僚である」ということです。人民を支配するのは、皇帝が任命した選《え》りすぐりの賢い官僚です。BC3世紀のことですから、始皇帝の政治的な天才振りには驚くばかりです。そして中国は、いまもこのグランドデザインで動いている国だと思います。いまでも始皇帝のデザインが生きているのです。

法家の官僚たちに文書行政を任わせたのは始皇帝ですが、いまの中国を見ると共産党という超エリート集団が北京《ペキン》から全土に指令を出しています。つまりは文書行政です。アメリカとほぼ同じ広い国土で、アメリカは時間が六つありますが、中国は一つです。時差が

なく、北京がすべてを支配している。儒教に代わる建て前がおそらく共産主義です。そして共産主義の裏が儒教です。いまでも中国の知識人は書を上手に書いたりします。それから人民は、儒教に教えてもらった高度成長の信奉者ですから、金儲けが大好きです。

そのように考えると、いまの中国も結局のところは、始皇帝のグランドデザインを超えていないという気がします。中央がすべてを取り仕切り、官僚を送って文書行政で統一的に支配するわけです。ただ、建て前だけが変わっていて、政府の建て前は共産主義です。人民は儒家の高度成長を信じていて相変わらず金儲け。知識人は冷ややかにそれを見ている老荘であるということも含めて、社会の構図は基本的には何も変わっていない気がします。中国をそのように見ることも可能ではないでしょうか。

始皇帝は郡県制というシステムをつくり上げ、全土を文書行政で統一しました。このことに加えて、もっとすごいことは、文書行政が可能になるインフラを整備したことです。道です。道があるから、文書も官僚も地方へスムーズに運ばれるわけです。強力な道路網をつくった。

昔は舗装道路はありませんでした。ローマ帝国のように大量の石材もなかったので、石畳もつくれなかった。土の道路が中心です。そこで、始皇帝は車の車軸を統一しました。

土の道路だから車が通ると凹《へこ》む。通る車の車輪の幅が違ったら、走りにくい。だから車軸を統一すれば、すべての車が同じ幅の轍《わだち》で走れます。鉄道の上を汽車が走るようなものです。

どんなにすぐれた官僚がどんなに巧みに漢字を使用して、大量に紙に書いても、道がなければ地方には届きません。加えて書体や度量衡なども統一し、経済の一体化にも意を用いました。

道に着眼し、車軸を統一した始皇帝は、本当に偉大で天才的な人であったと思います。始皇帝が中国のすべての骨格をつくったと、いえると思います。秦皇漢武という言葉がありますが、始皇帝が悪くいわれるのは、漢の武帝が張り合ってそう書かせたことが主因です。

始皇帝の話は、第2章と少し重複しましたが、中国史について語るとき、始皇帝の登場する機会はどうしても多くなります。それはちょうどローマ帝国を語るとき、しばしばカエサルが登場するのと似ています。やはり不世出の人物なのです。ご了承ください。

〈第4章の関連年表〉

## 中国の歴史(一部第2章の内容を含む。BC2000年〜AD17世紀)

| 西暦(年)・世紀 | |
|---|---|
| BC2000頃? | 夏王朝? |
| 17世紀頃 | 商(殷)成立 |
| 11世紀 | 商、周(都は西安近く)に滅ぼされる。商周革命 |
| 770頃 | 周がいったん滅ぶ。周の東遷(東周〈都は洛陽〉) |
| 551頃 | 孔子誕生 |
| 5世紀 | 地球温暖化。鉄器が広く使われる |
| 403 | 戦国時代始まる。文書行政始まる |
| 221 | 秦の始皇帝、中国を統一(東周、BC249年に滅ぼされる) |
| 202 | 劉邦、西漢(都は長安)建国 |
| 90頃 | 司馬遷『史記』完成 |
| AD8 | 王莽、新を建国 |
| 25 | 東漢(都は洛陽)、建国 |
| 220 | 東漢、魏に滅ぼされる。魏・呉・蜀の三国鼎立(222) |
| 265 | 魏滅び、西晋建国 |
| 280 | 呉滅び、西晋が中国を統一 |
| 304 | 五胡十六国時代始まる |
| 317 | 江南に東晋(都は建康)建国 |
| 420 | 江南に宋興る |
| 439 | 北魏が華北を統一(南北朝時代始まる) |
| 581 | 隋建国 |
| 618 | 隋滅び、唐建国 |
| 626 | 李世民、兄と弟を殺す(玄武門の変) |
| 627 | 太宗李世民の貞観の治始まる |
| 663 | 白村江の戦い |
| 907 | 唐滅び、五代十国時代始まる |
| 916 | 華北で契丹(キタイ)が遼建国 |
| 960 | 北宋建国 |
| 1115 | 女真族が華北に金建国 |
| 1127 | 江南に南宋建国 |
| 1206 | チンギス・カアン即位 |
| 1271 | 大元ウルス建国 |
| 1368 | 明建国 |
| 1616 | 清建国(後金。1636年に清に改める) |

COLUMN

## ロシアで一番白い人？

ロシアの西隣にベラルーシという国があります。首都はミンスクです。ルーシというのはロシアの古称です。ベラは白いという意味です。白ロシア共和国と訳されています。この「白」ですが、ロシア人は色が白いけれど、白ロシアの人はもっと色が白いのかな、などと考えがちですが、じつはそうではありません。これは中国文明の影響です。

本文でも触れましたが、中国に五行《ごぎょう》説という考え方があって、何でも五つで考えました。方角についても、中央があって東西南北があり、ちょうど五つになっています。この五という数字の元は、木火土金水の五原素のことで、この五つは、天と地、陰陽の二大元気が交合することで生まれてきます。そしてこの五つが循環し作用し合うことを五行と呼んでいました。したがって五行によって森羅万象が動き変化していくというのが五行説で、古代から信じられていました。

| | | | | | |
|---|---|---|---|---|---|
| 五行 | 木 | 火 | 土 | 金 | 水 |
| 五色 | 青 | 赤 | 黄 | 白 | 黒 |
| 五方 | 東 | 南 | 中央 | 西 | 北 |

五時　春　夏　土用　秋　冬

右の簡略な表のうち、五時の中の土用というのは立夏・立秋・立冬・立春の前の18日間の総称です。現在の日本では立夏の前の18日間が土用と呼ばれていて、ウナギを食べる習慣が、江戸時代に生まれました。つまり季節は大別して四つですが、それぞれの季節は、フェイド・イン、フェイド・アウトする形で、前の季節の中から生じてきて、次の季節になるわけです。その準備期間が土用と呼ばれていました。

また、五色については季節や方角と密接な関係があり、春には青陽《せいよう》、夏には朱明《しゅめい》、秋には素秋《そしゅう》（素は白の意）、冬には玄冬《げんとう》（玄は黒の意）と、それぞれの異名があります。さらに黄については、それは木・火・土・金・水の中央にあり、土気を象徴していますから、黄色が当てられています。そしてそれぞれの季節を表象する動物は、春は龍、夏は朱鳥《しゅちょう》、秋は虎、冬は亀、土用には土気の黄を象徴する狐が当てられています。

さて、いまのロシアの元はモスクワ大公国なのですが、この国が権勢を拡大する以前は、チンギス・カアンの長子ジョチが始めたジョチウルス（キプチャク・ハン国）に臣従していました。ジョチウルスの都サライは、ボルガ川のほとりにありました。

もう、おわかりだと思いますが、自分たちの領土の一番西の端にルーシ、ロシア人が住んでいるから、白いロシアと呼んだ。それだけのことなのですが、中国の王朝を倒して大帝国を築いたモンゴルが五行説をロシアまで持っていき、西だから白と呼んだ。それが今日まで、国名となって残っているのが、たいへんおもしろいと思います。

もちろん日本にも五行説の影響は、たくさん残っています。北原白秋《きたはらはくしゅう》、会津《あいづ》の白虎《びゃっこ》隊、青春という言葉など。60歳をお祝いする還暦も、五行説とつながっています。

第5章

# キリスト教とローマ教会、ローマ教皇について

## その成り立ちと特徴を考えるとヨーロッパが見えてくる

## ■本章を設けた理由

一国の歴史やある宗教の成り立ちについて書かれた書物が、その国家や宗教団体から出版されている場合は、必ずしも全幅の信頼を置くことはできません。それは、中国において名君や英雄について書き残されている正史は、必ずしも額面どおりに受け取れない場合が多いことと同じです。そこに自己正当化がなされている事例が少なくないからです。

キリスト教の歴史やそれとかかわりのある西洋の国々の歴史についても、僕たちが学校で学んだ内容には、歴史的事実とそれに付加された宗教的心情が混在している場合が、かなりあるように思います。

2000年の聖年に、第264代ローマ教皇ヨハネ・パウロ二世が、長いローマ教会の歴史におけるユダヤ人への対応や、十字軍のムスリム（イスラーム教徒）に対する行為への反省などについてコメントしましたが、このことは過去においてキリスト教国家で記録されてきたキリスト教の理念や行為が、決して無謬《むびゅう》ではなかったことの一つの告白であったと思います。

そこで僕たちが学んできた、西洋社会の大きなバックボーンとなっているキリスト教について、歴史的事実に立脚した視点から改めて考えてみる必要があると思い、この章を設けてみました。

## ■「カトリック」とは何を意味する言葉なのか

カトリックとは、ラテン語で「普遍的」という意味の言葉です。この言葉はすでにキリスト教のローマ帝国の時代に教会内部で使用されていました。当時は、イエスの教えが、「この世の至るところで、常に、万人によって」信じられるようにという布教の意気込みを、カトリックという言葉に込めていました。しかし時が流れて11世紀半ばになると、キリスト教会は東西に大分裂します。

**「嘆きの壁」で頭を垂れるヨハネ・パウロ二世**
2000年の大聖年にローマ教皇264代ヨハネ・パウロ二世がエルサレムを訪問。過去のユダヤ人への対応などをコメントした
©ZUMAPRESS.com/amanaimages

この頃には、すでにキリスト教がローマ帝国の国教となって久しく、当時の帝国の首都はローマではなく、コンスタンティノープルに置かれていました。したがって、現実問題としてもっとも力を持っていたの

は、コンスタンティノープルの教会でした。もちろん、使徒の頭であるペテロの後継を自認するローマ教会も権威と伝統を誇っていました。1054年、南イタリアの教会の帰属を巡って両者が争い、お互いに相手を破門してしまいました。キリスト教の大分裂です。コンスタンティノープル側は、我々が教義に基づく「正しい教会」であると主張し、自らを「東方正教会」と名乗りました。一方ローマ教会は、自分たちこそ「普遍的な存在である」として「カトリック教会」と自称しました。

つまり、両者とも俺たちが本流だと主張しているわけです。したがってギリシャ正教会とかカトリック教会という言葉を安易に使うと、それはどちらかの主張を認めるようにもとれるので、この本では、ローマ教会とローマ教皇、東方教会という言葉を使っています。

もう一つ、指摘しておきたいことがあります。日本では「カトリック」を旧教、「プロテスタント」を新教と呼び、この両者を区分するだけで、キリスト教を理解する傾向が多分にあります。しかし実際には、世界にはじつにさまざまなキリスト教があります。そのことも知ってほしいと思います。

# 第5章の舞台

北海
大ブリテン島
イングランド
大西洋
ロンドン
ライン川
ドイツ
プラハ
パリ
ミュンヘン
フランス
クリュニー
アキテーヌ
クレルモン
スペイン
トゥールーズ
アヴィニョン
ラヴェンナ
ハンガリー
ドナウ川
黒海
カスピ海
ペルシャ
イタリア
イベリア半島
ローマ
アナーニ
(ヴァチカン)
ボスポラス海峡
コンスタンティノープル
ニカイア
バルカン半島
エーゲ海
サレルノ
パレルモ
地中海
アナトリア半島
メソポタミア
メッシーナ
アテネ
シチリア島
アフリカ
シリア
エルサレム
アレクサンドリア
パレスティナ
エジプト
ペルシャ湾
紅海
0
1000km

## ■キリスト教が、ローマ帝国の国教になるまで

### 1 ローマ帝国の衰退とキリスト教の伸長

では、少し時代を遡《さかのぼ》って、キリスト教がローマ帝国の国教となるまでの流れをみていきましょう。

キリスト教はパウロがイエスの教えを体系化したり、ミトラス教からクリスマスとパンと葡萄《ぶどう》酒、イシス教から聖母子の儀礼を借用したりして大衆に上手にアピールしながら、ローマ帝国内に信者を増やしていったことは第3章でお話ししたとおりです。

その当時、1世紀から2世紀のローマ帝国は、地中海全域からドナウ川とライン川以西のヨーロッパ、アフリカ北岸、エジプト、パレスティナ、シリア、メソポタミア、アナトリア、バルカン半島まで版図を拡大していました。その広い版図の中で、一番豊かで文化も発展していた地域は帝国の東側でした。キリスト教がもっとも広まったのも、この地域でした。

ローマ帝国は、1世紀末から2世紀末の五賢帝の時代に全盛期を迎えました。しかし3世紀中頃以降になると、地球は寒冷期を迎えて、ローマ帝国には東方から多くの蛮族が陸

四分統治の境界線とキリスト教五大本山
(2世紀〜3世紀)

続と入ってくるようになります。

ローマの皇帝は、統治能力の差はあっても、それぞれに帝国の衰えを食い止めようと考えます。その代表の一人が、ディオクレティアヌス帝でした。

彼は、広大になった帝国を分割して統治することで、国を安定させようと考えました。その東西分割の境界線は、イタリア半島の東側のアドリア海、イオニア海から北アフリカに延びる線です。この線を境にして、東はペルシャに接するメソポタミア、南はエジプトまで、西はイベリア半島、北は北海と大ブリテン島（現在の英国）まで、という区分です。この帝国二分は、286年のことでした。

次いで293年、二つに分けた帝国を、さらにそれぞれ二つに分け東西に正帝と副帝を置きました。四分《しぶん》統治体制（テトラルキア）の完成です。

もちろん東の正帝であるディオクレティアヌスがすべての権力を握っていました。彼は専制君主政治を目指し、皇帝権力を強め、自分を「われらの主」と呼ばせようとしたそうです。

ところで、キリスト教には古くから五大本山、後に五大総主教区となる五つの教会がありました。コンスタンティノープル教会、（シリアの）アンティオキア教会、エルサレム教会、（エジプトの）アレクサンドリア教会とローマ教会です。このうち、アレクサンドリア教会とローマ教会のトップは古くから教皇と呼ばれていました。その中で、当時は、アレクサンドリア教会のアリウスという司祭の教えが評判を呼んでいました。それは、イエスはマリアという母親から生まれたのである、つまり、「イエスは人の子である（神の被造物である）」、単純にいいきってしまえば、神とイエスを別《わ》ける教えです。この教えは、とてもわかりやすくて、またたくまに広まっていきます。特に学問や文化とは無縁な存在であった蛮族たちに、たいへん受けた。しかし、アレクサンドリア教会は彼を破門します。破門されても、アリウスは自説を曲げない。ここに公的には最初の神学論争が始まったのです。

## 2 信教自由令と公会議

ディオクレティアヌス退位後の混乱は、東方のリキニウスと西方のコンスタンティヌスによって収束されます。

両者はミラノで、会談します。そして今後のローマ帝国を東西に二分して、二人で仕切ろうと約束して二人の合意の下《もと》に、いわば正帝であるリキニウスがすべての宗教についての「信教自由令」を発布します。313年のいわゆる「ミラノ勅令」です。これをキリスト教の禁令を解いたのだと理解する向きがありますが、キリスト教の禁令や弾圧が本当に組織的になされたかどうかについては、争いがあるようです。

いずれにせよ、「信教自由令」は信仰の自由が認められた記録として、キリスト教の歴史に残りました。

しかし、両帝による東西分割統治は、あっけなく崩れます。二人は衝突し、コンスタンティヌスが全ローマ帝国の単独の皇帝になります。

ローマ帝国皇帝となったコンスタンティヌスは、神学論争に決着をつけるべく、325

年にアナトリアのニカイアに有力なキリスト教会を集めて公会議を開きます。この公会議ではアレクサンドリア教会の論客アタナシウスが主張する「三位一体説《さんみいったいせつ》」が支持され、アリウス派の教えは異端として排斥されました。

「三位一体説」とは、神と聖霊とイエスは一つである。要するにイエスは人の子ではないという説です。こういう難解な説が論争に勝ったのです。

ニカイアの公会議は、キリスト教会全体で教義や信仰生活について討議する場の先例となりました。この後重大な局面ではしばしば公会議が開かれるようになります。

コンスタンティヌスは、三位一体説を正統と認めたことで（加えて、教会を免税としました）、後世のキリスト教会から高く評価されて、「大帝」と呼ばれるようになります。しかし彼は、死ぬときにはアリウス派の司教から洗礼を受けています。三位一体説よりも「イエスも人の子だった」とする説に、共感を覚えたのでしょうか。

### 3 コンスタンティノープルへの遷都

コンスタンティヌスはキリスト教のために、ひと仕事しましたが、もっと注目すべき政治的な仕事をしています。彼は帝国を再統一すると、ボスポラス海峡のバルカン半島側の突端にあったビュザンティオンという都市を拡大整備して、新首都を造営します。そして、コンスタンティノープルと名付けました。「新しいローマ」の誕生です。

ディオクレティアヌスが、ローマ帝国を四分統治したとき、もっとも重視していたのは東方でした。その理由は、ローマ帝国の生命線である食糧問題と大きく関わっていました。

中国の諸王朝は、遊牧民に攻められると北を捨てて南へ逃げました。長江の南に豊かな穀倉地帯があったからです。ローマ帝国は西を捨てて東へ逃げた。ローマ帝国の穀倉地帯は、昔からエジプトにあったからです。全盛期のローマ帝国ではエジプトから地中海を経由して、ローマまで小麦を運ぶのが通例でした。しかし、コンスタンティノープルに運ぶほうがはるかに簡便です。

東方への遷都はローマ帝国の西側を衰微させていく、大きな要因になりました。ローマは見捨てられた旧都になってしまったのです。人口も急減していきました。

## 4 キリスト教が国教となる

コンスタンティヌスのあと、キリスト教との関係で歴史に残る仕事をしたのは、仕事というよりも取引であったかもしれませんが、テオドシウス帝でした。彼は、キリスト教を国教にしました。

テオドシウスは帝国の統治に苦労していました。蛮族の侵入は止《や》まず、帝国を網の目のように連結していた石畳の道路も、彼らによって寸断されました。また重税や地球の寒冷化によって、農民の逃亡も増えています。テオドシウスは蛮族の帝国への取り込みを図ったり、逃亡小作人への取り締まりなどを進めましたが、はかばかしい効果はあがりません。

悩める彼にミラノ教会の司教アンブロシウスが近づいてきました。もしかすると司教は、皇帝にこんなことをささやいたかもしれません。

「ヨーロッパ中の道路は、ほとんど寸断されました。中央政府の役人が地方へ命令を伝えることさえできなくなりました。代わりにキリスト教会のネットワークを、お使いくださ い。道路に代わる連絡網として、きっとお役にたちますよ」

キリスト教会は、大都市の大教会をハブにして地方に支店網（小教会）を張り巡らせています。そしてそこには教会の仕事しかやらない専従者（聖職者）がいます。信仰の力で、このネットワークは強力に結びついていて、しかも自前で（喜捨）専従者の給料を払

**テオドシウス二世の城壁**
ローマ皇帝は蛮族の侵入に苦労し、テオドシウス二世がコンスタンティノープルに城壁を築いた。城壁は今もイスタンブールに残る
©JP/amanaimages

っている。さらに教会財産は免税のおかげで、ふくれあがるばかり。このネットワークを、役所のネットワーク代わりに利用できたら、こんなに楽なことはありません。もしかすると、テオドシウス自身もキリスト教のネットワークの効用に、気づいていたかもしれません。

魚心《うおごころ》あれば水心《みずごころ》で、両者の利害は一致して、キリスト教は国教の地位を獲得することになった。以上はあくまで僕の想像です。しかしキリスト教の国教化にアンブロシウスが暗躍していたことは事実です。380年のことでした。

ところで、第3章で触れましたが、キリスト教の神様は、非常に嫉妬《しっと》深い。国教の地位を獲得して、しばらくすると他の宗教や異文化を排斥する要求が出されて、テオドシウスは、それを実行します。

その頃まで続いていたアテネの古代オリンピックも中止されました。それはゼウスを崇《あが》める祭典だったからです。それに続いて、異教神殿の閉鎖、供犠《きょうぎ》の全面禁止が決定されました。供犠とは、信ずる神様にいけにえを捧げて、神々と人間の関係を祈る行為です。アーリア人が牛を捧げた祭礼も、その一つでした。

時代が下って529年になると、ユスティニアヌス帝が、アテネにあったアカデメイアやリュケイオンというヨーロッパ最大の二つの大学を閉鎖します。プラトンやアリストテレスが開いた二つの大学ではギリシャやローマの学問を教えていましたが、聖書以外のことを教えているという理由で、閉鎖されたのです。テオドシウスもユスティニアヌスも、キリスト教会から「大帝」と呼ばれるようになります。「よくやった」というわけです。

アカデメイアやリュケイオンは、いまでいえば東京大学や慶應大学のような権威のある大学でしたが、先生たちは大学が閉鎖されてどうしたかといえば、みな東方のペルシャに逃げてしまいました。そこには大学があったからです。嫉妬深い神様もいない。こうして東京大学や慶應大学はペルシャに移り、ギリシャ、ローマの古典がずっと教えられ続けて、ローマ帝国（キリスト教）の焚書坑儒《ふんしょこうじゅ》から生きのびることができたのでした。それをアラブ人が後に「発見」します。それがヨーロッパに逆輸入され、ルネサンスが始まりますが、それはまた別の物語です。

さて、こうしてキリスト教は国教になったのですが、ローマ教会はどうなったでしょうか。

## ▶ローマ教会の、悪戦苦闘が始まる

### 1 衰退するローマとクローヴィスの建国

キリスト教が国教になった当時、前項でお話ししたように、大きい教会が五つありました。

この中では、皇帝の近くにいるコンスタンティノープルの総主教が圧倒的な力を持っていました。また、神学論争の舞台もすべて東方でした。ローマ教会から有名なイデオローグが出たという記録は、ほとんどありません。

ローマ教会のあるローマ市は、その頃すでに、アウグストゥスの頃には100万人といわれていた人口が5万人程度へと、がた減りしていました。しかしローマ教会は、キリストの一番弟子であったペテロの墓の上につくられたという伝承があるので、五大教会の一つとしての地位は保っていた。5世紀の半ばに、フン族のアッティラという王様が北イタリアに攻め込んで来たとき、ローマ司教レオ一世が、アッティラを説得して退去させて、イタリアとローマ教会を救いました。彼はなかなか骨のある人物でした。東方の教会に対して、公会議の席上で、堂々とペテロ以来のローマ教会の首位性を主張したこともあります。もしかすると、彼あたりが実際のローマ教皇の初代であったのかもしれません。

ローマ教会は、いまは僻地《へきち》となってしまった草深い田舎（西方）で細々と活動していました。東の豊かな地域は、コンスタンティノープル以下の大教会が仕切っていますから、ローマ教会が信者を増やしていくには、西方の蛮族集団を相手にするしかありません。しかし、蛮族集団の中にはアリウス派の教えが先に入っていたので、たいへん苦労します。

この蛮族集団の中で、最終的に西ヨーロッパの大部分を制したのは、現在のベルギーあたりを本拠としていたフランク族でした。その人々の王様はクローヴィスといいました。

クローヴィスはフランス語ではルイですが、彼が奥さんにすすめられて、アリウス派と対立していた正統派（三位一体説）を受け入れました。

クローヴィスの建国により、ローマ教会は西方に安心して布教ができるいわば領地ができたことになります。生きていくベースができたわけです。キリスト教は、原則として専従者を持たないイスラーム教とは異なり、大勢の専従者を抱えているので喜捨してくれる信者を獲得しないと生きていけない宗教なのです。それは498年のことでした。その頃、クローヴィスの支配するフランク王国の南、現在の南フランスのトゥールーズの地には西ゴート族の国がありましたが、クローヴィスは彼らをスペインに追いやります。ずっとアリウス派のキリスト教を信じていた西ゴート王国も、500年代の後半になると、正統派のキリスト教に回心しました。

## 2 偶像崇拝禁止令

こうして西ヨーロッパから、アリウス派を信じる国がほとんどなくなったので、ローマ教会は積極的に布教に乗り出します。折《おり》しもローマ教皇は、グレゴリウス一世（540？～604）の時代でした。彼はもともとローマ貴族の出身で、ローマ市の総督もつとめました。それから修道院に入り、教皇になった人で、布教に積極的でした。いまに残るグレゴリオ聖歌は、彼がつくったものです。また辺境のイングランドに修道士を送り込んで、布教活動を展開しました。

ところで、コンスタンティノープルでは、ローマ教会が苦労しながら西への布教を続けているのを、皇帝や総主教が上から目線で見ています。ローマ教皇が彼らの意にそわないときは、教皇を拉致《らち》してコンスタンティノープルへ連れてくる。そして暴力がらみで脅《おど》かしたり、退位を迫ったりしていたのです。

コンスタンティノープルの総主教は、ローマ皇帝を取り込みます。一例が皇帝の聖別《せいべつ》で、一般の人々を祝福するときに使用するものとはまったく異なる立派な祭器を使用して、皇帝を祝福する儀式です。皇帝に紫の服を着せたり、香油を振りかけたりして、聖化の儀式、聖別を行ないます。つまり、全キリスト教会の中で、皇帝の聖別は俺しかできないんだ、俺が一番偉いんだと主張します。確かに、いくらローマ教会が、ペテロ以来の由緒ある伝統を主張してみても、当時は圧倒的にコンスタンティノープルの総主教が権威を持っていた、一番偉かった。何しろ、首都にいる、皇帝のそばにいる、コンスタンティノープルは新しいローマで、キリスト教はローマ帝国の国教なのですから。

しかし、グレゴリウスは考えた。彼は賢い人でした。フランク族も西ゴート族も三位一体説を信じたのだから、もう東方は構わなくていい。西方だけでローマ教会を立ちあげていこう。

鎌倉《かまくら》の武家政権のようなものです。西の京都には豊かで文化の高い政権があるけれど、東のほうで武士を組織化したら権力は取れるんだ。ローマ教会はこの頃から西ヨーロッパを重視して自立を模索し始めるのです。

その頃、ローマ教会にとってラッキーな事件が起こりました。それはイスラーム革命です。ムハンマドによって、アラブ人が宗教的に一致団結して精強になり、コンスタンティノープルが包囲されるようになった。すなわち東は西のことを構っていられなくなった。国中が火の手を消すのに手一杯です。

ところで、攻められたローマ皇帝は何を考えたかといえば、攻めてきたアラブ人は同じ神様を奉じている。アッラーフと呼んでいるけれどあれはヤハウェじゃないか。同じ神様が両軍を見守っているのに、なぜ俺たちばかりが一方的に負けるのだろう。そこまで考えたあげく、ローマ皇帝は、思い至りました。負ける原因は偶像を崇拝しているからではないか。モーゼの頃は偶像を崇拝していなかった。イスラーム教は生まれたばかりなので偶像崇拝は厳禁だ。ところがコンスタンティノープルの教会に行ったら、イエスの顔を描いたイコンとか、幼子を抱いたマリアの像とか、イコンや偶像が教会中にあふれている。これが、ヤハウェの怒りをかったのだ……。

というのは建て前で、本音は別のところにあったと思います。

これほど手ひどくイスラーム軍に負けて苦労しているのに、教会は税金を払わないで贅沢《ぜいたく》をしている。教会のお金《かね》をぶんどって戦費にしたほうがいいということでイコノクラスム、偶像破壊運動を始めます。偶像など拝んでいるから堕落して負けるんだ、という理由で教会のお金を召し上げたわけです。

「聖書に帰れ。聖書をちゃんと読め。偶像など拝む必要はない」

これが皇帝の考えです。建て前はモーゼに帰れ、本音はお金が欲しい。

それで、ローマ皇帝は偶像崇拝の禁止を、全世界に通達するわけですが、ローマ教皇は怒るわけです。なぜかというと、東は豊かで文化的な地域なので、聖書を読める信者も多い。でも西は民度も低く誰も字が読めないので、イエスの誕生の場面などは絵で教えないとわからない。聖母マリアの像とかイエスの生涯を描いた絵がなくなったら、すなわち紙芝居が使えなくなったら布教もできません。だからイコノクラスムはローマ教会の利害に反するのです。偶像崇拝をやめろといってくるローマ皇帝は、えらい難儀だなと思い始める。ローマ教皇は、ますますコンスタンティノープルがうっとうしくなってきます。

## 3 ローマ教会の自立

その頃、ランゴバルド族が、北イタリアに侵入してきます。東ローマ軍はイスラーム軍との戦いに、精鋭をすべて注ぎ込んでいます。ラヴェンナにあったローマ総督府（ローマ帝国のイタリアにおける拠点）もランゴバルド族に敗れ去って、東ローマの軍勢は、北イタリアから追い払われてしまいます。ローマ教皇は、これはチャンスだと思うわけです。「ローマ帝国の気難しい主人は難敵に攻められ弱っていて、守備隊も全部東へ帰ってしまった。ここで自立してやろうじゃないか」

ローマ教皇はローマ皇帝から自立しようと思いますが、しかし武力も何もない。誰か後ろ盾になってくれる王侯はいないかと考えている頃に、フランク王国でクーデターが起きます。フランク王国ではクローヴィス（ルイ）以来のメロヴィング王家が、その総理大臣ともいうべきカロリング家に乗っ取られてしまったのです。このカロリングという名前は、始祖になったカール・マルテルから来ていますが、この人は庶子《しょし》でした。

カロリング家にとって、これは大きなハンディキャップになります。どんな人でも、実力で成り上がった人は、次に正統性の根拠を求めるのです。

そこで、力はあるけれど権威がないカロリング王家と、権威があって力がないローマ教皇が手を組みました。当時のカロリング家の当主であったピピン（三世）は、全兵力を率いてイタリアに来てランゴバルド族を追い払いました。そして、教皇はピピンから領土をもらう代わりに、カロリング家の正統性を担保したのです（これが「ピピンの寄進」ですが、第6章でもお話しします）。

このバーター取引が成立したことで、ローマ教会は東方から自立した教会になっていきます。東方にはローマ帝国があってローマ皇帝がおり、その国教となっているコンスタンティノープル以下の東方教会があります。西方ではカロリング朝の王様が、ローマ教会によって戴冠されやがてローマ皇帝になるでしょう。

ローマ教会は、ついに東のローマ皇帝から自立して独自の道を歩きはじめたのです。

## ■せめぎあいが続くドイツ王とローマ教皇

こうして、800年にピピン三世の子ども、フランク王のシャルルマーニュ（カール大帝）が戴冠したので、ローマ皇帝が二人になりました。しかし本来の皇帝である東のローマ皇帝は西のローマ皇帝など認めるはずがありません。たとえていえば、室町《むろまち》時代の足利《あしかが》将軍と、関東地方を任されている鎌倉公方《くぼう》が鎌倉のお坊さんに冠を被《かぶ》せてもらった関係のようなもので、そんなものは将軍家からすれば偽物に決まっていると考えるわけです。

ローマ教会にとっては、フランク王国は有力なパトロンです。武力もある。教会のために、とことん役立てたいと考えます。

けれどフランク王国の王様たちにしてみれば、シャルルマーニュの頃は、まだ自分たちを正統な王家と認めて皇帝に戴冠してくれたのだからという、感謝の気持ちがありました。しかしひとたび権威を獲得してしまえば、それを自分が持っていて当然と思えてくる。孫の代にでもなれば、ローマ教会を軽んじるようになります。俺は武力も富も持っている。単なる田舎のお坊さんが、何を偉そうなことをいう。だいたい俺のおかげで生きているんじゃないか……こういうことになってきます。

それから100年以上が過ぎてカロリング家が断絶し、新たにザクセン朝の東フランク王国の時代になっても、オットー大帝をローマ皇帝として戴冠したにもかかわらず、王権がローマ教会を軽んじる風潮は、一向に変わりません。たとえばオットー大帝の孫のオット一三世の時代には、彼が子どもであった頃の家庭教師が教皇になっています。よく教えてくれたから、ご褒美《ほうび》をあげるという感じだったのでしょう。実際にも、シャルルマーニュからオットー大帝に至るまでの、フランク王国の混乱期には、フランク王の目が届かないことを奇貨としてローマの有力者たちが自分の都合のいいように、コロコロと教皇の首を取り替えています。

教皇たちも考えました。こんなことでは、昔のローマ帝国の時代と同じだ。王権の都合だけで、勝手に教皇を替えられては堪《たま》らない。そこで枢機卿《すうききょう》でなければ教皇になれないというルールをつくろうと考えた（枢機卿とは、ローマ教会の最高位の聖職者です）。そうすれば皇帝の家庭教師が突然ローマ教皇になることはない。こうして、ローマ教会の中で、枢機卿が枢機卿の中から教皇を選ぶというルールづくりが進んでいきます。

ここで話は少し前後しますが、西ヨーロッパの王権について考えてみたいと思います。ローマ帝国以降、西ヨーロッパの王権は総じて弱かったのですが、たとえばシャルルマーニュはなぜローマ皇帝になれたのかといえば、東方から侵入してきた遊牧民のアヴァール（柔然）族や反抗するザクセン族（イングランドに移住したサクソン人と同じグループ）

を撃退したことが高く評価されたからです。要するに外敵をやっつけた。そのことで強い王権が成立したのです。

ヨーロッパは常に東方から押し寄せる騎馬軍団に敗北していました。それは東の中国も同じです。遊牧民がなぜ強いかといえば、馬に乗って矢を射ることができるからです。近代の戦車のようなもので、機動力がまったく違うので歩兵が勝てるはずがない。だから遊牧民は、鉄砲が出現するまでユーラシア最強の軍事力を誇っていました。古代の戦争はチャリオットが主役でした。馬に引かせた戦車に射手が乗って矢を射る戦法です。その次が、遊牧民の騎馬軍団。ユーラシア中央の草原地帯の遊牧民が、馬に乗り、馬の腹に足をからめて身を低くして、自由な両手で弓を射る。大変なスピードで矢が飛んでくるのです。これには誰も勝てなかった。気候の変化によって一つの遊牧民が動けば、その玉突き現象によってさまざまな蛮族がヨーロッパに入って来る、その外敵からいかにして身を守るかが、西ヨーロッパの最大の課題だったのです。

オットー大帝はハンガリーから攻めてきたマジャール族を撃退して王権を確立した。フランスのカペー家は、パリを囲んだヴァイキングを破ったので王様になることができました。いつの時代も、西ヨーロッパの強い王権は外敵からヨーロッパを守った人が獲得してきたのです。

粗々《あらあら》に述べると、フランク王国はメロヴィング朝、カロリング朝と続いて10世紀初めに崩壊しますが、その後に数十年の混乱期を経て、最初に王権を確立したのは、ドイツ（東フランク王国）でした。

しかし幸か不幸か、西ヨーロッパの王権はカロリング王家の時代から、ローマ教皇に戴冠されてローマ皇帝になり、最高の権威を持つという形が出来上がってしまっていたので、ドイツの王様はローマに行って教皇から冠をもらって、初めてみんなに認められるという習慣ができてしまう。だからドイツ王になって、その次にローマ王になるのです。そしてローマ皇帝になる。このローマ王の称号は、ナポレオンが自分の嫡子をローマ王に任じたときまで残ります。

962年、ドイツのザクセン朝のオットー1大帝は、慣例に則《のつと》る形で、ローマ皇帝の戴冠を受けました。

オットー1大帝は、帝国教会政策を打ち出しました。帝国教会政策とは、教会をいわば県庁代わりに使おうという考え方です。知事でもある司教は、全部オットー1が指名しました。当時のドイツではまだ紙も印刷技術もなく識字率も低かったので、中国のような文書行政は不可能でした。

司教は、建て前上、子どもをつくることができないので一代限りです。自分の子どもに継がせることができない。したがって、その一族が地方に根を張って領主化する心配がない。また、気に入らなければ、交代させるのも容易です。

帝国教会政策は、官僚制と貴族制の長所短所を、うまくカバーしているようにも思えます。またローマ教会側にしても、自分たちの勢力拡大に有効でもありました。しかし、有効ではあるのですが、理屈の上ではちょっと変です。俗世間を支配する皇帝が、聖なる仕事を建て前とする司教を任命するのはおかしいじゃないか。イエスも「カエサルのものはカエサルに」といっている。司教はローマ教皇が任命するのが筋ではないか、という発想が生まれてきます。祈る人、戦う人、耕す人という三身分思想がそれに輪をかけました。もちろん、オットー大帝のような強い王権の下では、恐くてこのようなことはいえない。皇帝はイエスの代理であって、教皇はペテロの代理にすぎないのですから。しかし王権が弱まると、この考え方がまた頭をもたげてくる。坊主を指名するのは坊主であって、王様ではない。これが叙任権闘争です。この闘争はローマ教皇たちの死活を賭けた戦いとなり、12世紀まで続きます。

ドイツ王、すなわちローマ皇帝とローマ教会は、お互いに牽制し合いながら、紆余曲折を繰り返していきます。ローマ教皇は少しずつ力を得ていくのですが、ドイツ王は不幸なことに、なぜか少しずつ力を失っていきます。ドイツとイタリアは、かなり離れています。風土や人の気質も異なります。

そうするとドイツの人々は、なぜ遠いイタリアに行って、たかが冠のためだけに俺たちの税金を使っているのか、そう考えるようになります。

そこへもってきて、ドイツ王家には、偶然の不運が重なります。男の子が生まれないのです。300年の間に、ザクセン朝、ザーリアー朝、シュタウフェン朝（ホーエンシュタウフェン朝）と王朝が断絶しては次々と替わっていきます。王家が替わるたびに争いが起こり、しかも王様はそのたびにローマ皇帝の冠が欲しくなりイタリアに行ってしまう。当然ドイツの税金をふところに入れ、ドイツの兵隊を連れて行くわけですから、ドイツの人々には不満が残る。そういう中でドイツ王はじわじわと弱っていく。一方、イタリアの教皇は、領土も持っていますから、時間が経てば、富も蓄積される。少しずつ強くなっていきます。

ところが、そのドイツの最後の王朝、シュタウフェン朝にバルバロッサ（フリードリヒ一世）という優れた王様が登場しました。さらにその王様の子ども、ハインリヒ六世も優秀でした。彼は、シチリアと南イタリアを支配するノルマン・シチリア王国の唯一の相続人である王女コスタンツァと結婚します。するとローマ教皇領は、どうなるか。北と南からシュタウフェン朝に挟み撃ちにされた形になります。これは教皇にとっては悪夢です。

ハインリヒ六世は西ヨーロッパの大半をほとんど実質支配したので、この際東ローマ帝国を滅ぼして、名実ともに一人のローマ皇帝になろうと考えます。けれどもシチリア島のメッシーナの港で、海軍を調達してコンスタンティノープルに攻めていこうとしているときに（十字軍の準備をしていた、あるいはシチリアの叛乱に備えていたという説もあります）、病気で死んでしまいます。時に1197年、まだ32歳の若さでした。彼には3歳の男の子が一人残されました。

ローマ教皇にとって、これはラッキー以外の何物でもありません。北と南を支配していた全知全能の皇帝が姿を消した。そればかりではありません。残された3歳の男の子の母であるコスタンツァが、教皇にノルマン・シチリアの全領土を献上して、その代わりにこの男の子を守ってくださいと頼みに来ました。そして彼女も他界してしまった。このときにローマ教会では、インノケンティウス三世という三〇代の枢機卿が、教皇に選ばれていました。

このインノケンティウス三世から、教皇は「イエスの代理」という称号を名乗りはじめます。それまで、イエスの代理はローマ皇帝であって、ローマ教皇はあくまでもペテロの代理にすぎませんでした。もう誰も文句をいわないのではないか。彼は、いまこそ絶好のタイミングであると判断したのでしょう。インノケンティウス三世の時代は、ローマ教皇の権力の絶頂期であったと後世にいわれるようになりますが、それはハインリヒ六世の急死という偶然の賜物でもあるのです。

ところでハインリヒ六世の忘れ形見であった少年は、シチリアのパレルモでたくましく成長して後に「世界の驚異」と呼ばれた英傑フリードリヒ二世となり、ローマ教皇はまた一敗地《いっぱいち》に塗《まみ》れますが、シュタウフェン朝もフリードリヒ二世の死後シャルル・ダンジューとの戦いに敗れて断絶してしまう。その間に、もともとは小国だったフランス（西フランク王国）が350年間、男の子が生まれ続けたために（カペー家の奇跡）、王家は断絶することなく、だんだんと大きくなり、ローマ教会を支えるヨーロッパ一の強国になっていくのです。

# 叙任権闘争と贖宥状《しょくゆうじょう》、聖年、宗教改革

## 1 叙任権闘争と贖宥状

叙任権闘争については前にも少し触れましたが、世俗領主による聖職者任命行為は、ずいぶん昔から慣例化されていました。この慣例をなんとか止めさせようと、ローマ教会は努力を続けます。10世紀初めにフランス南西部にクリュニー修道院が創設されます。ローマ教会は、立派な聖職者を育てて、つまりは、人材育成によって世俗権力に対抗しようとしたのです。クリュニーは「祈り、働け」を標語とするベネディクト会の修道院で、ここで始まった修道院改革運動は、やがて叙任権闘争の大きな力となっていきます。

**カノッサの屈辱**
ハインリヒ四世がひざまずくこの絵は、教皇側の優位を示そうとしたもの
©Alamy Stock Photo/amanaimages

グレゴリウス七世は、叙任権問題でもっとも厳しくローマ皇帝と衝突した教皇です。彼はザーリアー朝の皇帝ハインリヒ四世に対して、世俗権力による聖職者の叙任を禁止し、その実行

を求めます。ハインリヒ四世が拒否すると、教皇は皇帝を破門しました。破門されると、神の祝福も受けられず、死ぬときにも祈ってもらえません。ハインリヒ四世は、雪のカノッサ城の城門の外で立ち続け数日間謝罪して、ようやく破門は解かれたといわれています。ただし、これは史実ではないようです。この事件は1077年のことで、「カノッサの屈辱」と呼ばれていますが、教皇は後に皇帝の手厳しい反撃を受けてローマを追われ、サレルノで客死しました。叙任権闘争は、最終的にローマ教会側の主張が受け入れられるまで（1122年）、長い時間を要したのです。

クリュニー出身で、教会改革にも熱心だったウルバヌス二世が教皇であった11世紀の終わり頃、セルジューク朝がパレスティナを占拠し、キリスト教徒のエルサレム巡礼が圧迫を受けるようになりました。そこで、東ローマ皇帝からの救援要請を受けて（あるいは口実にして）ウルバヌス二世はフランス中部のクレルモンで、エルサレムへの進軍を要請する大演説をぶちました。

彼は、この戦いが、キリスト教徒を救う正義の戦いであることを強調し、この行動は神の御心《みこころ》に適《かな》うものであると宣言しました。彼の扇動的な言葉に魅せられて、多くの人々が進軍に加わり、東へ向かいました。こうして、俗にいう十字軍が始まったのです。もっとも東方から見れば、単なる「フランクの侵略」に他なりませんでした。

しかし十字軍に大量の人々が加わった理由は、正義と信仰がすべてではなかった。当時の西ヨーロッパは、それほど豊かではありませんでした。気候が温暖になり、人口は急増しましたが、貴族の次男、三男には、相続する土地も財産もありませんでした。彼らにしてみれば、噂《うわさ》に聞いている豊かで文化の華が咲く東方の国々に行けば、何かいいことがありそうな予感がした。要するに、出稼ぎの発想が多分にあったと思います。

もう一つウルバヌス二世は、とんでもない特別付録をつけました。贖宥状《しょくゆうじょう》を発行したのです。すなわち、オリエントに出かけていき、武運つたなく死んだとしても天国は保証されていると。こうなるとスネに傷をもつ人々も、一獲《いっかく》千金を夢みて参加したかもしれません。この贖宥状は16世紀のルネサンスの頃に、ふたたびドイツで発売されてルターによる宗教改革につながります。

十字軍は第一回（1096～1099年）のみ成功します。それは、セルジューク朝が、たまたま分裂状態にあったからで、もともとGDPや文化度を比較すれば、この時代は圧倒的に東方が上です。平たくいえば、アメリカが必死で市民（南北）戦争をしているときに太平洋戦争が始まれば、日本はアメリカ本土のごく一部を一瞬ぐらいは占領できたかもしれませんが、市民戦争が終われば、アメリカは国力がケタ違いの大きさなので、日本はすぐに追い出されてしまう、極論すれば、ちょうどそんな感じです。十字軍は結局エルサレムを確保できず、最終的にはパレスティナの地から追い出されてしまいます。

## 2 聖年

1300年に教皇ボニファティウス八世が、ユダヤ教の大祭《たいさい》に倣《なら》って聖年を始めます。聖年とは、ある特定の年を定めて、その年にローマに来てサン・ピエトロ寺院などに参拝すれば、大きな功徳《くどく》がありますよ、という祭礼です。たとえば京都の愛宕《あたご》山の千日参りの日（7月31日）に参拝すると千日間の功徳が得られるのと同じです。

なぜ、こんなことを始めたかといえば、時のフランス王フィリップ四世がフランドルをめぐってイングランドと戦端を開き、大変お金がかかるので、教会課税を行ない、フランスの教会からローマ教会への送金を止めさせてしまったからです。フランスの教会は信者から集めたお金をローマへ送金しているが、俺は戦費で困っているのだから先に国王である俺に金をよこせ。少しぐらいならローマ教会にやってもいいが、まずフランス王国に金を出せ、というわけです。

ボニファティウス八世は賢い人でしたから、それだったら信者にローマまで、お金を持ってこさせりゃいいじゃないか。フランスの教会が送金できないのだったら信者をローマに呼べばいいじゃないか。そこでユダヤ教から知恵を借りたのです。これは成功しました。人がたくさんやって来る。お賽銭《さいせん》もすごい。おみやげもたくさん売れました。当然、フランス王は激怒します。最後には、かわいそうにボニファティウス八世は、ローマ近郊のアナーニでフィリップ四世の臣下に捕まって、憤死してしまいました。

フランス王フィリップ四世は、そもそも教皇がローマに住んでいるからいけないのだと考えて、次の教皇であるフランス人のクレメンス五世を脅して、強引にフランスのアヴィニョンに教皇庁をつくらせます。これが教皇の「アヴィニョン捕囚」です。ローマ皇帝もドイツ王もフランス王もしょせんは同じ穴のむじなでした。でもローマ教会のトップがフランスにいる。それでは、やはり迫力がありませんから、結局、教皇はローマに帰ります。それでもアヴィニョン教皇庁は、1309年から1377年まで続きました。

教皇庁が70年近くもフランスにあったので、アヴィニョンにも官僚群が育っています。ローマ教皇の下で甘い汁を吸っていました。彼らは考えます。教皇はローマに一人で帰ってもいいけれど、俺たちには家族がいる。それにアヴィニョンもローヌ川も美しい、暖かくていい場所だ。いまさらローマになんか行けるか。いっそこっちで教皇を立ててしまおう。フランスに対立教皇をつくれば、また給料がもらえるじゃないか。

こうして対立教皇ができてしまいます。東西の教会がお互いに破門し合って起きた大分裂に続いて、ここでまた教会の分裂が起こります。東西の分裂を大シスマ、今回の分裂を小シスマと呼んでいます。この分裂は1378年から1417年まで続きました。ちなみに1054年の大シスマは、1965年にパウロ六世が修復するまで続いたのです。

### 3 宗教改革と新大陸作戦

このあとがルネサンスになりますが、ローマ教会ではボルジア家出身のアレクサンデル六世や、ラファエロやミケランジェロのパトロンとしても有名なユリウス二世、メディチ家出身のレオ十世など個性豊かな教皇が続きます。おそらく言葉の真の意味で、ローマ教皇の最盛期でしょう。ここにルネサンスも最盛期を迎えますが、この時期にレオ十世が、さきに触れた贖宥状を発売します。

彼はサン・ピエトロ寺院再建の費用を捻出するために贖宥状を発売したのですが、これを批判したルターによる宗教改革が起こり、北欧やドイツはプロテスタントの国になります。平たくいえば、ローマ教会は北欧、ドイツを失ったのです。教皇権の及ばぬ土地になってしまった。

それをイングランドの王様、ヘンリー八世が見ていて考えました。彼も以前から、イングランドの教会からローマにお金が流れ出るのが気になっていました。国内から海外へお金が逃げ出すキャピタルフライトを避けたいと思うのは、為政者の常です。国内にキャッシュがなかったら国は回りません。それで、イングランドもローマ教会から離脱して英国国教会をつくりました。この話は、もともとは、男子が生まれない王妃との離婚をローマ教皇が認めないので、自分の国で教会をつくってしまえということが発端であるといわれています。しかし本音はやはりキャピタルフライトを避けたい。お金をローマに持っていかれたくない、というのが本筋であったと思います。

こうして、ローマ教会は北欧、ドイツとイングランドを失った。いってみれば多くの植民地に独立されたようなもので、送金が激減しました。そこで1545年から18年かけて、トリエントで公会議を開き、対策を協議しました。

失った北欧、ドイツ、イングランドはもう戻らない。ルターもイングランドの王様もしぶといし、我々には武力はないから取り戻すことはできない。代わりの領地を探そうということになりました。そしてコロン（コロンブス）が到達した新大陸に注目したのです。こうしてローマ教会は、反宗教改革の旗手でもあったイエズス会などを中心にアメリカやアジアで新しい領地を獲得しようと、宗教的な表現をすれば信者を増やそうと行動を起こします。こうして、日本への布教などが行なわれるようになったのです。

この新大陸作戦により、ローマ教会はアメリカをはじめとする多くの新しい領地を得て、痛手を回復しました。

時代が下って19世紀後半になると、イタリア統一の気運が生じます。この過程でローマ教会はピピンの寄進によって得た領土をすべて失います。

すると教皇ピウス九世は、第一ヴァチカン公会議（1869～1870年）を開きました。その結果、教皇は無謬《むびゅう》であって、近代思想はみんな間違っている。民族の自決という近代思想がイタリアを統一させたが、とんでもない話だ、という結論を出します。そして完全鎖国というか、「ヴァチカンの囚人」として閉じこもってしまう。ピウス九世の死（1878年）まで、一種の退化現象が起こりました。

20世紀に入って1962年から1965年まで、第二ヴァチカン公会議が開催されます。そして他宗教との宥和《ゆうわ》を追求し（エキュメニズム、教会の一致）、第一ヴァチカン公会議の前近代性を払拭《ふっしょく》して現代に至っているのです。

この第二ヴァチカン公会議では、具体的に次のようなことが確認されました。プロテスタント教会やユダヤ教会の積極的評価、信教の自由、東方教会との900年ぶりの和解などです。

以上が大雑把なローマ教会の歴史です。最後に次の項でローマ教会の性格について、三つに分けて考えてみました。

## ローマ教会の持っている三つの大きな特徴

### 1 キリスト教の、ワンオブゼムである

僕らが学校教育で教えられたキリスト教は、ローマ教会を前提にしていますが、「キリスト教の系譜」を仮につくってみると、183ページの表のように何回も分派しています。

まず「イエスは神の被造物」説、アリウス派が排斥されます。次いでネストリウス派が出ていきます。

ネストリウスの説いた教えは、イエスは神様に特別に許された人なので二つの位格（神格と人格）を持っているのだ、という説です。神と聖霊とイエスは三位一体だという正統派よりはわかりやすいように見えますが、やはり排斥されます。ネストリウスはコンスタンティノープルの総主教でしたが、エジプトに亡命します。弟子たちは、ユーラシアの東部に新天地を求めて去っていきます。そしてアッシリア教会を建てましたが、後に、モンゴル帝国のクビライの母になる女性も信徒になります。ネストリウス派は中国にも入り、景教《けいきょう》と呼ばれました。

ネストリウス派の次に、単性論が異端として退《しりぞ》けられます。この説は、神の子イエスは、この世においては神性と人性が融合して、単一の性を有していると説きました。このグループでは、現在でもエジプトのコプト教会や、シリア教会、アルメニア教会などが活動しています。

さらに、東方教会とローマ教会に大分裂します。東方教会側でも、いくつかに分派しますが、ここでは省略します。

さらに、この頃から南フランスで、カタリ派という戦闘的な一派が、活躍しはじめます。カタリとはギリシャ語で「清浄な者」という意味です。マニ教的な善悪二元論に立

## キリスト教の系譜

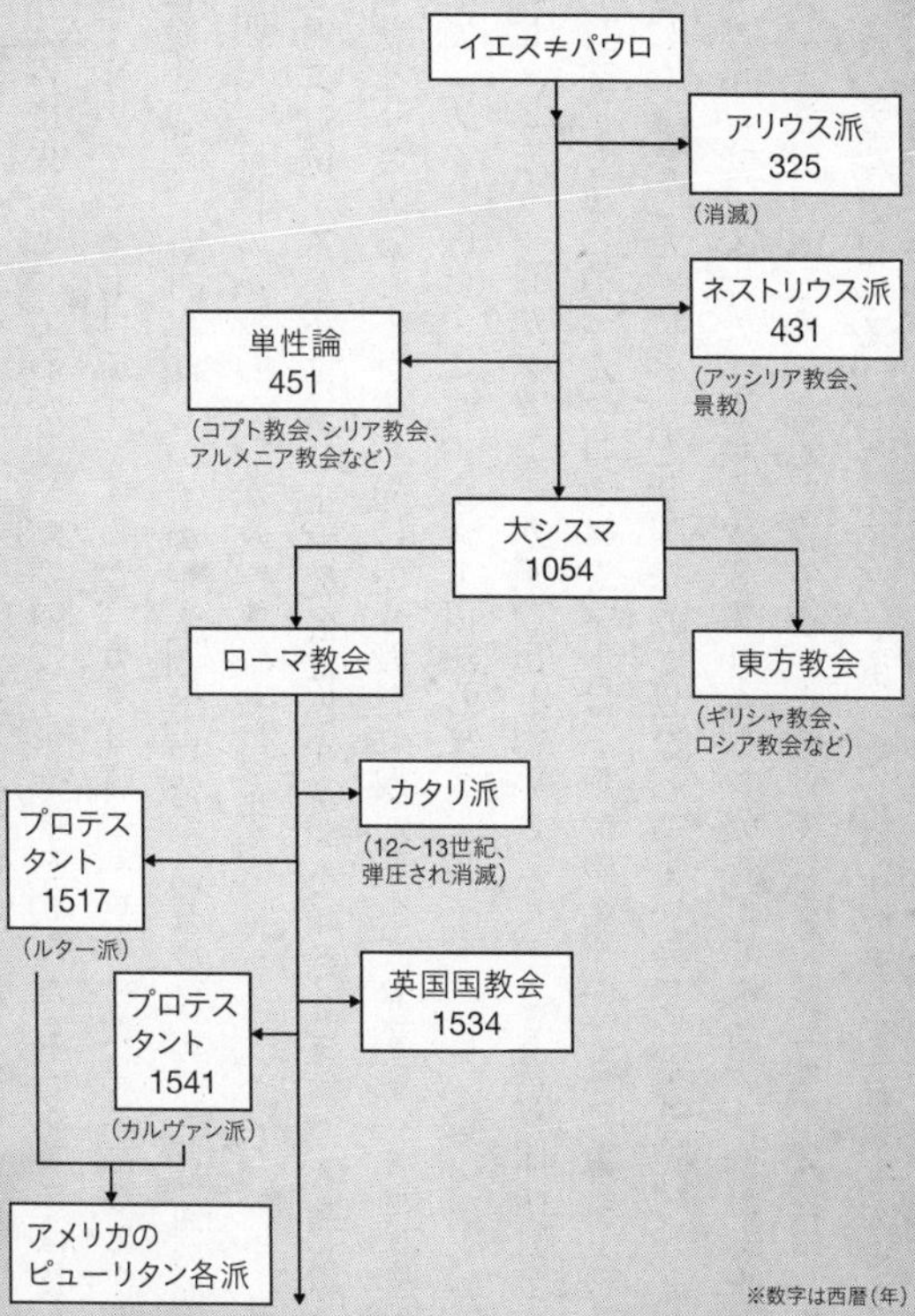
イエス≠パウロ
アリウス派
325
（消滅）
ネストリウス派
431
（アッシリア教会、景教）
単性論
451
（コプト教会、シリア教会、アルメニア教会など）
大シスマ
1054
ローマ教会
東方教会
（ギリシャ教会、ロシア教会など）
カタリ派
（12〜13世紀、弾圧され消滅）
プロテスタント
1517
（ルター派）
英国国教会
1534
プロテスタント
1541
（カルヴァン派）
アメリカのピューリタン各派
※数字は西暦（年）

ち、禁欲主義で、反教皇の立場からローマ教会を攻撃しました。

この教えは庶民にとってわかりやすいのです。聖書を読んだら、イエスは貧しくて着《き》の身着《みき》の儘《まま》で歩いているわけです。すると、カタリ派の「ローマ教皇は宮殿に住んで、豪華な衣裳に身を包み、毎日美味しいものを食べている。あれはイエスとは何の関係もない」という主張は、庶民の気持ちをつかみやすいわけです。

カタリ派に対抗するために、ローマ教会は異端審問を開始します。教会裁判制度です。異端と判決を下されると、世俗当局に引き渡され刑が執行されます。極刑は全財産没収と火刑でした。カタリ派は、これによって潰滅《かいめつ》します。

16世紀に入ると、プロテスタントが飛び出していきます。さらに英国国教会も出ていきます。特にアメリカに渡ったプロテスタントは、雨後の筍《たけのこ》のように数多くの教会が乱立するようになりました。ほとんど新興宗教と見なしてもいいでしょう。

『そして誰もいなくなった』というタイトルの映画がありましたが、キリスト教も、どんどん出ていった。けれども、誰もいなくなったわけではなく、コプト教会にしろ東方教会にしろ、みんな生きている。この「系譜」も、仮にローマ教会を柱にして書きましたが、ほかの分派や教会からみたら、俺たちが正統だよ、と主張するはずです。そもそもイエスが復活したら、どれが正しいというかは、正直なところまったくわからないのがキリスト教の歴史だろうと思います。

本章の冒頭で「カトリック」という言葉について触れましたが、キリスト教といえばカトリックとプロテスタント、旧教と新教、といった単純な理解を、もう一歩深くしたい。世界のキリスト教徒を無意識に二分してしまわずに、ローマ教会は一番大きいグループではあるけれど、やはりワンオブゼムだという認識を持ってほしい気がします。

## 2 領土を持ってしまった教会である

ローマ教会の変わったところは、ピピンの寄進によって領土を持ってしまったことです。それがいろいろな躓《つまず》きの石になった。

カタリ派のところで触れましたが、異端審問のような発想が出てくるのは、領土があったからではないでしょうか。教皇は領主でもありました。いろいろな国では自国の領土では領主が人民を裁いているのだから、俺たちも文句をいう奴は教会の中で裁いてやろうということです。ここにもローマ教会の世俗国家的な特異性が認められます。ユダヤ教、キリスト教、イスラーム教というセム的一神教の中で、制度として異端審問所を持っているのは、ローマ教会のみです。

また、ローマ教会が領土を持ってしまったことが、イタリアがなかなか統一できなかった一番の理由でもあります。

ローマ教会の国土は西のローマからアドリア海に面するラヴェンナの地まで、イタリア半島の中心に太く帯状に存在しました。イタリアの南北が統一されるとくるみ割りに挟まれたくるみのように潰されてしまう。イタリアがドングリの背比べで分裂していることが、教皇にとっては一番都合がいい。国力がほぼ同じなら精神的な権威の分だけ教皇が上に立てるからです。ですからイタリア半島に大国が生まれてこないように、ローマ教会は常に陰謀の巣になりがちでした。その状態が、最終的に1861年のイタリア統一まで1000年以上も続いたわけです。

ピピンの寄進によって領土を持ってしまったことで、ローマ教会はゆがみはじめ、領土を失ったときに茫然自失して殻に閉じこもってしまったという、非常におもしろい歴史を辿《たど》っている気がします。

## 3 豊かな資金と情報を持っている

昔、ソ連の独裁者スターリンに、ある人がいったそうです。

「ローマ教皇は結構力を持っているんですよ」

するとスターリンが答えました。

「ほう、ローマ教皇は何個師団持っているのかね」

彼は、力といえば軍隊だと思っていたのです。ローマ教皇の力の源泉は何かといえば、資金と情報だと思います。お金というのはわかりますね。ありとあらゆる宗教はだいたい非課税ですから、お金が集まります。しかもローマ教会は聖年も始めていて、初めは50年に一度だったのですが、1400年からは原則25年に一度となっています。いわば神宮の式年遷宮《しきねんせんぐう》のようなもので、この年にローマに巡礼すると特別の赦《ゆる》しが与えられるため、世界中から信者がお金を持ってローマに集まってくる。

次は情報です。ローマ教会は13世紀に、近くの教会で司祭に罪を告白したら許されるという仕組みを、制度化しました。俗に耳聴《じちょう》告白制度と呼ばれています。これが何を意味するかというと、告白といっても、普通の庶民の場合は「私は妻子ある素敵な男性に恋い焦がれました、許してください」といった話がほとんどです。しかし中には、「じつは領主に頼まれて武器をこっそりつくりました。けれど、これでいいのでしょうか」といった物騒な告白もあります。すべての人がちょっとでも悪いことをしたときに、司祭に告白さえすれば救われるという制度は、情報の宝庫になっていきます。

最初は恋とか、他人の畑の野菜を食べたとかであっても、耳聴告白が制度として固まってくると、その地方における怪しい出来事はすべてわかる。たとえば、陰謀は一人ではできないでしょう。必ず複数になる。それぞれの人は、その陰謀について全体像は知らなくても、それぞれ自分の知っていることがある。それを一人ひとりが話すのを聞いて全部の情報を足し合わせれば、それが円になって全貌が見えてくる。けしからんことを、こういう連中が画策しているのではないかと。

ヨーロッパ中の個々の信者からいろいろなことを聞くという制度ができてしまったら、ローマ教会は情報の宝庫になります。国が分かれていても、庶民はみなローマ教会を信じていますから、教皇は国王よりも多くの情報を持っていることになります。そうすると王様も弱い。「おまえの妹は別の国に嫁いだけれど、不倫しているぞ」などと脅かされたら、それはいやでしょう。いろいろな玉石混交《ぎょくせきこんこう》した情報を持っていることが、ローマ教会のパワーにつながっていったのです。ヨーロッパは一つの国ではなかった。しかし教会は一

〈第5章の関連年表〉

## キリスト教・ローマ教会の歴史
(1世紀〜20世紀)

| 西暦(年) | |
|---|---|
| 96 | 五賢帝時代始まる |
| 284 | ローマ皇帝ディオクレティアヌス、即位 |
| 293 | 四分統治体制完成 |
| 313 | ミラノ勅令 |
| 325 | ニカイア公会議 |
| 330 | コンスタンティノープルへ遷都 |
| 380 | ローマ皇帝テオドシウス、キリスト教を国教に |
| 498 | フランク王国クローヴィスが正統信仰(三位一体説)を受け入れ |
| 529 | ローマ皇帝ユスティニアヌスがアカデメイアなどを閉鎖 |
| 587 | 西ゴート王国が正統派に回心 |
| 726 | イコノクラスム始まる |
| 751 | フランク王国ピピン(三世)、カロリング朝を建てる |
| 756 | ピピンの寄進 |
| 800 | シャルルマーニュ、ローマ皇帝として戴冠される |
| 910 | クリュニー修道院、創設 |
| 919 | 東フランク王国がザクセン朝に |
| 962 | 東フランク王国のオットー大帝(一世)、ローマ皇帝に戴冠 |
| 987 | 西フランク王国がカペー朝に |
| 1054 | キリスト教の東西大分裂(大シスマ)(〜1965) |
| 1077 | カノッサの屈辱 |
| 1095 | クレルモン教会会議 |
| 1096 | 第一回十字軍(〜1099) |
| 1122 | ヴォルムス協約成立。叙任権闘争、一応終結 |
| 1197 | ローマ皇帝(ドイツ王)ハインリヒ六世、急死 |
| 1198 | ローマ教皇インノケンティウス三世即位 |
| 1220 | ローマ皇帝フリードリヒ二世即位 |
| 1300 | 教皇ボニファティウス八世、聖年を開始 |
| 1309 | フランス王フィリップ四世、教皇クレメンス五世にアヴィニョン教皇庁をつくらせる(アヴィニョン捕囚)(アヴィニョン教皇庁〜1377) |
| 1378 | 教会の分裂(小シスマ)(〜1417) |
| 1453 | 東ローマ帝国、オスマン朝に滅ぼされる |
| 1517 | ルター宗教改革始まる |
| 1534 | 英国国教会成立 |
| 1545 | トリエント公会議始まる(〜1563) |
| 1861 | イタリア統一(王国樹立) |
| 1869 | 第一ヴァチカン公会議(〜1870) |
| 1870 | イタリア統一完成。教皇領占領 |
| 1962 | 第二ヴァチカン公会議(〜1965) |

つだった。それだからこそ国を越えたいろいろな情報を入手することができた。このことも、ローマ教会の見逃せない特異性だと思います。

## COLUMN 「神聖ローマ帝国」とは何か

皆さんは、世界史の授業で、次のように学んだ記憶があると思います。

10世紀の後半に、ザクセン朝のオットー一世がマジャール人の侵入からヨーロッパを守った。そして彼は、ローマ教皇からローマ皇帝の冠を戴《いただ》いた。このときが、神聖ローマ帝国の始まりであると。

けれど、オットー一世は、自分が神聖ローマ帝国の皇帝であるとはまったく思っていなかったでしょう。彼は自分はローマ皇帝になったと考えていたはずです。なぜなら、その当時、神聖ローマ帝国という言葉自体が、存在しなかったからです。

この用語が初めて登場するのは13世紀末以降のことです。

ローマ帝国は蛮族に襲われて西方を捨てたので、西方にはローマ皇帝がいなくなった。そこでローマ教皇が、自分たちの用心棒になってもらうバーター取引の材料として、ローマ皇帝という餌《えさ》で最初はカロリング家、次にドイツ王を釣ったという現実がありました。

東ローマ帝国の首都コンスタンティノープルには、古《いにしえ》のローマ帝国から連綿と続いてきたローマ皇帝がいますから、皇帝という称号は国王より上だという意識が彼らにもありました。

だから西のローマ皇帝にしてやるといわれたら、彼らは喜んで戴冠するためにローマにやって来る。やがて、ローマ教皇から皇帝冠を受けることが伝統になっていきました。ナポレオンでさえ皇帝になるときには、ローマ教皇をパリに連れてきて、戴冠式を行なっています。

伝統は一度できてしまうと、人々の意識がそれに規定されてしまう。しかし、ローマでの戴冠はお金がかかります。1452年にローマで戴冠したフリードリヒ三世を最後としてローマに出向く皇帝（ドイツ王）はいなくなりました。そこで、ローマに行かないのにローマ皇帝とは、ということになり、「ドイツ国民の神聖ローマ帝国」と呼ばれるようになったのです。この名称の正式採用は1512年のことでした。

後にナチスは、この神聖ローマ帝国を第一帝国、ビスマルクが創ったドイツ帝国を第二帝国と意識して、ヒトラーの帝国を第三帝国と呼ぶようになったのです。

第6章

# ドイツ、フランス、イングランド

## 三国は一緒に考えるとよくわかる

## ■知っているようで知らない国々

僕は3年ほどロンドンで働いたことがあります。歴史と旅が大好きなので、この好機を逃さず、週末はヨーロッパ諸国巡りを続けました。そこで感じたことは、学校で教えられた世界史では、近代のことはひととおり教えられていても、そこに至るまでの各国の歩みは、あまり教えられていないということでした。代表的な国々、ドイツやフランス、イングランドについてもそうです。

たとえば、イングランドは王様が連綿と続いたアングロ・サクソンの議会の国というイメージ、フランスの場合はフランス革命前後からナポレオンあたりが強調されがちであり、ドイツはヨーロッパでは後進地域であって小国家が分立していたが、近代になってようやく一つの国家になった……、このようなイメージで教わってきた記憶があります。でもそれだけでは誤解しやすいのではないかという話が、本章の主題です。

外国に行って仕事をするとき、その国のことを知っておくことは必須条件です。僕たちも外国の人と話をしていて、その人が日本のことを知っていてくれると嬉しい、良い気分になれます。そういう意味も含めて、ヨーロッパの成り立ちや、主要な国々が、どういう歴史展開の中で誕生したのか、きちんと知っておく必要があると思うのです。

最初に英国という呼称について。

この国の正式名称は、United Kingdom of Great Britain and Northern Ireland です。略称としては、「UK」が一般的で、その訳である「連合王国」や古くからの主要な地域名・王国名でもある「イングランド」も使用されます。「イギリス」は、ポルトガル語の English にあたる言葉からつくられたと思われる日本語です。江戸時代には「英吉利」と表記されました。「英国」はこの表記から誕生しました。したがって、イギリスや英国は日本でしか通用しません。僕は普段は連合王国という言葉を使っているのですが、本書では便宜上、連合王国を原則として英国で通します。

## 三つの主要国は、どのようにしてできたのか

さて、ここでは、カエサルがガリアを征服したケルトの時代はさて置いて、3〜4世紀から始まる蛮族の大移動から話を始めたいと思います。王権の成り立ちについては、第5章でお話ししたことと少し重なりますが、ご了承ください。

前にも触れましたが、ヨーロッパに侵入してきた蛮族に対して、ローマ帝国はコンスタンティノープルとエジプトをベースとする東方を守り、西方は捨ててしまった。その西ヨーロッパに侵入した蛮族の中で、最後に生き残ったのがフランク族であり、フランク王国をつくったのが、聖なる海獣の血を引くメロヴィング家のクローヴィス（ルイ）で、彼がメロヴィング王朝を開いた。

メロヴィング家には、聖なる海獣と人間の間に生まれた子どもを先祖に持っているという、言い伝えがあります。海獣の血を引いているのだから聖なる血が流れている。特殊な力を持っていて、ハンセン病患者などに手をかざせば治る、と信じられてきました。それは後のフランスの王家にも伝わっていき、ルイ十六世なども、ハンセン病患者に手をかざしたり握手したりしていて、そういう儀式がずっと残っていきます。

この伝統ある王家を、王家の宮宰職《きゅうさい》（宰相《さいしょう》）であったカール・マルテルの一族、カロリング家が乗っ取り、第二の王朝であるカロリング朝を開いた。フランク王国の中で、クーデターが起こったわけです。当時ヨーロッパで一番豊かだったのは、ベルギー、ネーデルランドの地域です。なぜかといえば、大陸と北海のスカンディナビアやイングランドとの交易の中心地域だったからです。その豊かな地に、宮宰が視察に行って、ベルギーとネ

# 第6章の舞台

アイスランド
大西洋
スカンディナビア半島
スコットランド
北海
大ブリテン島
デンマーク
ウェールズ
イングランド
ロンドン
ドーヴァー海峡
イギリス海峡
ネーデルランド
ドイツ
ノルマンディー半島
セーヌ川
パリ
マーストリヒト
アンジュー地方
ライン川
アキテーヌ
フランス
ボルドー地方
アヴィニョン
アルプス山脈
ピレネー山脈
スペイン
イベリア半島
ジェノヴァ
ヴェネツィア
ピサ
イタリア
アドリア海
ローマ
アマルフィ
パレルモ
メッシーナ
シチリア島
ジブラルタル海峡
ネヴァ川
(現サンクトペテルブルク)
ノヴゴロド
ハンガリー
ドナウ川
黒海
ボスポラス海峡
コンスタンティノープル
バルカン半島
エーゲ海
地中海
エルサレム
エジプト
パレスティナ
0
1000km

ーデルランドの国境にあるマーストリヒトの豪族のお嬢さんをみそめました。そして生まれた子どもが、カール・マルテルでした。この一族が、メロヴィング家を廃して（簒奪《さんだつ》して）カロリング朝を開きます。

でも聖なる一族を廃して王様になったカロリング家は、庶子《しょし》の一族ではないか、と後ろ指をさされる。第5章で触れましたが、カロリング家には、これが大きなハンディキャップになります。実力で成り上がった人は、正統性の根拠を求めるのです。

時のローマ教皇にとって、これは願ったり叶《かな》ったり、絶好の標的が出現したわけです。正統性を認めてやれば忠義を尽くすのではないかと考えて、カロリング家に使者を出します。

「ランゴバルド族に攻められて弱っている。この野蛮人を叩《たた》き出してくれないか」

カロリング家のほうでも大歓迎です。ローマ教皇に、ペテロの後継者に、王様だと認めてもらったら、文句をいうやつも鎮まるだろう。当時の当主であったピピン三世は、大兵力を率いてイタリアに攻め入り、ランゴバルド族を追い払いました。

このときにピピンが連れてきた家来がイタリアの貴族になっていきますが、ピピンはローマ教皇のところに行って、話します。

シャルルマーニュ（カール大帝）時代のヨーロッパ

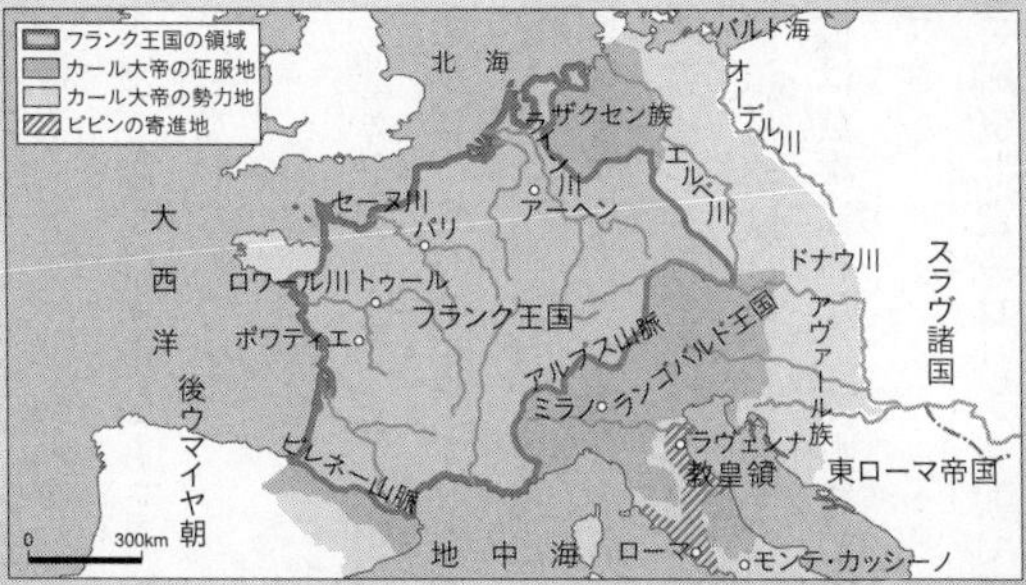


「敵は撃退しましたが、教皇様もローマ皇帝と切り離されてしまったら手元不如意《ふにょい》でしょう。ちょっと領土をお分けしましょう」

といって、ピピンは、ランゴバルド族から得た中部イタリアの地をローマ教皇に進呈します。これが「ピピンの寄進」です。

もちろんこれは、土地もあげました、敵も追い払いました、あなたは私の正統性をちゃんと認めてくれますね、というバーター取引であるわけです。この取引は最終的には、ピピンの子どもシャルルマーニュ（カール大帝）が、８００年にローマ皇帝として戴冠されることで完成します。教皇側の言い分は、次のようなことです。ローマ皇帝という称号をあげたのだから、もうあなたは正統性に悩むことはありません。

その代わり、私のいうことをよく聞いて、いつも番犬のように働いてくださいね。

当時東のローマ皇帝は、イスラーム教徒に攻められていた。そこで、鬼の居ぬ間の洗濯ということで、教皇は領土をもらう代わりに、カロリング家をローマ皇帝として認めようということになったのです。

ピピン三世が教皇領を寄進したのは、756年でしたが、シャルルマーニュがローマ皇帝になったのは、800年です。なぜ時間がかかったのか。

それは、ピピン三世には、まだ声望が足りなかったからです。逆にシャルルマーニュには、声望を獲得する大きな機会があり、彼はそれを逃さなかったからです。

シャルルマーニュは二度にわたって西ヨーロッパに侵入した蛮族を退けました。一つはモンゴル高原を突厥《とっけつ》に追われた柔然《じゅうぜん》の流れを引くアヴァール族、もう一つは、ザクセン族です。彼は数次にわたって両者と戦い、ヨーロッパを救ったという声望を得て、皇帝になったのです。

こうして確立したカロリング朝でしたが、この頃には長子相続という伝統がありませんから、子どもが生まれたら国を分割していきます。そして最後には、東西のフランク王国

東フランク王国と西フランク王国（9世紀）

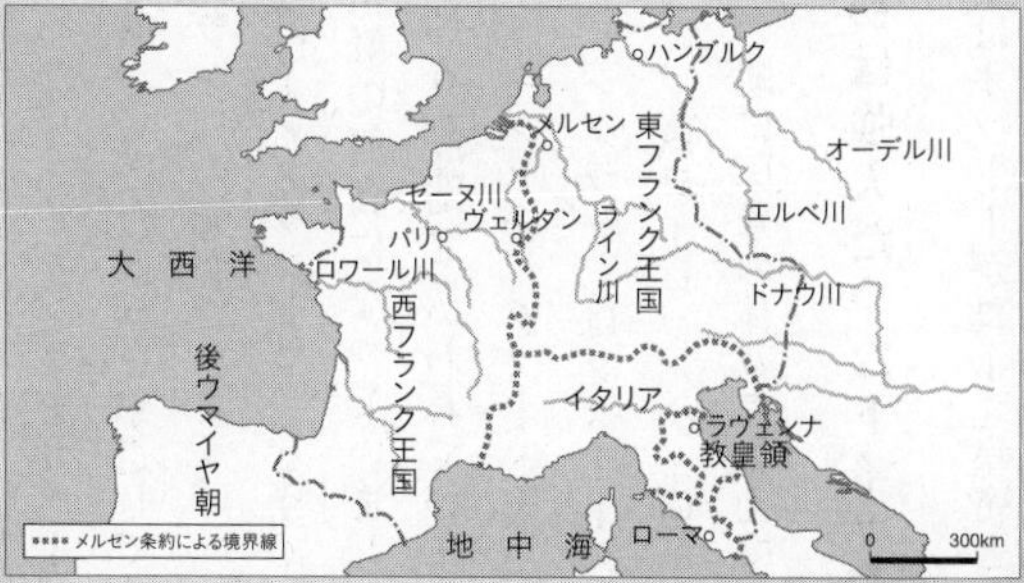


が成立します。

カロリング朝の血統がだいたい２３０年ぐらいで絶えてしまうと、東フランク王国（ドイツ）ではザクセン族が息を吹き返し、オットーが国王になります（９３６年）。

オットーが大帝と呼ばれるようになったのも、東から来たマジャール人を打ち破ったからです。現在のハンガリー人の祖先です。オットーはローマに遠征して、ローマ教皇から戴冠されます。ドイツ王は、彼の時代からローマ王を兼ね、ローマで戴冠して、ローマ皇帝となる慣例が生まれました。

それで西フランク王国（フランス）はどうなったかといえば、カペー朝を開いたユーグ・カペーは、カロリング朝の大貴族、ロベール家につながる一族でした。987年に彼がフランス王に選ばれたのも、もとはといえばパリを包囲していたヴァイキングをカペー家が撃退したことが理由でした。外から襲ってきた蛮族を撃退してくれた人を、みんな頼りにするわけです。こうしてドイツとフランスの元ができます。

それではイングランドは、どうでしょうか。この国は海に面していて、いつもヴァイキングの格好の餌食になっていました。ヴァイキングとは「入江（Vik）に住んでいる人々」という意味だといわれています。北方の部族です。そして、デンマークからやってきたヴァイキングの、クヌート大王が全イングランドを占領しました（1016年）。こうして、イングランドはクヌートの帝国の一部となりました。これが英国の出発点です。このように、西ヨーロッパの主要三国は、10世紀から11世紀にかけて、ドイツ、フランス、英国の順に国家の体裁を整えていったのです。

## ▶最初は強大だったドイツが、だんだん細分化されていくのはなぜか

ドイツはオットーがローマ皇帝として戴冠したことから出発しますが、ローマ皇帝という身分はなかなか厄介です。教皇はローマに住んでいます。戴冠してもらうためには、ロ

ーマに行かなければならない。ナポレオンのように呼びつけることも可能ですが、日本の戦国大名と同じで、やはり京都に上《のぼ》って天皇から了承が欲しいということで、ローマに行くことになります。

当時のドイツは、北のほうにあって武力は強いけれどそれほど豊かではない。他方でイタリアは、気候が温暖で豊かなところです。しかも地中海に面しており、アマルフィ、ピサとかジェノヴァやヴェネツィアは、盛んに東方と交易をして富を蓄積しています。要するに贅沢《ぜいたく》な地域で、女性がきれいで、ご飯もおいしい。そんなところにドイツの王様が行き、そこで皇帝となるとどうなるか、「ええとこやないか」と、イタリアに執着しはじめます。

不幸なことにオットー1のザクセン朝は男子が生まれなくて、100年くらいで絶えてしまいます。その後はザーリアー朝が継ぎますが、この王朝も100年ぐらいで男子が絶えてしまう。そして、1138年にシュタウフェン朝（ホーエンシュタウフェン朝）という三番目の王朝に継がれます。ここにバルバロッサ、赤髭《あかひげ》王という有名な王様（フリードリヒ一世）が現われ、きわめて有能だったので、ドイツは最盛期を迎えました。

フリードリヒ一世はドイツと北イタリアを支配していましたが、68歳のとき第三回十字軍に参加して、現在のトルコで誤って水死してしまいます。嫡男ハインリヒ六世はノルマン・シチリア王国の唯一の相続人である王女コスタンツァと結婚していました。こうして、シチリアと南イタリア、北イタリア、ドイツを一人の皇帝が支配することになった。これはローマ教皇にとっては、悪夢としか思えない出来事でした。北と南からローマ教皇の領土が締めつけられる。こんなにつらいことはありません。

ハインリヒ六世は、勢いに乗って力の弱ってきている東のローマ帝国を滅ぼして、自分が唯一人のローマ皇帝になろうと考えます。しかし、メッシーナで進軍の準備をしているときに、赤痢《せきり》で急逝してしまう。まだ32歳の若さでした。残されたコスタンツァは、ローマ教皇に、領土をすべて献上するという条件で自分の3歳の子どもの後見人を依頼します。

禍福は糾《あざな》える縄の如し、といいますが、何が幸いになるかわからない。ローマ教皇インノケンティウス三世にとって、こんなタナボタはありません。喜色満面の彼は、すっかり自信をもってしまって、ローマ教皇こそキリストの代理であるとまで発言するようになりました。しかし、この話がローマ教皇にとって必ずしもハッピーエンドになるわけではありません。そこが歴史のおもしろいところです。残された子どもも、またまれにみる麒麟《きりん》

## フランク王国の変遷とドイツ、フランス関係図
(5世紀〜13世紀)

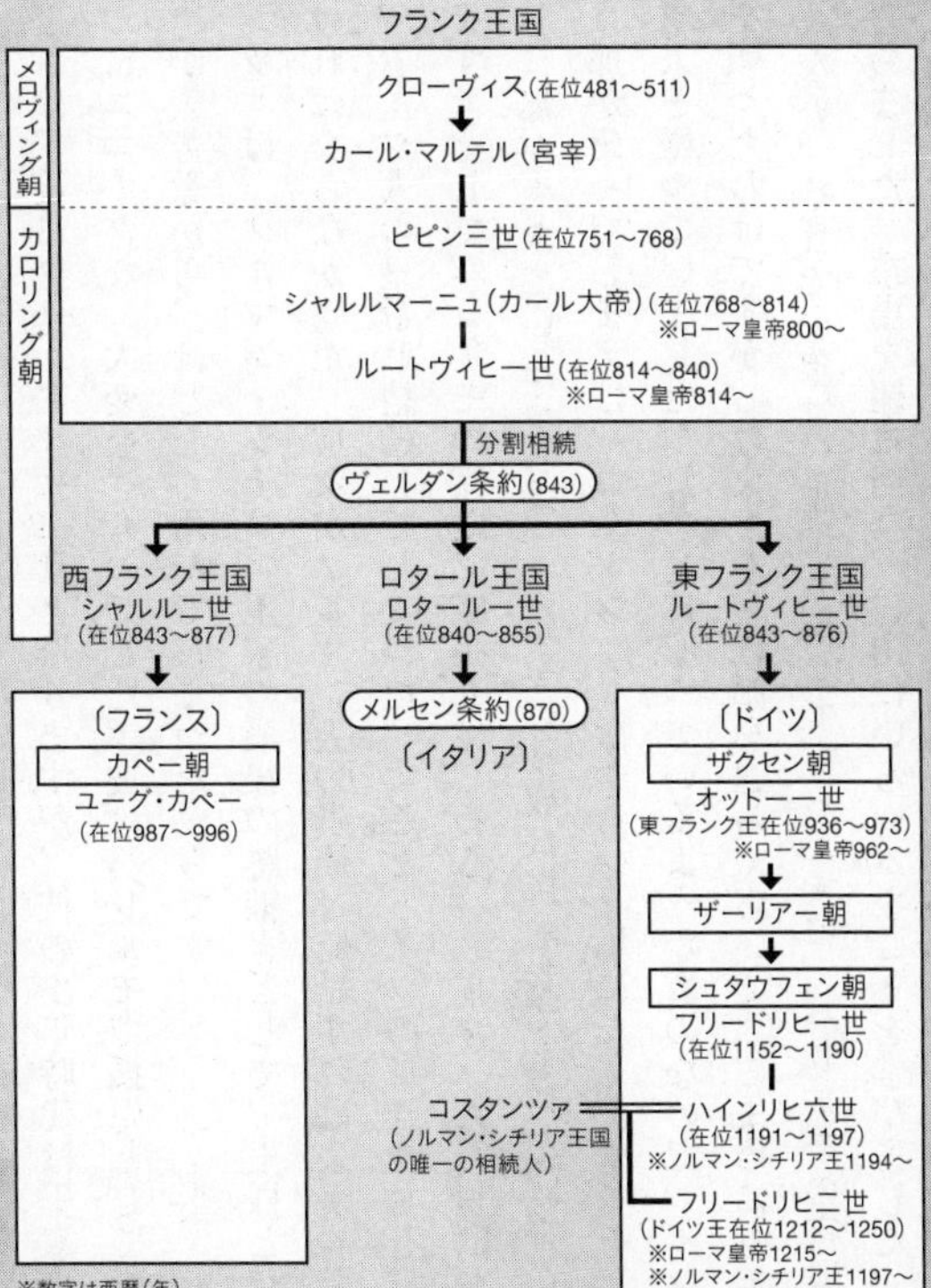
フランク王国
メロヴィング朝
カロリング朝
クローヴィス(在位481〜511)
カール・マルテル(宮宰)
ピピン三世(在位751〜768)
シャルルマーニュ(カール大帝)(在位768〜814)
※ローマ皇帝800〜
ルートヴィヒ一世(在位814〜840)
※ローマ皇帝814〜
分割相続
ヴェルダン条約(843)
西フランク王国
シャルル二世
(在位843〜877)
ロタール王国
ロタール一世
(在位840〜855)
東フランク王国
ルートヴィヒ二世
(在位843〜876)
〔フランス〕
カペー朝
ユーグ・カペー
(在位987〜996)
メルセン条約(870)
〔イタリア〕
〔ドイツ〕
ザクセン朝
オットー一世
(東フランク王在位936〜973)
※ローマ皇帝962〜
ザーリアー朝
シュタウフェン朝
フリードリヒ一世
(在位1152〜1190)
コスタンツァ
(ノルマン・シチリア王国の唯一の相続人)
ハインリヒ六世
(在位1191〜1197)
※ノルマン・シチリア王1194〜
フリードリヒ二世
(ドイツ王在位1212〜1250)
※ローマ皇帝1215〜
※ノルマン・シチリア王1197〜
※数字は西暦(年)

児《じ》だった。

この子どもは、後にフリードリヒ二世となりますが、彼の少年時代は王家の子どもとしては、じつにユニークな（大変な）ものでした。彼はパレルモで孤児として育ちます。コスタンツァが気苦労から、ほどなく死んでしまったからです。

コスタンツァは、ノルマン・シチリア王家の最後の跡継ぎとして、王様となるべき男と結婚しなければならなかった。彼女がノルマン人の貴族と結婚すればよかったのかもしれませんが、ドイツ人の皇帝と結婚してしまった。するとドイツの貴族たちも、シチリアにやって来ます。そしてパレルモの宮殿で威張りはじめる。ノルマン人たちはおもしろくありません。旦那が生きているうちは、文句をいう奴は排除してもらえばよかったのですが、その旦那が死んでしまえば、コスタンツァはつらい立場になります。そして、彼女もまたドイツ人を嫌っていました。針の筵《むしろ》に座っているようなものなので、インノケンティウス三世を頼ったわけですが、教皇も家庭教師を送るぐらいで、こまめに少年の面倒までは見てくれない。それで少年は、誰にも構ってもらえずに、パレルモの宮殿を飛び出して、街で育ちました。市場を駆け回り、自由にいろいろなことを学びました。織田信長《おだのぶなが》の少年時代のように、奔放な日々を過ごしたのでしょう。当時のパレルモは、世界最先端の国際都市でした。ニューヨークのようなものです。イタリア人、ノルマン人、ユダヤ人、アラブ人、ドイツ人たちが混交した高度な文明をつくっていました。少年は、イスラーム文化についても学び、アラビア語も話せるようになっていきます。

成長したフリードリヒ二世は、たくましくて賢いノルマン・シチリア王国の王様になり、さらにドイツ王になり、ローマ皇帝にもなります。こうしてローマ教皇は、ふたたび悪夢を見ることになりました。また南北で挟まれてしまったのです。

第一回十字軍はエルサレムを奪回し、そこに小さな十字軍国家をつくりましたが、その後はイスラーム側にずっと制圧されていました。フリードリヒ二世は第五回十字軍で、戦うことなく外交交渉で、このエルサレムの地を回復します。しかし、ローマ教皇はイスラームという異教と交渉したことを認めず、破門を宣言するなど、フリードリヒ二世と争います。

1250年に、フリードリヒ二世が死んでしまう。ローマ教皇は、もう南北に挟まれる悪夢だけは見たくない。そこでいろいろなヨーロッパの王家に、南イタリアとシチリアをあげるからなんとかシュタウフェンの一族を倒してくれないかと、甘言《かんげん》を用いて働きかけます。ようやくフランス王ルイ九世の弟のアンジュー公シャルルを引き入れることに成功します。

フリードリヒ二世の子どもや孫は、シャルルに敗れてシュタウフェン朝は断絶してしまいます。

ドイツは、オットー1大帝の頃からフリードリヒ二世の死までの約300年間、強大な大帝国を誇りますが、その300年間の政策のコアはイタリア政策でした。いかに効果的にイタリアを支配下に置きつつ、皇帝であり続けるか、という問題です。

しかしながらローマ教皇はけっこうしたたかな人物が多くて、いつも二枚舌を使っている。そこそこに強い皇帝でなければ困る、かといって教皇の権威を軽んずる皇帝も困る、というスタンスですから、なかなかドイツ王にイニシアチブを渡さない。結局、アルプスを越えて遠いイタリアの地へ、ドイツから富や兵力を持ち出すかたちが続きます。しかもこの300年間、王朝も三代にわたって替わっている。表現はよくないけれど、三つの王家がそれぞれイタリアという美女にお金を注ぎ込んで滅んでいくような話になってしまう。

フリードリヒ二世の子どもや孫がシャルルに敗れて殺されてしまった後、有力なドイツ王が現われない大空位時代という状況が生まれます。ドイツの各地でそれぞれに支配地を持っていた有力諸侯たちは考えます。

いままで、東から侵入してくる蛮族対策を念頭にしっかりしたドイツ王を選んできた。ザクセン、ザーリアー、シュタウフェン、みんなそうだった。しかしドイツ王に選んだら、イタリアに行って贅沢ばかりする。ドイツに届く指令は、金送れ、兵隊送ればかりだ。強い王様を選んでも、ろくなことがなかったじゃないか。

というわけで、いっそ弱い王様を選ぼうという話になりました。そうすればイタリアに行く根性もないだろうから、ドイツはドイツで平和に暮らせるのではないかということで、スイスの領主の一人だったハプスブルク家のルドルフ一世をドイツ王に選びます。これがハプスブルク家の幸運の始まりになりました。

さて、その後のドイツですが、ハプスブルク家のルドルフもドイツ王になると欲が出て、オーストリアを攻め取ったりいろいろなことをする。どうも諸侯の思惑どおりにはいきません。そこでまた、いくつかの家系から王様が生まれては、また替わっていきます。ルドルフがドイツ王になったのが1273年ですが、それから73年過ぎた1346年にルクセンブルク家のカール四世が、プラハを首都にしてドイツ王に選ばれます。このルクセンブルク家は、現在のルクセンブルク大公国の先祖に当たります。

カール四世はドイツ王（ローマ王、ローマ皇帝）を選ぶ基準をつくりました。四人の世俗諸侯、プファルツ伯（ライン宮中伯）、ザクセン公、ブランデンブルク辺境伯、ボヘミア王と、三人の聖職諸侯、マインツ大司教、トリーア大司教、ケルン大司教、以上の七名にドイツ王を選ぶ権利を与えるという勅書を出したのです。そして自家にとってのライバルであったハプスブルク家とミュンヘンのヴィッテルスバッハ家を外しました。ルクセンブルク家が仕切りやすくしたわけです。

この七人をいわば法律で定めたことは、七人の領土を固定させたことになります。おまえたちの投票でドイツ王（ローマ皇帝）を選ぶのである、と皇帝が認めたわけですから、この七つの勢力の支配は固まりました。これが、ドイツの分割を決定づけたと思います。

ドイツの勢力が分割されて、支配権がバラバラになったということは、その頃から力をつけてきたハンザ同盟、北海の商人たちにとっても好都合でした。商売は、国が分かれていたほうがやりやすい。強い王様が一人誕生したら、その商売の上がりをみんな俺によこせといい出すに決まっているからです。

日本でも戦国時代に、たとえば堺《さかい》は自由都市でした。なぜ自由都市でいられたかといえば、戦国大名が互いに争っていたので、堺のような交易の拠点が誰にとっても必要であったからです。ところが信長、秀吉《ひでよし》、家康《いえやす》の時代になると、俺が独占するということになって、自由都市堺は消えていきました。

ドイツは、この後も、ルター側の新教とローマ教会側の旧教間で戦争になったりして、ますますバラバラになっていきます。この後は皆さんが知っているとおりです。ドイツの統一は19世紀のビスマルクまで待たねばなりません。

## フランスと英国の成り立ちは一緒に考えると、わかりやすい

次にフランスという国が生まれてきた過程を見てみましょう。

ドイツはオットー大帝という英傑《えいけつ》が出て、国をまとめきった。そしてローマまで出かけていく力を持っていました。そのあとの王朝にも、シュタウフェン朝のフリードリヒ一世や二世という英傑が出た。ところが、フランスのカペー家には、特に初期の頃には英雄が生まれなかった。初代のユーグ・カペーがフランス王になった頃、カペー家の固有の領土はパリ周辺のごく小さいものでした。

ところが幸か不幸か、ドイツの王家とは違ってこのカペー家には、約350年間嫡男がずっと生まれ続けます。これは「カペー家の奇跡」と呼ばれています。家や土地を相続す

るとき、定まった相続人がいないと、財産はバラバラになってしまいます。東京でも大きいお屋敷が壊されてマンションになることがよくありますね。要するに、継続は力なりで、フランス王は少しずつ力をつけていきます。

しかもローマに行って皇帝になるという伝統もなかったので内政に専念できました。ドイツとフランスの差は、男子が生まれたか生まれなかったかによるのではないか、と思うぐらいです。

カペー朝が成立する以前の話に戻りますが、ヴァイキングは、まず最初にイングランドを占拠し、その次にフランスに攻めてきました。パリまでセーヌ川を上ってくる。たび重なる侵攻に、カロリング家のフランス王は、毒をもって毒を制しようと考え、現在のノルマンディーの地をヴァイキングに渡します。それで、ノルマンディー（北の人間の土地）と呼ばれるようになったのです。

地図で見ると、ノルマンディー半島が、イギリス海峡に突き出ているでしょう。そのすぐ手前がセーヌ川の河口になっています。ヴァイキングは北からやって来て、ノルマンディーから上陸する。だったら、いっそのこと、この地をヴァイキングに与えてしまえばヴァイキング同士で喧嘩をして、フランスは安全になるのではないか、フランス王は、そう考えました。

そこでその地に、ノルマンディー公国ができます。911年のことでした。第二次世界大戦で連合軍が、フランスに上陸したのもノルマンディーでしたね。フランスを海から攻めようと思ったら、ここが最適の地の一つなのです。

一方イングランドでは、クヌート帝国のあとに混乱があり、ハロルドという王族の船が難破してノルマンディー公国に漂着してきました。ノルマンディー公ギョームはハロルドを歓待します。ハロルドは臣従の礼をとり、クヌートの妻エンマの大甥にあたるギョームのイングランド王位の継承を認めます。

ところが帰国したハロルドは、先王が死ぬと自分が王様になってしまう。

約束を反古《ほご》にされたギョームは怒る。そこで1066年にイングランドに攻め入り、ハロルドを敗死させてイングランドを自分の領土にしてしまいます。この戦いをノルマン・コンクエストと呼んでいます。

ローマ軍が撤退した後、イングランドと呼ばれる大ブリテン島の南部地域には、アングロ・サクソン人が小さな王国をいくつもつくっていました。彼らの王国を制圧したのが、前述したデンマーク人のヴァイキング、クヌート王でしたが、以上のような理由で、ウィリアム（ギョームの英語読み）が初代の英国王となってノルマン朝を開きます。しかし、アングロ・サクソン人の言葉は古英語の根幹に残りました。たとえば、イングランドとは、「アングル（アングロと同義）人の土地」を意味する言葉です。

ところで、イングランド王になったウィリアム征服王は、フランスでは公爵ですからフランス王の臣下です。しかしイングランド王は、フランス王の臣下ではありません。別の国同士ですから、対等です。ノルマンディー公は、フランス王の臣下でありながら、フランス王と対等のイングランド王でもあるという不思議な身分を持つことになりました。

ノルマン朝では、その後に若干の紆余曲折《うよきょくせつ》があり、最後の跡取りは王女マチルダになります。マチルダは、ノルマンディーの南にあるアンジュー地方を治めていたプランタジネット家に嫁ぎます（再婚）。子どもが生まれてヘンリー二世となりました。

こうしてヘンリー二世はイングランド、ノルマンディー、アンジューとフランス王よりもはるかに広い領地を支配することになります。でも、臣下なのですね。フランス王も内心おだやかではなかったでしょう。

ところで、アンジューの南には、アキテーヌ公国がありました。ボルドー地方からピレ

## フランスとイングランドの相関図
（12世紀〜13世紀初頭）

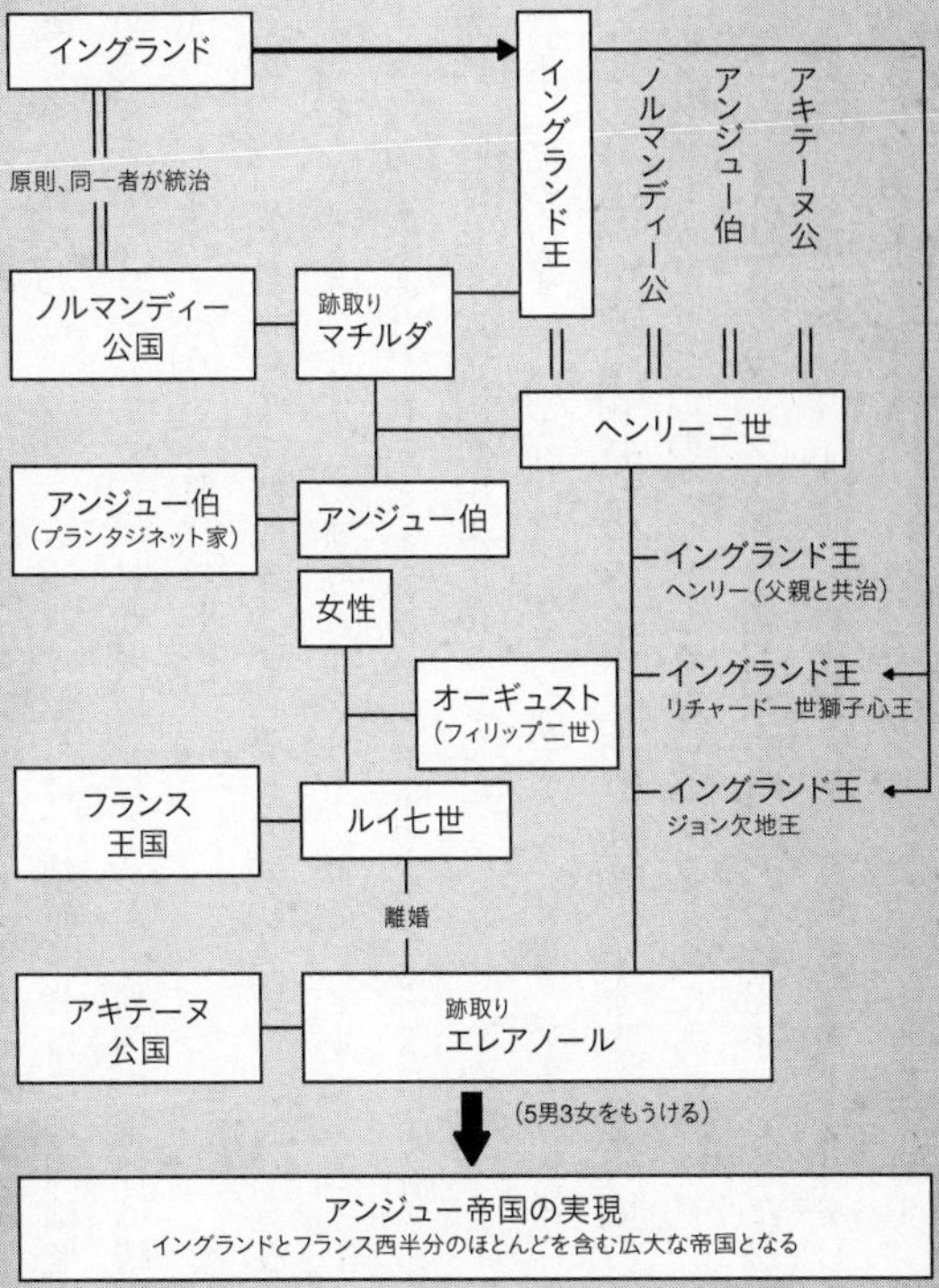

ネー山脈まで広がる、古くからある大きな国です。この国の跡取りもエレアノール（アリエノール）という女性でした。フランス王ルイ七世は、結婚すればこの国は俺のものになるからと彼女と結婚します。だいたい女性が跡取りになると、他国の王様は結婚してその領土をもらおうとします。そういう時代でした。

しかし、この二人は相性が悪くて離婚します。そしてエレアノールは、あろうことかヘンリー二世と再婚してしまいます。つまり、ヘンリー二世は、ノルマンディー、アンジュー、アキテーヌの領主であり、しかもイングランド王でもあることになります。ここに、アンジュー帝国と呼ばれる大帝国が出来上がりました。

イングランドに話を戻すと、王朝はノルマン朝からプランタジネット朝に替わりました。しかし、どちらも元となる国は、フランスにあります。ですからこの頃のイングランド王は、フランス語しか話せないのです。お墓も全部フランスにあります。

ところでエレアノールとフランス王が離婚したのは、じつは男子ができなかったということも一因でした。しかしヘンリー二世と再婚したら、五男三女が生まれました。次男のヘンリーは若くして亡くなりますが、三男が有名なリチャード一世獅子心《ししし ん》王、五男がジョン欠地《けっち》王でした。女子はすべて成人してそれぞれ王族に嫁ぎ、エレアノールの血筋はヨーロッパ中に拡がっていきます。「ヨーロッパの母」と呼ばれる所以です。

一方でフランス王ルイ七世は、ほかの女性と再婚し、後にアウグストゥスに倣《なら》ってオーギュストと呼ばれるようになる知恵深い男子（フィリップ二世）が生まれます。

さて、ヘンリー二世と再婚したエレアノールは、二人の王様と結婚したほどの女性です。才覚もあったでしょうし、血の気も多かったようです。アンジュー帝国の中で一番豊かなアキテーヌを自分で仕切ることを考えました。そして夫のヘンリー二世と喧嘩を始めます。このあたりの物語は、キャサリン・ヘプバーンが演じた『冬のライオン』という映画にもなっています。

彼女は、自分の子どもたちを、順番に父親に反抗させます。男の子がみんな母親につくので、ヘンリー二世は素晴らしい女性と結婚して5人も男子をつくったのに、結局自分の子どもたちとの争いの中で一生を終えてしまいます（前々ページに表示した簡略な表は、ヘンリー二世とエレアノールの時代の主要な登場人物を図示したものです）。

さて、エジプトにアイユーブ朝をつくったサラーフッディーン（サラディン）が、聖地エルサレムを占領したことから、1189年に第三回十字軍が組織されます。イングランド王となったリチャード一世も、オーギュスト（フィリップ二世）も、この戦いに参加しました。

リチャード一世は、エレアノールの騎士道精神を受け継いで聖戦に積極的でしたが、オーギュストはクールで賢い、才覚のある男でした。ですから、パレスティナの現状を一目見ると、負けるのは決まっていると考えて、さっさと帰国してしまいます。

帰国したオーギュストは、フランス国内の広大なイングランド領を、蚕食《さんしょく》するための策略を実行に移しはじめます。

さてリチャードは、騎士道精神の具現者のような人でしたから、張り切ってイスラーム軍と戦いますが、あちらこちらで味方とも衝突する。あげくの果てに、帰途、ドイツ王（あのハインリヒ六世です）に捕まってしまいました。そこで、エレアノールが政治工作をして、身代金を払って、息子を返してもらう。

その間にオーギュストは、ジョンを言葉巧みにそそのかしたりして、ノルマンディー、アンジュー、アキテーヌなどの領地を少しずつ、切り取っていきます。

帰国したリチャードは、オーギュストの陰謀に腹を立て、今度は彼と戦争を始めましたが、流れ矢に当たって死んでしまいます。そしてジョンが、イングランド王になります。

ジョンは出来が悪くて、素行も悪い。臣下の婚約者を横取りしたりしますから、臣下も素直にいうことを聞きません。そもそも彼が欠地王と呼ばれたのも、その愚かしさを父のヘンリー二世が見て、彼に継がせるべき土地を残さなかったからでした。

そんな王様ですから、父母から受け継いだフランスの広大な領土を、アキテーヌの一部を残して、ほとんど全部失ってしまいます。

このようなイングランドとフランスの関係を見ていくと、この二つの国は一体として見るほうが、歴史がはるかによくわかる気がします。

これは冗談のような話ですが……牛を意味する言葉の中でビーフはフランス語起源であり、オックスとかカウはアングロ・サクソン起源です。これはノルマン人が支配階級になったので、彼らにとって牛は食べるものだからビーフ、彼らの支配下に置かれたアングロ・サクソン人にとっては、牛は飼って世話をするものだから、オックスとかカウという言葉が残った、といわれています。

## ▶英国に議会の伝統が生まれた理由

ジョン欠地王の時代に、イングランドはフランスの領土をほとんど失うわけですが、その間もジョンはずっとフランスで戦争をしています。イングランドの貴族たちは、ほとんどがノルマン・コンクエストでやって来たフランス人です。

ヴァイキングの子孫ですが、その貴族たちも、ノルマン・コンクエストが1066年で、ジョンがイングランド王になるのが1199年なので、すでにイングランドに定住してから、130年の歳月が流れています。当時は20、30年で一世代ですから、もうみなイングランドになじんでいます。もちろん、フランスにも領土があったわけですが、フランスの領土はジョンの時代にほとんど失われました。ジョンが軍備のためにさらに税金を取り立てるのを見ていて、貴族たちは考えます。

「こんな王様では先が心配だ。王権を縛らなあかんぞ」

というわけで、有名なマグナ・カルタ（大憲章）ができます。1215年のことでした。

これは貴族たちが、ジョンに法文を突きつけ、これにサインをしなかったらおまえを殺すぞと武力で脅し、サインをさせて成立したものです。これが英国最初の憲法になります。マグナ・カルタは臣下が初めて国王の権限を制約した法典なので、英国議会の始まりともいわれていますが、もともとノルマン人の社会には議会の伝統がありました。

人類最古の議会（あるいは法廷）は、10世紀のアイスランドのアルシングだといわれています。アイスランドもノルマン人、ヴァイキングの国ですから、海に出れば全員一蓮托生《いちれんたくしょう》です。ですからみんなで話し合って優れたリーダーを選ぶ。不出来なリーダーだったら、船が沈んでみんなが死んでしまうので、知恵を絞っていいリーダーを選ぶ。そういう伝統がずっとノルマン人の社会にはあったと思います。そういうヴァイキングの生きる知恵が、マグナ・カルタにつながったのではないでしょうか。なお、スペイン（レオン王国）ではマグナ・カルタに先立って1188年にコルテスと呼ばれる議会が成立しています。

ところでジョンは、マグナ・カルタは無理やり脅かされてサインしたもので、無効だといってローマ教皇に泣きを入れたりして、貴族たちと争っているうちに、死んでしまいます。その子どものヘンリー三世も、やはり臣下と争いを繰り返します。しかし、1265年に、シモン・ド・モンフォールという有力な貴族がヘンリー三世をとっちめ、武力にものをいわせて議会を開かせました。大憲章成立から、50年後のことでした。

ヘンリー三世の子どものエドワード一世は西部にあるウェールズや北部にあるスコットランド、さらにはフランスと、戦争を始めます。議会は増税の了承を求められます。そこで、「俺たちが合意できる範囲で税金を取ってくれ」というかたちで、王の徴税権にたがをはめます。これは「エドワード一世の模範議会」と呼ばれていますが、これ以降貴族と国王が話し合って増税金額を決めるようになります。1295年のことでした。日本の予算審議のようなものです。

「こんな戦争をしたい。これだけ金がいる。何とかこれぐらいの税金を認めてほしい」

「まあ、仕方がない。認めましょう」

というルールが出来上がってきました。これが、英国の議会の発達史です。

## ▶百年戦争が英国とフランスをはっきり別の国にした

さて、イングランドでエドワード一世の模範議会が開かれていた頃、フランスの王位についていたのはフィリップ四世という賢い王様です。ハンサムだったので、ニックネームがル・ベル、端麗《たんれい》王と歴史辞典には書かれています。この王様はすでに前章に登場しています。教会課税をめぐってローマ教会と争い、アヴィニョンにローマ教皇を連れてきた王様です。

フィリップ四世の金策は、これだけに止《とど》まらず、当時たいへんな勢力を誇っていたテンプル騎士団にも目をつけます。テンプル騎士団は、第一次十字軍以来エルサレムで聖地巡礼の保護と聖墳墓の防衛にあたっており、各国の有力諸侯などから多額の寄進を受けていました。フィリップ四世は、この赤十字のついた白衣を着る騎士団に目をつけ、諸々の罪を負わせて捕らえ財産を没収してしまいました。一斉逮捕の日が1307年10月13日の金曜日だったので、13日の金曜日は縁起が悪いという伝承が生まれました。

フィリップ四世には、成人した3人の男子がいました。この3人は次々とフランス王になりますが、全員男子を残さずに死んでしまいます。こうして約350年続いたカペー家の奇跡が終わりました。そしてフィリップ四世の弟ヴァロア伯シャルルの子どもが、フィリップ六世としてフランスの王位を継ぎます。ヴァロア朝が始まりました。1328年のことでした。

ところでフィリップ四世の娘のイザベルは、イングランド王エドワード二世に嫁ぎ、エドワード三世という子どもを産んでいました。

以上の関係を図示すると、225ページの図になりますが、シャルル四世のあとを継いでフランス王になったフィリップ六世は、フィリップ四世の弟の子どもです。一方でイングランド王とイザベルとの間に生まれたエドワード三世は直系の孫です。そうすると、どうなるか。

「弟の子どもよりも、自分のほうがフランス王の血筋に近いじゃないか」

これがエドワード三世の主張です。そして百年戦争が始まります。

これから紆余曲折はあるのですが、イングランドとフランスの勢力関係は、どのように変化してきたのか、大筋を辿《たど》ってみましょう。ヘンリー二世のアンジュー帝国の時代は、国力で比較すればおそらくアンジュー帝国100に対して、フランスはその20〜30%もなかったような気がします。それがオーギュストのときには、イングランド王のフランス領土はほとんど取られてしまいました。そうすると、百年戦争を始めた頃は、2〜3対1くらいでフランスのほうが国力が勝っていたように思われます。

けれども、戦争は、最初は仕掛けたほうが有利です。太平洋戦争のときも、そうでした。しかし最後は、やはり国力の差は動かしがたいものがあって、結局、百年戦争はしたけれど、英仏の勢力図は戦争前に戻ってしまいました。

しかし、この戦争によって、イングランドとフランスは完全に別の国になります。

百年戦争の後半に登場してくるイングランド王ヘンリー五世はフランス語が話せませんでした。それまでのイングランド王はフランス語が話せて当然でしたが、この頃になるとだんだん両国は疎遠になっていきます。シェークスピアの物語にも、ヘンリー五世が登場

## 百年戦争の原因相関図

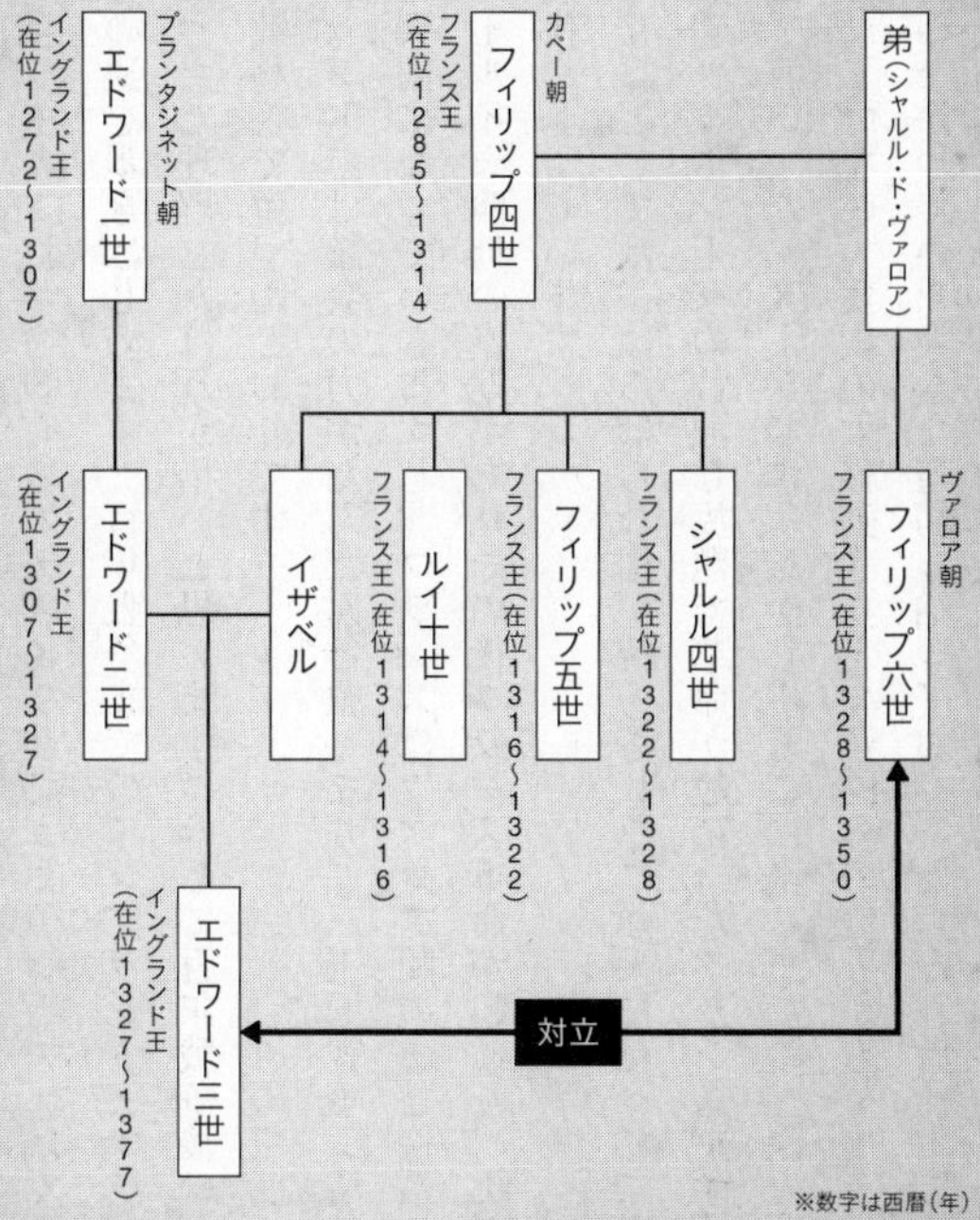


1328年フランスでカペー朝が絶え、ヴァロア朝のフィリップ六世が跡を継いだことに対して、イングランド王エドワード三世が王位継承を主張。戦いが始まった

していてフランス王女に片言のフランス語でプロポーズしています。

百年戦争の終結によって、イングランドの王家はようやくフランス領土の呪縛から離れて、自分の道を歩きはじめます。百年戦争までのイングランドとフランスは、ほとんど一体の国だったと理解したほうが早いと思います。そして百年戦争後の両国の歴史は、ほぼ皆さんが教科書で習ったとおりです。

イングランドでは議会の力がだんだんと強くなり、三王国戦争（清教徒革命）や名誉革命を経て大国になっていきますし、フランスはヴァロア朝のあと傍系のブルボン朝が継いで、太陽王ルイ十四世の盛期がありその後フランス革命が起こり、ナポレオンの時代があって、現代に至っています。

日本の常識としては、ばらばらな国が統一され急に強大になって二度の世界大戦を戦ったドイツ、ブルボン王家の贅沢し放題で革命が起こったフランス、ずっと議会中心の国だった英国、といったイメージです。しかし、そこに至るまでの三国の歴史については、あまり知られていない。蛮族の大移動、ローマ帝国への侵入から、フランク王国を経て、この三国につながっていく大きな道筋を知っておくこと。それは仕事でこの三国と交渉を持つとき、より深く相手の国を知るためにきっと役立つと思います。

## ■ヴァイキングの人たちはもとは商人であった

ヴァイキングと呼ばれる北欧の人たちは大柄です。一般に北に住む動物は白熊もそうですが、日照時間が短く温度が低いので色が白くなり、体が大きくなります。北の動物が大きいのは、熱を逃がさないために、体重当たりの体表面積が小さくなっているからです。ですから、ノルマン人がそうであるように、金髪で肌は白く、背が高い人が多い。

ヴァイキングの活動は9世紀、10世紀頃から盛んになりますが、それは地球が暖かくなったからです。暖かくなると、当時は農業中心ですから、一時的に食物がたくさんできて、人口が増えます。けれども人口が増えると、北国の穀物生産量では養うことができません。そこでヴァイキングは、穀物を求めて、たとえば魚と麦を交換するために南下します。

ところが、イングランドとかフランスの人々にとっては、北から変な奴がやって来た、というわけで、きちんと物々交換しない連中も出てくる。体の大きい貧しい人々が、魚1箱と小麦1箱を換えてくれといっても、魚の価値は低いから交換する小麦は一〇分の一で十分だといわれたりして、ヴァイキングは相場を知らない田舎の人ですから、ごまかされてしまいました。もっとひどい連中は、箱の表面だけ麦であとは砂利を詰めたりした。こうしていろいろと痛い目に遭って、騙《だま》されたときには力を持っていなければ泣きを見ることになる、フェアなトレードはできないことを彼らは十二分に学びました。それで、ヴァイキングは武器を持つようになるのです。これは世界共通ですが、海で交易を行なう人々は、フェアなトレードが成り立つときは商人であり、アンフェアなことをされたら海賊になるのです。そのうちに、中にはいつも海賊をやったほうが得だ、儲かるという人も生まれてくるわけですが、「ヴァイキングすなわち海賊」ときめつけるのは、かわいそうな話だと思います。

ところで、フランス王からノルマンディーという領土をもらったヴァイキングの話ですが、彼らは気候の良い土地をもらったので、たくさん子どもをつくります。そうしているうちに、あっという間に土地が手狭になりました。イングランドを征服したので、それで一息ついたのですが、それでも足りないので南イタリアに行き、ノルマン・シチリア王国をつくりあげました。子だくさんの次男、三男は、おまえらに食わせる土地はないから、どこかに行って荒稼ぎしてこいといわれるわけです。すると、昔は威張っていた東ローマ帝国が弱ってきたので、ローマ帝国領の南イタリアに権力の空白地帯があるぞ、というわ

## ヴァイキングの侵入経路（11世紀）

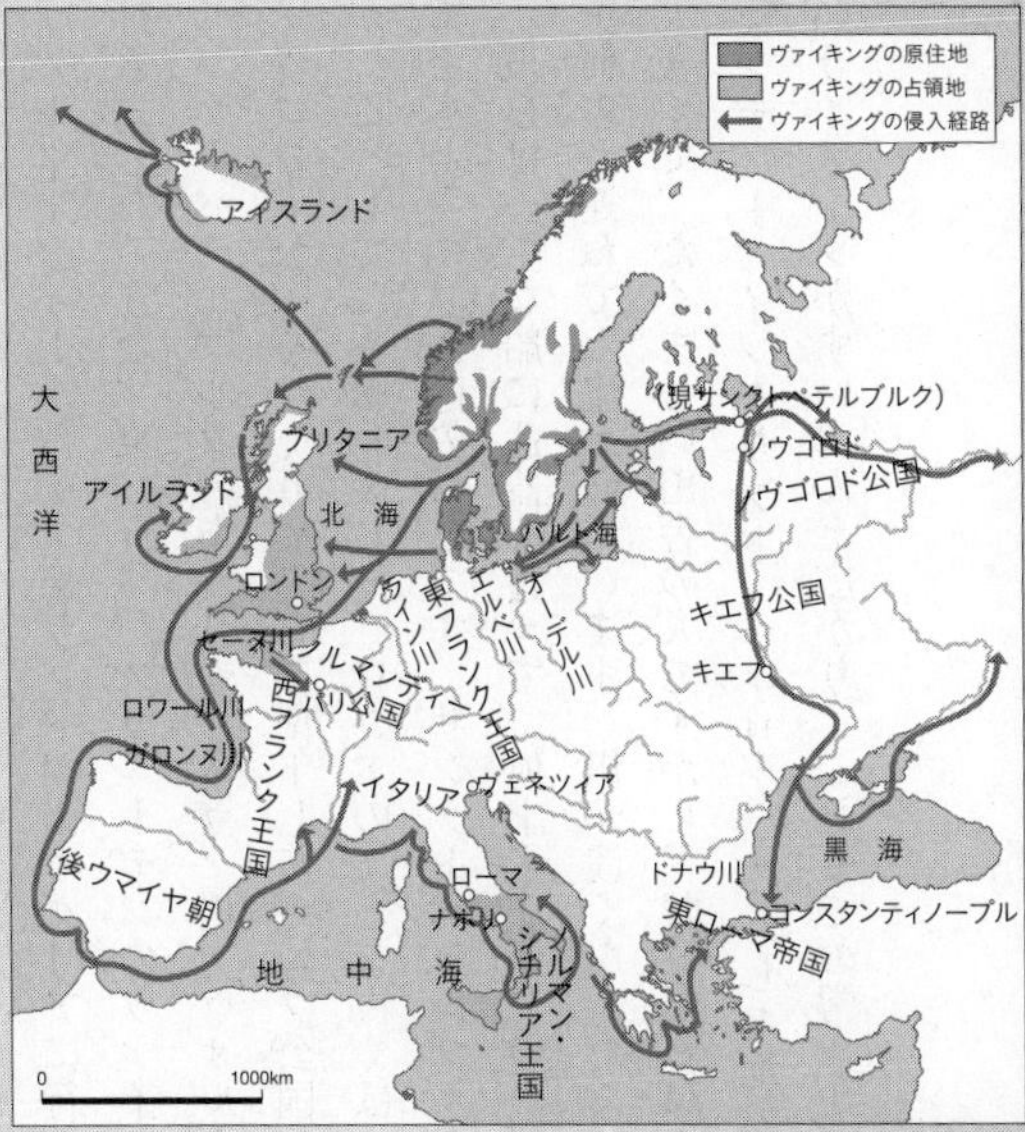

けで南イタリアに行ったのです。

ノルマン人は、ノルマンディーからイングランドや南イタリアに行きましたが、直接アイスランドにも行きました。また、東へ行ったスウェーデンのヴァイキング（ヴァリャーグ）もいます。サンクトペテルブルクのあたりからネヴァ川、ヴォルホフ川を遡《さかのぼ》りノヴゴロドに至り、ノヴゴロド公国をつくり、さらに南下してキエフ公国をつくりました。現在のロシアの元が、こうしてつくられました。ロシアのことを古くはルーシと呼んでいましたが、これはもともとキエフ公国のことです。サンクトペテルブルクのあたりには大きな湖もあります。彼らは小さな船に武器を持って、何十人かが一つの部隊になって乗り込み、そういう船を何艘《そう》か連ねて上流へ向かいます。川が浅くなったら、船をみんなで担ぎました。彼らは大きくて、たくましい田舎の人ですから、賊に襲われても平気でした。

ロシア、ノルマンディー、イングランド、シチリア、こうした地名を見つめていると、ヴァイキングというイメージがずいぶんと広がり、これまでの常識がだいぶ変わるように思います。

〈第6章の関連年表〉

# ドイツ、フランス、イングランドの歴史
（5世紀〜14世紀）

| 西暦(年) | |
|---|---|
| 481 | フランク王国建国(メロヴィング朝) |
| 751 | ピピン三世、カロリング朝を建てる |
| 756 | ピピンの寄進 |
| 800 | シャルルマーニュ、ローマ皇帝として戴冠される |
| | 9世紀、10世紀頃からヴァイキングの活動が盛んになる |
| 911 | ノルマンディー公国成立 |
| 936 | 〔ドイツ〕東フランク王国で、オットー一世、国王に即位(ザクセン朝) |
| 962 | 〔ドイツ〕オットー大帝(一世)、ローマ皇帝戴冠 |
| 987 | 〔フランス〕西フランク王国でユーグ・カペー、国王に即位 |
| 1016 | 〔イングランド〕クヌート大王、イングランドを占領 |
| 1024 | 〔ドイツ〕ザーリアー朝成立 |
| 1066 | 〔イングランド〕ノルマン・コンクエスト。ノルマン朝成立。ウィリアム一世(征服王)即位 |
| 1138 | 〔ドイツ〕シュタウフェン朝成立 |
| 1152 | 〔ドイツ〕フリードリヒ一世、国王に即位 |
| 1154 | 〔イングランド〕プランタジネット朝成立 |
| | ヘンリー二世即位。アンジュー帝国成立 |
| 1180 | 〔フランス〕フィリップ二世(オーギュスト)即位 |
| 1189 | 第三回十字軍(〜1192)〔イングランド〕リチャード一世即位 |
| 1191 | 〔ドイツ〕ハインリヒ六世、国王に即位 |
| 1199 | 〔イングランド〕ジョン欠地王即位 |
| 1212 | 〔ドイツ〕フリードリヒ二世、国王に即位 |
| 1215 | 〔イングランド〕マグナ・カルタ成立 |
| 1228 | 第五回十字軍(〜1229) |
| 1250 | 〔ドイツ〕フリードリヒ二世死去 |
| 1256 | 〔ドイツ〕大空位時代(〜1273) |
| 1265 | 〔イングランド〕シモン・ド・モンフォールの議会 |
| 1273 | 〔ドイツ〕ハプスブルク家のルドルフ一世、国王に即位 |
| 1295 | 〔イングランド〕エドワード一世の模範議会 |
| 1328 | 〔フランス〕フィリップ六世、国王に即位。ヴァロア朝成立 |
| 1337 | 〔イングランド・フランス〕百年戦争始まる(〜1453) |
| 1346 | 〔ドイツ〕ルクセンブルク朝のカール四世、国王に即位 |

## COLUMN 刑事コロンブス？

ベースボールを野球、ピッチャーを投手、キャッチャーを捕手などと、野球用語を翻訳したのは正岡子《まさおかし》規《き》です。日本では明治の頃、西洋の事物を漢字で表現しようとしました。

イタリアは伊太利、フランスは仏蘭西、ドイツは独逸と表記されました。これは表記上の問題なので、イタリアとフランスは外国語として通用します。ただ、ドイツは、「ドイツの」を意味するオランダ語ダイツ Duits が訛《なま》ったものです。ドイチェランド（Deutschland）が正式です。

イギリス（英吉利）はイングランドの訛ったもので、海外ではまったく通用しません。この国の正式名称はユナイテッド・キングダム・オブ・グレートブリテン・アンド・ノーザン・アイルランドなので、ユナイテッドキングダム（その日本語訳は連合王国）といえば、海外でも通用します。また連合王国を形成する国の中で、もっとも主要な国であるイングランドでも通用します。ただ日本では、英国あるいはイギリスという呼称になじみすぎてしまっていて、なかなかイングランドとか連合王国と表記しにくい。そのため、本書でも連合王国の意味で英国という呼称を多用しています。

また日本人が気を付ける必要がある国名は、オランダです。とくに江戸時代、鎖国政策の中で唯一交易を認められていた国なので、日本人は親しみを持っていますが、この国の正式な名称は The Netherlands

です。ネーデルランドといわないと、ほとんど通じません。そこで本書では、ネーデルランドを使っています。

人の名前では、Charlesがフランスではシャルルになり、英国ではチャールズになることはご承知のとおりです。ある日本のワインの仲買人が、北イタリアの小都市を、10月12日に訪れました。すると、その町に住む歴史にくわしい老人がニコニコしながらいいました。

「コロンボが西へ航海して新大陸に到達した日に、遠い東の国から嬉しいお客様がおいでになった」

彼は一瞬、何をいわれているのかわかりませんでした。そのうち気が付きました。彼の訪れた町ピアチェンツァから、少し南下して海岸に出れば、そこはジェノヴァです。西インド諸島を発見したコロンは、ジェノヴァの生まれでした。そして彼の新大陸発見は、1492年の10月12日でした。

日本ではコロンブスと呼ばれているこの航海者は、イタリア名ではColombo、スペイン名ではColónです。したがって、本書はコロンで通しました。コロンブスと呼ばれることは、ほとんどありません。アメリカの人気テレビドラマ「刑事コロンボ」も、日本式にいうならば、「刑事コロンブス」になります。

コロンブスもオランダもイギリスも、あるいはマホメット（ムハンマドでないと通じない）も、日本国内での話なら問題はありません。ただ、世界に出かけるときには、このような呼び方や名称について、行く先々の国での正しい呼称を確認しておくと良いと思います。できるなら現地で通用するグローバルな呼称をメディアも意識して使うべきではないでしょうか。

もう一つ。本書では、漢の表記を前漢、後漢ではなく、西漢、東漢としています。これは、中国がそう呼んでいるというだけではなく、西周、東周とあるように、周との統一という意味でも（同じことは、北宋、南宋にもいえますが）、漢だけ、時期基準の前後を使うのはおかしいと考えるからです。要は、地域基準で統一して考えるということです。

# 第7章

# 交易の重要性

## 地中海、ロンドン、
## ハンザ同盟、天才クビライ

## ■生態系と交易との関係

交易の話に入る前に、生態系という言葉の定義をきちんとしておくことが大切であると思います。

生態系は、一言でいえば、生物群集とそれを取り巻く物理的・化学的環境が作り出す機能的なまとまりを指します。もっと簡単に述べれば、地理的にまとまっている一つの地域と考えてもよいかと思います。気候もある程度一定で、人が住み距離的にも移動しやすい地域のことです。たとえば九州と朝鮮半島は交易はできるけれども、かなり離れている。黄河《こうが》流域と長江《ちょうこう》の流域も交易はできるけれども、かなり離れている。これらの場合は、九州と朝鮮半島、黄河流域と長江流域、それぞれが一つの生態系と呼んでいいと思います。

ただ、生態系も、交通が便利になってくると、その領域が広くなっていきます。ナイル川の下流域と上流域とでは当初は条件がかなり違ったので、もともとエジプトには二つの王国があったといわれています。つまり二つの生態系があった、ということです。でも、やがて一つの王国になりました。

また、生態系は横（東西）には広がりやすく、縦（南北）には広がりにくい性質を持っています。

まず縦移動を考えてみると、気候の変化が大きい。たとえば、南北アメリカは北極に近いアラスカから南極に近いフェゴ島まで続き、中央アメリカのパナマ海峡でつながっていますが、あのあたりは熱帯地域で、しかも狭い。また熱帯には多くの病原菌が群棲しています。そのために、北のアメリカと南のアメリカでは人の移動が少なく、交易が難しかった。人間は刺激がないと知恵は生まれません。南北アメリカでは、ユーラシアに比べてなぜ文明の始まりが遅れたのか、その大きな要因は人の移動が困難だった、生態系が閉じられていたという点に求められると思います。

一方でユーラシアは、どこまでも横に移動できるので、中国とインドとメソポタミアとエジプトは連携（交易）することができました。お互いに刺激を受けつつ文明が早く始まった。横移動は、縦移動に比べ、ほぼ同じ気候条件で移動できるという点で圧倒的に有利なのです。

よく一部の人々が、豊かな生態系を残しましょうなどといいますが、生態系というものは、じつはすごく貧しいのです。生態系は、その地域で、そこにある資源を食べ尽くすわけです。この生態系には鹿は何百頭ぐらいまでしか生きられませんという食物連鎖の世界です。要するに生態系は、その地域にある資源をぜんぶ使い尽くして、そこで調和しているわけですから、それ以上の発展はあり得ないのです。

自分が住んでいる生態系の中に、必要なものがなかったら、それを外部から持ってこなければ仕方がない。だから、ないものを知恵を絞って手に入れることによって、自分の住む生態系を豊かにすることが、交易の本質であると思います。生きるために、他の生態系と交わる、場合によっては新しい生態系に入っていく。これが交易、平たくいえば商売の秘訣《ひけつ》なのです。

「生態系を守ろう」

そう発言をする人がいます。

しかし、それはちょっとおかしいなと、思うことがあります。人間の歴史を見ると、外の世界との交易によっていろいろなものを持ち込んで豊かな歴史をつくってきたのです。たとえば、新大陸のジャガイモやトウモロコシなどがユーラシアの飢餓を救ったのです。現代になって豊かになってしまった後で、生態系を壊すのはおかしいといっているのは、どこかが変だ、そう考える視点があっていいと思います。

「人間の勝手な趣味で、変な動物や植物を外国から持ってくるのは良いことではないが、無条件に、一つでも持って来てはいけないというのはどうか」

「長い歴史的経緯の中で、お互いの生態系にいろいろなものを持ち込んで、人間は豊かになってきた。すでに生態系は、かなりの程度まで混ざり合っている。いまさらこの段階で、一つでも違うものを入れたらいけないと考えるのは何か変だ」

学者の中にも、そう発言をする人がいます。こういう視点を持つこともまた、歴史を知るうえで大切だと考えます。

もともと純粋な生態系などあり得ません。犬も猫も豚も牛も馬も、もともと世界中にいた動物ではありません。放っておいても動物は移動しますし、植物の花粉は飛散します。が、人間が介在すれば人間とともに動くので移動距離は格段に大きくなります。

貧しい生活を交易という平和的手段を使って、生態系を崩しながら豊かにしてきたのが人間の生き様でした。

歴史を勉強するうえでは、1185（イイハコ）年に鎌倉《かまくら》幕府が成立したのか、いやもっと早かったのか、などという年号のことは、じつはどうでもいい。人間のやってきたことを大きな目で眺めて、将来を考えるよすがや、その視点を得ることが歴史を学ぶ意義であると思います。生態系を崩して豊かになってきた人間の生き様を、交易の変遷をとおして、見ていきたいというのが、本章の目的です。また、交易とは、要するに商売やビジネスのことでもあります。交易の歴史を学ぶことはビジネスパーソンにとって、大きいヒントになると思います。

## ■交易の道は、東から西へ

商売は、昔から陸路よりも水路のほうが簡単です。

昔は、陸には道がない、山や谷や森もある。歩いていくのも大変ですが、品物を持っていたら、山賊の絶好のターゲットになります。陸路は山賊にとって、身を隠して獲物を待つ場所がたくさんあります。岩陰、森陰、木の上からも見張れます。

一方、海賊はなかなかたいへんです。身を隠して獲物を待つ場所が限られます。大洋の上なら船を襲えますが、陸地沿いに船で来られると、海賊が襲おうとしても、すぐに陸地に逃げ込まれたりします。

というわけで人類の交易は、水路（海路、河川路）を中心に行なわれてきたのです。ま

ユーラシアをとりまく東西交易の三つの道

た水路は、安全性に加えて、量をたくさん運ぶことができます。陸路で馬やラクダで運べる物量はたかが知れています。圧倒的に船の積載量が勝ります。また、水につけても腐らないものは、船には載せなくても浮力がありますから、水に浮かべて引いていく方法もあります。

次にユーラシア規模で交易を考えたときに、東が豊かで西が貧しいという図式がありました。平たくいえば、中国は豊かでヨーロッパは貧しい。これは氷河時代に原因があります。この時代、ユーラシアはほとんど氷に覆われました。東は長江の南まで氷河が進出しましたが、雲南《うんなん》やインドシナ半島など南に出っ張っていた部分は助かりました。ヨーロッパは全土が、すなわち地中海の北側すべてが、氷の下になってしまったので、貴重な動植物がほとんど死に絶えました。

こうして東には辛《かろ》うじて、お茶の木や蚕《かいこ》などの貴重な動植物が生き残って、それが東方においてお茶とか絹といった、圧倒的に競争力のある世界商品を生み出す源泉になります。こうした貴重品は東から西に流れ、西からはその決済のための金銀が東に流れていった。これがユーラシアの大きな交易の図式になります。さらに東にはお茶や絹に加えて陶器（食器や工芸品）や、香辛料、モルッカ諸島のクローブやナツメグをはじめとして、インドの胡椒《こしょう》、さらにはアラビア半島で育産する乳香《にゅうこう》などがあって、それらの貴重品が東から西に流れていったのです。

東から西への道は三つありました。

一番北にあったのが草原の道で、モンゴル高原、ロシア大草原、ハンガリー大平原へと続くステップの道、馬で駆けていく遊牧民の道でした。その次がシルクロード。これは砂漠を横切っていくオアシスの道です。天山北路《てんざんほくろ》、南路《なんろ》などいくつかのルートがありました。そして海の道がありました。

海の道は、昔の交易ルートはだいたい陸地の姿を見ながら海を進みますから、北ベトナムや広東《カントン》（広州）あたりから大陸に沿って南下し、インドの各地を中継して進みますが、ヨーロッパに入る道は二つありました。一つはペルシャ湾ルートです。ホルムズ海峡からペルシャ湾を抜けて、メソポタミア地方からヨーロッパへ流れていく道です。もう一つはアラビア半島を迂回《うかい》して紅海を通り、エジプトから地中海に流れる道でした。

なお、付言すればこの三つの道の中で一番交易量が多かったのは海の道、一番少なかったのはシルクロードであったと考えていいと思います。

## ▶地中海の交易ルートを巡って栄えた都市、衰亡した都市

ローマ帝国は、交易にはたいへん積極的でした。絹も、火葬に用いられる乳香や没薬《もつやく》などの東方の香料も、ローマ人は大好きでした。しかしキリスト教が国教になり土葬が中心になると乳香や没薬の需要は激減し、「幸福なアラビア」(現在のイエメン)の時代は終わったのです。ローマ帝国が盛んな頃は、ヨーロッパもアフリカも全部ローマ領でしたから、地中海はローマの内海、瀬戸内海のようなものでした。

初代皇帝アウグストゥスのときには、商品を満載した船が自由に地中海を行き交い、平和な日々が続いていました。ローマ市民たちは、アウグストゥスの政治を称《たた》えて、彼が死の間近に、カプリ島で療養していたときに、港に停泊している皇帝の船を見つけて、彼を

賛美する歌を歌ったそうです。

「あなたのおかげで、私たちは商売をやって儲《もう》けることができるのです」

内海になったおかげで、海賊がいなくなった。静かで平和な地中海が続きましたが、やがて、それが破られます。それがユーラシア大陸の民族大移動による、ローマの崩壊でした。ローマ帝国は西方を捨てました。海の交易路についても、アレクサンドリアからコンスタンティノープルへのシーレーンは守られましたが、地中海の西半分は捨てられてしまい、交易も途絶えました。

さらに7世紀に入ると、一神教革命と呼ばれていますが、セム的一神教の最後の波であるイスラーム教が興り勢力を急拡大して、シリア、エジプトを分捕りました。さらにモロッコ、スペインに至るまで地中海のアフリカ沿岸は、すべてイスラーム圏になってしまいました。15世紀まで、地中海と大西洋を結ぶジブラルタル海峡は、自由に通行できなくなったのです。こうして西地中海の交易は、一神教革命によっていったん途絶えます。交易ができなくなったことで、西ヨーロッパのGDPはガタ落ちしました。ここから中世が始まるという考え方もあります。

しかし西アジアから地中海にかけて、イスラーム圏とキリスト教のヨーロッパ圏と宗教

# 海上交易の舞台となった 地中海〜バルト海エリア（7世紀〜17世紀）

的な勢力図が分かれても、どちらにも人間が生きていますから商売はしたいと考えるのが普通です。商売をしたらどちらも儲かるから、いつまでも宗教が違うとか何とかこだわってもいられません。国が落ち着いてきたらみんな商売をしたくなります。

そうなれば、地中海交易で一番有利なのはイタリア半島です。地中海に飛び出しているからです。さらに、もしもイタリア半島を統一支配する強い王様がいたら、商人の勝手にはできませんが、ローマ教皇が領土を持っていたので統一国家がイタリアには生まれませんでした。

そこで、イタリア半島に四つの海の共和国が生まれました。最初は9世紀から栄えはじめたアマルフィ、それからピサ、ジェノヴァ、そしてヴェネツィアです。

海の交易という視点から、ヨーロッパに目を転じると、北の地中海ともいえるバルト海と北海も商売がしやすい海域です。ロシアのサンクトペテルブルクから、ユトランド半島、フランドル地方やイングランドまで海でつながっています。ヨーロッパの一番の心臓地域というか高度産業地帯は、フランドル地方（現在のネーデルランドやベルギー）にありました。古くからバルト海沿岸や北海との交易で、繁栄していたのです。前述したフランク王国のメロヴィング王家も、カロリング王家もこの地方の出身でした。

次に、この二つの地中海の間の交易を考えてみましょう。イタリアの海の共和国に集積された東方の貴重品は、地中海の西方はイスラーム圏になっていますから、ジブラルタル海峡を抜けて北に行こうとすれば、イスラームの海賊に品物を掠奪《りゃくだつ》される可能性が高まります。そこで商人たちは、品物をニースの海岸沿いにマルセイユまで運び、そこからローヌ川を上っていくルートを利用しました。

こうして東方からの交易品が、フランスのシャンパーニュ地方に集まります。すると、そこへフランドル地方からも、毛織物や工業製品などが集まってきて、市場が開かれました。

このフランス南東部で12、13世紀に開催された市は、シャンパーニュの大市と呼ばれていました。この地方のいくつかの都市で、それぞれ6週間余りずつ、順次開かれたといわれています。シャンパーニュの大市では、南の人と北の人が出会うので両替をしなければいけない。そこで両替商もやって来ました。その両替商の受付台のことをイタリア語でバンコといい、これがバンク（銀行）の語源となりました。

さて、イスラーム教徒のスペインはだんだん勢いを失っていき、14世紀から15世紀になると、ジブラルタルとモロッコの間、ジブラルタル海峡の制海権を維持できなくなってしまいます。ついに1492年、スペインに最後に残ったイスラーム勢力のグラナダ王国が滅んで、海峡の北側は完全にキリスト教国になって、ジブラルタル海峡は自由に通行できるようになりました。このために、シャンパーニュの大市は最終的に寂《さび》れました。陸路で運ぶ必要がなくなったからです。これは、フィレンツェやヴェネツィアの金貨の材料を一手に供給してきたサハラの隊商ルートが、ポルトガルの船隊がアフリカ西海岸を南下して海の道を切り開いたことにより衰退していったのと同じ構図です。

しかし、これはイタリアの海の共和国にとっても不幸な出来事でした。貿易船がバルト海から東方ルートの終点に当たる地中海東海岸諸都市へ、またはその逆ルートを、一気に通過するようになると、バルト海、大西洋、地中海という半円弧のルートの中では、ヴェネツィアやジェノヴァは東に寄りすぎているのです。ヨーロッパの交易の拠点は、フランドル地方のブルージュやロッテルダムに移り、最終的にはアムステルダムに移りました。フランドルだったらサンクトペテルブルクから来ても半分の距離、コンスタンティノープルからでも半分の距離だからです。長い航海ルートでは、誰でも真ん中で休むほうが楽です。

ところで、イスラーム勢力がスペインでの拠点を失った1492年という年は、ジェノヴァ生まれの航海者コロン（コロンブス）が、スペインのイサベル女王の援助を得て、新大陸に到達した年でもありました。コロンの新大陸到達により、スペインは莫大な富を得ます。スペインの海上交易の拠点は、当時はスペイン領だったフランドルにありました。

こうして、ヨーロッパの海上交易の中心地は、ヴェネツィアから、アムステルダムへと移っていきましたが、東の中国では、昔は北ベトナムだったのですが、唐の中期以降は一貫して広東でした。そこが、地理的にもベストの選択だったからです。

## ◆ロンドンが海上交易の中心になっていく理由

海上交易の中心となるアムステルダムを擁して、スペインから独立し、順風満帆《まんぱん》だったネーデルランドに不幸な出来事が起こります。イングランドの名誉革命です。

1534年、イングランドでは、テューダー朝のヘンリー八世がローマ教会から独立して、英国国教会を誕生させましたが、そのテューダー朝はエリザベス一世の死後、後継者がいなくて途絶えました。そこで、スコットランド王のジェームズ一世が継ぎステュアート朝が成立しました（同君連合。合同して連合王国になるのは約100年後のことです）。しかし四代目のジェームズ二世が、プロテスタントを弾圧し、ローマ教会への復活を策そうとしたので、議会は彼を追放して、その代わりに、ネーデルランドの統領オラニエ公ウイレム（英語ではウィリアム）に嫁いでいたメアリー（ジェームズ二世の長女）を女王にしようとしました（なお、オラニエは、ウィリアムの祖先が住んでいた南フランス、プロヴァンス地方のオランジュという地名に由来しています。オラニエを英語読みすればオレンジとなりますが、もちろん果物のオレンジとは関係がありません）。これに対してジェームズ二世は抵抗しましたが、結局はフランスに亡命しました。議会の力で、血を流すことなく国王を替えることができたので、この1688年の事件を名誉革命と呼んでいるわけです。

この名誉革命の結果、国王の座はメアリー二世と夫のウィリアム三世が、共同統治する形になりました。

じつはメアリーをロンドンに呼び戻すというアイデアには、ウィリアムの策謀があったという説もあります。

ウィリアムが奥さんのメアリーにささやいた。

「お前の祖国が困ってるみたいだよ。行ってあげるといいよ。俺も一緒に行ってもいい。お父さんは、追放したほうがいいんじゃないかな」

ネーデルランドは小さいけれど、商売人の国ですから豊かです。現代のシンガポールのようなものです。スペインの領土だったので、豊かではあるが、伝統もなく王家もない。これに比較すれば、イングランドもフランスもヨーロッパを代表する大王国です。とすると、ウィリアムに、どのような思考が働くかといえば、ずばりいって俺も王様にしてくれ、ということであったと思います。奥さんのメアリーは伝統あるイングランド王家の血をひいている。しかし俺には王家の血筋はない。だから、ステュアート王家を追い払ってやるから、俺を王様にしてくれ、ということを望んでいたと思います。

こうして、ウィリアムは、ジェームズ二世を、実力で追い払って、名誉あるイングランド国王の地位を獲得しました。ネーデルランドとの同君連合です。そうなると、彼は張り切ります。せっかくだから、イングランドの市民に好感をもってもらって、自分の王権を確固たるものにしたいと、考えました。

ウィリアムは、フランスのルイ十四世に何度もネーデルランドを攻められていました。イングランド国王になってからも、フランスと戦うことがしばしばでした。そして、その都度、戦費として自分の本拠地であるネーデルランドの富を吸い上げては、ロンドンに持っていきます。しかし戦う相手がヨーロッパ支配を狙っていたルイ十四世ですから、そんなに簡単に勝てるはずもありません。もちろん、イングランドからも税金を集めて戦費に充《あ》てていましたから、いい格好をしようと思って、戦利品はほとんどイングランドに流してしまう。そういう状況が続きました。

一方、アムステルダムに住んでいた商人や、海上交易に投資していたお金持ちは、この同君連合下で起こった不条理に遭遇して、ロンドンへの移住を考えはじめます。

ウィリアムはロンドンばかりにいて、たまに帰ってくると、お金を召し上げて、それをまた全部ロンドンに持って行ってしまう。アムステルダムとロンドンはそんなに離れていない。だからいっそのこと、俺たちもロンドンに家を持ってしまおう。王様が同じなのだから、どちらで商売したって構わないじゃないか……という気持ちになるのも無理のないことでした。

こうして、ロンドンがアムステルダムに代わってヨーロッパと新大陸を結ぶ海上交易の中心になっていきました。

そもそも、名誉革命の名誉とは、一滴も血を流さずに国王を替えたことを意味していました。この名誉革命の約40年前に、議会は、ステュアート王家二代目のチャールズ一世を、清教徒（ピューリタン、プロテスタントのことです）のクロムウェルを中心とする勢力の手で処刑したことがありました。三王国戦争（清教徒革命）です。しかし、ピューリタンの政治も堅苦しく現実性を欠いていたので、また王政に戻しました。この経験を踏まえて、イングランドは暴力は誰の得にもならないということを学んだのだと思います。そして、良い国王がいなかったら、よそから連れてこよう、と考えたのが名誉革命でした。

必要なものは、国王であってもよそから持ってくる。多少は理屈に合わなかったり、見てくれは悪くても、国が豊かになることを最優先させる。そういうイングランド伝統の柔軟な発想が、「ウィンブルドン現象」と呼ばれる戦略を生み出したのです。世界で一番有名なウィンブルドンのテニス大会で、英国の選手はなかなか勝てない。それでも、それを英国で開催しているから、世界中から人が集まってきて、さまざまなプラスアルファの利益が見込める。それでいいじゃないか、という発想です。

## ハンザ同盟の技術革新、発展と盛衰

名誉革命後にロンドンが、海上交易の中心となる頃に、ハンザ同盟が勢力を失い、消滅しました。この項では、ハンザ同盟の消長についてお話しします。

ハンザ同盟については、大きくて強い国だったドイツが分断化する過程で、少し触れました。皇帝カール四世が、「ドイツ王は七人の諸侯が選ぶ」という勅書を出しました。その勅書に金印が付いていたので、金印勅書と呼ばれていますが、これによりドイツの分断がほぼ固定化されました。しかし、このことでドイツ北部にあったハンザ同盟は、とても商売がやりやすくなった。専制君主の登場の機会がなくなったからです。小さい国がたくさんあるほうが、ビジネスの機会も多くなります。

さらにハンザ同盟は、新しい技術革新を果たします。といっても、鰊《にしん》や鱈《たら》を塩漬けにする技術ですが、これは当時としては、画期的なことだったのです。海の魚を遠くまで運ぶことができるようになったのですから。

フランスのアヴィニョンに、ローマ教皇の宮殿が残されていますが、そこに生簀《いけす》のような大きな養殖池の周りを、お坊さんが今晩どれを食べようかと、思案している絵が確かありました。この絵に象徴されるように、当時のヨーロッパの内陸の人は、魚といえば川や湖の魚を食べていたのです。

ハンザ同盟の中心になった町は、リューベックとハンブルクです。そのリューベックの南にリューネブルクという岩塩の産地があります。ここでノルウェーから運んできた鰊や鱈を、塩漬けにすることによって、ハンザ同盟は魚を長期間保存できる方法を確立しました。この技術が、14世紀中頃、ちょうど金印勅書が発令された時期にほぼ完成したのです。強力な交易商品を生み出したので、ハンザ同盟はどんどん大きくなり、最盛時には200都市を擁する大商業連合となりました。商業連合といっても実際は国家の機能を持っていました。ハンブルクやリューベックを主峰とする海の共和国が出来上がりました。

交易においては高い競争力を持つ輸出商品を持つことが肝要です。東が豊かだったのは、胡椒とか絹とかお茶という独自の世界商品を持っていたためですが、ハンザ同盟は塩漬け鰊とか鱈とか、どこもつくれなかった加工商品を持ったことで、大きな競争力を手にしました。しかも、世界の四大漁場の一つである北海が背後にありました（もっとも、バルト海沿岸の森は、樽《たる》をつくるために伐採され姿を消しましたが）。

しかし、16世紀に入ると、内部の利害対立が目立つようになります。宗教改革の荒波にも巻き込まれます。そして新大陸との大西洋航路を開いたネーデルランドに押されるようになります。さらに、イングランドや新興ロシアの商業政策によって、それまでの市場を封鎖され、17世紀になると、同盟は消滅に向かいました。魚の塩漬けという技術も、一度発見されれば「コロンブスの卵」で、どこの国でもやれないことではありません。バルト海から大西洋へと海の交易路が大きく変化していく中で、ハンザ同盟は時とともに力を失っていきました。ちなみに、現在でもハンブルクとブレーメンは、それぞれ独立したハンザ同盟都市としてドイツ連邦に加盟しています。

## 東の交易圏

### 1 天才クビライが考えた銀の大循環

唐《とう》の時代からインド商人やアラビア商人が盛んに中国を訪れるようになりました。714年に最初の税関が、広東に開かれたという記録が残っています。市舶司《しはくし》といいます。その頃には、もう税関を置かなければならないほど、中国の広東あたりの海に生きる人々とインド商人やアラビア商人との交易が深まっていたのでしょう。

アラビア商人たちのダウ船と呼ばれる三角帆の大型船や、宋《そう》代以降大きく発達した中国の角形の縦帆を持つジャンク船などが、インド洋や東シナ海を走っていました。

中国では、すでに戦国時代から羅針盤があったので、航海術にも長い伝統がありました。昔は、海岸線をなぞって、嵐や海賊からいつでも逃げられるように航海していました。けれども、この航海方法では、海岸近くは浅いので小舟でしか行けない。スケールの大きな交易は、できません。一方、大きな船で遠くまで沖合を走っていくためには、星の観察と羅針盤を組み合わせる技術が不可欠です。宋の時代になると、航海技術も著《いちじる》しく発展して、ユーラシアの東の海の交易ルートはますます活発になっていきます。

宋は、経済的には大変発達した国でしたが、幸か不幸か戦争には弱かった。それで遊牧民に近い北方は、早々とあきらめてしまいます。最初はキタイ、そのあとは金《きん》、そのまたあとはモンゴルに北方を委ねて、南方で生き延びた国です。この国を支えたのは長江流域の米の生産と、広東を中心とする交易でした。

この時代に実在した福建省《ふっけん》の娘が、媽祖《まそ》という海の神様になりました。海難に遭った父を捜しに海に出たという伝承も残されていますが、やがてアイドルとなり海の守り神に祀《まつ》られたのでしょうか。それほど海に生きる人々が、たくさんいたのだと思います。

この南宋《なんそう》を、モンゴルはほとんど無傷で併合しましたが、そのときに天才的な支配者クビライ・カアンは、南宋の豊かさに瞠目《どうもく》しました。また、マルコ・ポーロと呼ばれる誰かが、「世界で一番大きい都は大都《だいと》もあるけれど、キンザイもある」と書いています。

大都は現在の北京《ペキン》です。この都はクビライがつくりました。キンザイとは、南宋の都杭《こう》州の皇帝の行在所《あんざいしょ》のことで、この「行在」がキンザイと訛《なま》ったようです。宋はあくまでも北で生まれた国家ですので、杭州は仮の都、行在所だと考えていたのでしょう。いずれにしても杭州は、『東方見聞録《とうほうけんぶんろく》』に、世界で一番豊かで美しい都だと記録されるほどに、栄えていました。

クビライは、この豊かな南宋を獲得して、新たな交易システムを考え出しました。当時の共通通貨は銀です。彼は、銀の大循環ということを考えました。しかし、その本題に入る前にクビライについて、二、三のことをお話ししておきたいと思います。

クビライは、チンギス・カアンの四男トルイの次男として生まれました。お母さんはネストリウス派のキリスト教徒であるソルコクタニ・ベキで4人の男子が生まれました。上から順に、モンケ、クビライ、フレグ、アリクブケ、揃って俊秀でした。

クビライはモンケの死後、モンゴル帝国第五代の皇帝になりましたが、その後大都を建設して、国の名前を「大元《だいげん》ウルス」と改称し、その初代皇帝となりました。次いで南宋をほとんど無傷で併合し、世界最大ともいわれる穀倉地帯を入手して、名実ともに世界帝国の王者になりました。1279年のことです。また彼は、すでに兄モンケの生存中に、中国の一大金銀の産地である雲南地方も平定していました。

さて、クビライが構想した交易システムには、実弟のフレグが関係してきます。

モンゴル帝国の版図（13世紀）

当時フレグは、アッバース朝を滅ぼして、イラン、イラクの地にモンゴル政権を樹立していました。フレグウルス（イル・ハン国）です。この国には優れたアラビア商人が数多くいます。クビライは、とりわけ仲の良かった弟フレグの国を、新しいグローバルな交易システムに役立てようと考えました。

クビライの考えた交易システムは、だいたい次のようなことです。

たとえば大都にあるクビライの宮廷に、フレグの使節が来たとします。当時、フレグウルスの都はテヘランよりもさらに西北の、アゼルバイジャンに近いタブリーズにありました。このタブリーズから北上してカスピ海の北を東へ、草原の道を通って、フレグの外交使節がやって来ます。もちろん、ペルシャ湾からホルムズ海峡を通って来ることもあったでしょう。いろいろな節目に、たとえばお正月にやってくるのですが、当然さまざまな貢ぎ物を持ってきます。それに対してクビライは、銀の塊《かたまり》を与えます。これは銀錠《ぎんじょう》といって、重い銀の塊です。

フレグの使節たちは、銀塊をもらってタブリーズに帰りますが、フレグの王族には商売の才能がない。しかし手元に置いておいても仕方がないので、オルトク（現代の商社のようなもの）と呼ばれていたアラビア人やペルシャ人の商人に、この銀塊を渡します。

「これをおまえに貸してやるから倍返しせい」

クビライにもらった銀塊を、王族たちはオルトクに投資したわけです。

オルトクは当時、世界的規模で活動していたイスラームの商人ですから、その銀塊を持って海のルートで中国に行き、そこで絹や陶器、お茶をたくさん買い込んで、その代金を銀で支払います。クビライ政権は塩税と消費税を基幹としていましたから、この絹やお茶などの売り上げに消費税を課して、銀を吸い上げます。要するに、クビライがフレグに与えた銀塊が、また手元に戻ってきたことになります。

クビライがユーラシア各地の王族に銀塊、いわばキャッシュをばらまく。そのキャッシュで、王族は商人に投資する。商人はそのキャッシュで、貴重品を中国から大量に買い付けて儲ける。代金として支払われた銀は、また中国に還ってくる。クビライが、それを税で吸い上げ、またそれを王族に与える。このように銀はグルグル回って大循環し、ユーラシア東方の交易は最盛期を迎えました。クビライによって陸の道と海の道が結合され、史上初めて、ユーラシア規模のグローバリゼーションが出現したのです。

## 2 グローバリゼーションへの不満、朱元璋《しゅげんしょう》という男

ところで、この銀が大循環する交易システムを、中国の農民の目から見るとどうでしょうか。

銀はグルグル回っていますが、中国の物産がどんどん海外に出ていくように見えます。それは商売にとってはいいことです。商人にとっては夢のようなシステムです。特にグローバルなオルトクにとって、これほど素晴らしいシステムはありません。

ところが、この銀の大循環のシステムには農民の入り込む余地がありません。農民は食糧を生産して、それを召し上げられているだけではないか。

ユーラシア全体にとってみればマネーサプライが潤沢に供給され、交易が盛んになって

みんなが相対的にハッピーになっていました。中国の農民も塩税と消費税中心で税金が少なくなったので、必ずしも不幸ではなかった。しかし、幸不幸は相対感ですから、農民たちはなんとなく、自分たちが蚊帳《かや》の外に置かれているような気分になります。彼らからしてみると、アラビア人など素性のわからない外国人ばかりが贅沢しているように見え、自分たちがつくった絹とか陶磁器を対象にして、マネーゲームをやっているようにも見えます。

農民以外にも、クビライの政権運営に不満を持つ人たちがいました。いままで科挙《かきょ》によって選抜されていた官僚たちです。

科挙の試験課目の中心は、儒教的教養を問うものです。外国語や商業の課目はありませんでした。ところがクビライ政権では、科挙が求める古典的教養はまったく役に立ちません。外国語ができないとまず駄目でした。たとえば大臣のポストが20ほどあったとしたら、科挙で勉強した人に割り当てられるのは、せいぜい三つか四つ、あとは全部外国人になってしまいました。クビライ自身が国際人なので当然といえば当然です。彼は、別に中国のことだけを見ているわけではないので、当たり前のことでした。

しかもクビライは、こんなものは役に立たないと、結局、科挙を中止してしまいます。

科挙の受験勉強は、平均して10年以上の歳月を要します。ひどい人になると20年もかかる。しかしトップとか二番で合格すると、大臣は確約されます。要するに元は取れるのです。中国は長い歴史の中で、このシステムに磨きをかけ、優秀な官僚を多数育ててきました。

そのため、科挙が中止されると、インテリ階級は、俺が10年間勉強してきた歳月はどうなるのだ、ということでクビライ政権を許せない気持ちになる。かといって、大元ウルスでは高級官僚はいわば世界中から採用するのでなかなか雇ってくれない。仕方がないから豊かな江南地方に行って、豪族の家庭教師になる。それぐらいしか生きる道がなくなってしまいます。

「科挙を目指して勉強してきましたが、科挙がなくなりました。私は20年も勉強してきましたから、何でもわかります。息子さんを賢くしますので雇ってください」

このような挫折《ざせつ》した知識人は、南宋の朱熹《しゅき》を、あがめるようになります。彼は「修己治人《しゅうこちじん》」の道を説きました。平たくいえば、何よりも学問を究めて立派な人格を磨け、ということです。加えて、歴史に正統性というイデオロギーを持ち込み、それまで誰もが三国時代の正統政権と認めてきた魏《ぎ》ではなく、蜀《しょく》を正統と見なしました。もちろん、遊牧民の政権が正統であるはずもありません。クビライの開いたグローバルな政権へのアンチ・テーゼとしては最適な学説でした。しかし、彼らの心情は理解できるようにも思います。彼の学説は、後に朱子学と呼ばれるようになります。

この学説は、北宋の程顥《ていこう》、程頤《ていい》兄弟の宋学を朱熹が集大成したもので、後に日本では徳川幕府の正学《せいがく》となり、庶民に奨励されました。

クビライの始めたグローバルな交易経済システムは、不満を持つ層があったにせよ、世界規模の大帝国の時代を切り開きました。ユーラシア規模のグローバリゼーションが実現したのです。人々はパスポートを使用して東西を行き交い、古典古代のギリシャ・ローマの文明を受け継いだイスラーム文化の影響を受けて、天文学、暦学、医学、地理学、数学等の発達も顕著になりました。中国の伝統的学問である儒教はさておき、文学や史書も高く評価されました。事実、中国の出版文化は大元ウルスの時代に一つのピークをつけたのです。

大元ウルスは、ユーラシア規模の天災によって国力を失いました。それを象徴するのが世界を震撼させた黒死病（ペスト）の大流行です。人々の不安を導火線として、赤い頭巾をかぶった宗教結社が江南の地で暴動を起こしました（紅巾《こうきん》の乱）。この争乱の中から、朱元璋《しゅげんしょう》(明《みん》の初代皇帝洪武帝《こうぶてい》)という男が台頭してきて金陵《きんりょう》(南京《ナンキン》)の地に明を建国しました。大元ウルスはすでに国力を衰微させていたので、モンゴル高原に去りました。1368年のことです。

朱元璋は貧農の生まれで、無学文盲の人でした。彼は商売を憎み、知識人を憎み、中国を昔の儒教中心の世界に戻そうとしました。彼は銀の循環を止めさせます。ユーラシア規模で動いていた交易システムは、約100年で断ち切られてしまいました。さらに彼は商売を憎むあまり、海禁を行ないます。鎖国です。

海上交易が禁じられると、海に生きてきた人たちはどうするか。朱元璋のいうことを聞いて陸に上がって農民になるか、それとも国を捨てて海で生きるか。当然、後者を採ります。海で育った人が、海を捨てるのはとてもつらい。そして、このあたりのことは鉄砲伝来のところでお話ししましたが、国を捨てた海の人々がやがて倭寇《わこう》と呼ばれるようになります。特に後期倭寇の実体は海に生きる中国人や朝鮮人、日本人の集合体で、ハンザ同盟と同じような海の共和国であったような気がします。

## 3 東方交易の最後の輝き、鄭和《ていわ》艦隊の大遠征

朱元璋は、人並みはずれて猜疑《さいぎ》心の強い人でした。自分が無学文盲で劣等感が強いので、ちょっとでも賢そうな部下は俺の座を狙っているのではないかと考えました。みんな一緒に戦ってきた仲間で、いうなれば建国の功臣です。朱元璋は彼らとその一族を殺します。その数10万人といわれています。普通の人を殺しているのではありません。苦労を共にした臣下たちですから、この数は凄《すさ》まじいの一言に尽きます。

また、他人を信じることができないので、血を分けた子どもだけを信じます。明を建国して南京に都を置いても、モンゴル族はまだモンゴル高原にいます。その備えとして、子どもを北京や大同《だいどう》、西安《せいあん》に置きます。そして、自分の手元には、長男を残しました。ところが不幸なことに、この長男が跡を継ぐ前に死んでしまい、その息子である孫が二代目の建文《けんぶん》帝として即位します。

建文帝は、北の諸勢力を自分の直接支配下に置こうと考えて、叔父を順番に平定し始めます。そして最後に北京にいる朱元璋の四男燕王《えんおう》が、残されました。

燕王（後の永楽《えいらく》帝）は非常に優秀でした。彼は、建文帝を殺さなければ自分が殺されると思い、叔父と甥の間で戦争を始めます。

鄭和艦隊の遠征路（15世紀前半）

朱元璋は徹底した中央集権体制を採りましたから、燕王にはほとんど実権がない。イメージでいえば10対1以上の差で南京政権が強いのですが、いくつかの弱点もありました。

一つには朱元璋が建国の功臣や将軍を殺してしまったので、人材が不足していました。また、明の時代ほど、宦官《かんがん》が皇帝の周辺に多数存在したことはありませんでした。朱元璋が猜疑心から知識人を殺しまくったために、腹心は宦官しかいなくなった。

しかも、朱元璋はメッセンジャーボーイとして使用している宦官さえも疑っていました。朱元璋は宦官に字を読むことを許さなかった。字が読めたら、書類を持ってくる途中で読んで悪さをするかもしれない、差し替えたりするかもしれない、ということで、皇帝自ら試験をして、字が読めそうな宦官はすべて殺しました。

つまり南京政府の宦官はみな朱元璋を恨んでいたのです。彼らは秘かに北京にいる燕王の味方になります。そして、燕王に内通して、彼らなりに一所懸命戦いました。これが靖《せい》難《なん》の役という戦争です。

こうして永楽帝は、巧みに宦官の勢力を利用したこともあって、ついに政府軍を倒し自ら即位しました。このことから永楽帝は、宦官を信用するようになりました。しかも知識人は、ほとんど朱元璋が殺してしまったので、科挙で登用するにしても、時間がかかりすぎる。表現を変えれば、国家公務員の上級職を課長クラスまで朱元璋が殺してしまったので、永楽帝が政権を奪ったときには、まだ係長ぐらいの人材しか育っていなかったのです。それだったら、自分のいうことを聞いてくれた宦官を使おうということになったという側面もあると思います。

さて、永楽帝は若いときから北京に派遣されていました。彼は、北京という都市をつくって繁栄させたクビライを、市民が尊敬し、慕っていることをよく知っていました。永楽

帝はライバルとしてクビライを秘かに意識したと思います。クビライは自由貿易論者でしたが、

そこで永楽帝も交易を盛んにしようと考えました。朝貢に来る者、朝見に来る者のみに明の建て前は海禁ですから、勘合《かんごう》貿易となりました。

交易を認めてやろうというシステムです。永楽帝は海路陸路を問わず、世界中に宦官を送り出しました。世界中から朝貢させ、可能ならばモンゴルのような大きな国にしようと思ったのです。クビライに負けるものか、という気概があったのでしょう。一方で永楽帝には、自分が簒奪《さんだつ》者であるという負い目があったと思います。本来の皇帝は建文帝です。彼が甥を殺して王朝を乗っ取ったことは、未来永劫歴史に残ります。それを消そうと思ったら、立派な政治をして、後世に認めてもらうしかありません。

「悪いこともしたけれど、いいこともした。まあ、ちゃらやな」

そう評価されたいからこそ簒奪者たちは立派な政治をする。その例は、世界中いたるところに見られます。ペルシャ帝国の大王ダレイオス一世も、簒奪者です。唐の太宗《たいそう》李世民《りせいみん》も、兄の皇太子を自ら殺して皇帝になりました。クビライもそうです(正統でいえば、アリクブケです)。

永楽帝は史上空前の鄭和《ていわ》艦隊をインド洋に派遣します。中心となる宝船は、1000ト

ンとか2000トンあったといわれています。船舶の総数は60隻以上あって、乗組員は海兵隊のような戦闘員も含めて、2万7000人を超えたと記録されています。いまでいえばアメリカ海軍の大空母艦隊のようなものです。その2万7000人が洋上に浮かんでアフリカまで、前後7回の航海を果たしました。この圧倒的な軍事力を背景に、鄭和艦隊は、行く先々の国で王位争いや叛乱があると、どちらかの味方になり、正邪を決します。大将の鄭和はムスリムの宦官でしたが、きわめて優秀な武将でした。

この艦隊の軍事レベルは、当時としては世界で図抜けて高いものでした。彼らによってインド洋の秩序が守られ、銀の循環こそありませんでしたが、貿易が自由に行なわれるようになりました。鄭和はアジアからアフリカまで三十余国を訪問し、インドやマラッカの王様が鄭和艦隊について中国に行き、香辛料などを貢ぎ物にして、利潤の厚い交易を行なっていました。

ところが永楽帝が1424年に亡くなると、その子や孫は英明でしたが、統治期間は短く、そのあとを継いだ皇帝は揃って凡庸でした。そしてその頃になると、国境が荒れ模様になってきました。

モンゴル高原で、チンギス・カアンの一族と婚姻関係を結んだオイラートが、明を脅かし始めました。また、中国近海では倭寇が活発に荒らし回ります。どちらも自由な交易が禁じられた(儲かる機会がなくなった)ことが原因です。特に北方では、河北省の土木堡《どぼくほ》という場所で明の皇帝がオイラート軍と戦って大敗し、捕虜となる事件も発生しました。このような北虜南倭《ほくりょなんわ》と呼ばれた国難に対して、明の採用した政策は、まず万里の長城を築くというものでした。

ところで万里の長城の築城は大事業です。天文学的なお金がかかる。それでどうしたのかというと、結局、鄭和艦隊を維持するための資金が万里の長城に化けたのです。北から攻めてくるから海軍を全廃して、浮いたお金で万里の長城をつくって北を守ろうという戦略です。

こうして2万7000人の大海上勢力が、インド洋から姿を消しました。権力の空白が生じたのです。鄭和艦隊の最後の航海は1431~1433年でしたが、海賊の類《たぐい》は鄭和艦隊の二十数年でほぼ根絶されていました。当時、もし刃向かったとしても、とうてい勝てっこなかった。アデン湾でソマリアの海賊が、アメリカの空母艦隊に喧嘩をしかけるようなものです。

こういう背景があったからこそ、ポルトガルのヴァスコ・ダ・ガマが喜望峰《きぼうほう》を回って、インド洋に船を入れることができたわけです。攻撃されることもあまりなかった。ヴァスコ・ダ・ガマの少し前に西インド諸島に到達したコロンの船は150トン、全部で3隻、乗組員は100人程度であったことが知られていますので、ガマの艦隊もおそらくその程度であったのでしょう。

もし、ヴァスコ・ダ・ガマの前に、鄭和艦隊が浮かんでいたら、中心船2000トン、2万7000人の乗組員に対して、ヴァスコ・ダ・ガマの運命は、どうなっていたでしょうか。

コロンが1492年、ガマが1498年に航海を成功させ、そしてマゼランが1522年に世界一周へ乗り出して、ヨーロッパの「大航海時代」が始まりました。もっとも大航海時代という言葉は日本の学者が作り出したものです。大航海時代は、鄭和艦隊が万里の長城に化けて初めて始まったわけです。それはあくまでも、ヨーロッパの視点から見た大航海にすぎませんでした。

ちなみに、東洋と西洋という言葉が最初に出てくるのは、この鄭和艦隊の海図だといわれています。マレー半島とスマトラ半島のマラッカ海峡のあたりまでが東洋、マラッカ海峡の西が西洋とされていました。

## ■ユーラシアの交易とシルクロード

鄭和艦隊を廃して万里の長城に予算を付け替えようとしたとき、士大夫《したいふ》と呼ばれる儒家の古典的教養を身につけた官僚たちは、次のように考えました。

明の皇帝は朱元璋以来、知識人を憎んで、宦官を手足に使いました。当時の外交官は鄭和もそうでしたが、海軍提督なども含めてほとんど全員が宦官です。そういう宦官たちを、けしからんと思っていた官僚たちは、皇帝がまた大艦隊の派遣を考えないようにと、鄭和艦隊やその航海に関する資料を全部焼いてしまいました。だから、鄭和艦隊のことは長く歴史に埋もれていたのですが、民間にわずかながら資料が残っていて、ようやくその概要がわかってきたのです。

中国は海の覇権を失って、世界遺産、万里の長城を得ました。あの長城のほとんどは、明の時代にできたものです。

東西の交易といえば、日本人はすぐにシルクロードを思い浮かべます。この名前はドイツ人リヒトホーフェンが、中央アジアを探検してつけた名前です。たいへんロマンチックな名前です。そしてNHKがシルクロードの大特集をやったりすると、「ローマと正倉院《しょうそういん》がシルクロードでつながっている、すごいなあ」ということで、あこがれてしまいます。

けれども、先に述べたように、東西をつなぐ道については、シルクロードだけではなく、まず中央ユーラシアのステップ地帯を東西につなぐ草原の道がありました。これは漢代《かん》以前から存在し、こちらが陸のメインルートであったと思います。また、インド洋を中心とする海の道もありました。したがって、東西交易という視点で考えると、シルクロードの果たした役割は、残念ながらそれほど大きくはなかったと思います。

草原の道は主として遊牧民の移動に利用されました。大きなスケールで、人や荷物が動き、文化や文明も移動しました。

一方で海の道は、運送量が桁《けた》外れでした。したがって、実際にローマと正倉院をつないでいたのはシルクロードではなく、草原の道であり海の道であったと思います。

シルクロードでおもに運ばれた商品は、おそらく人間でした。馬とかラクダの背に乗せて運ぶものの中では、人間が一番運びやすくかつ価値があったのです。たとえばペルシャの白人の女性を、中国に連れていって、酒場や豪族に売ったのです。長安には、異国情緒あふれる社交クラブがたくさんありました。ですから、夢を壊すような話ですが、シルクロードでもっとも重要だったのは、奴隷交易でした。

〈第7章の関連年表〉

# 東西の交易史(BC1世紀～AD17世紀)

| | 西暦(年)・世紀 | |
|---|---|---|
| BC50 | | |
| | BC27 | ローマ帝国初代皇帝アウグストゥス即位 |
| AD1 | | |
| | 4世紀～6世紀 | 民族大移動 |
| | 380 | キリスト教がローマ帝国の国教となる |
| | 610頃 | イスラーム教成立 |
| | 714 | 中国で最初の税関、市船司が広東に開設 |
| | 9世紀～ | イタリア半島に四つの海の共和国が生まれる |
| 1000 | | |
| | 1127 | 南宋建国 |
| | 1206 | チンギス・カアン、モンゴル帝国建国 |
| | 1260 | クビライ、即位 |
| | 1279 | 大元ウルス、中国を統一 |
| | 12～13世紀 | シャンパーニュの大市栄える |
| | 14世紀 | ペスト流行 |
| | 1351 | 紅巾の乱 |
| | 1356 | カール四世の金印勅書 |
| | 14世紀後半以降 | ハンザ同盟が盛んになる |
| | 1368 | 朱元璋、金陵に明を建国 |
| | 1398 | 建文帝即位 |
| | 1402 | 永楽帝即位 |
| | 1405 | 鄭和艦隊の派遣が始まる(全7回～1433) |
| | 1424 | 永楽帝死去 |
| | 15世紀半ば以降 | 明、北虜南倭に苦しむ |
| | 1492 | グラナダ王国が滅ぶ。コロン、新大陸に到達 |
| | 15世紀後半以降 | 海上交易の中心がアムステルダムに移る |
| | 1498 | ヴァスコ・ダ・ガマ、インドのカリカットに到着 |
| 1500 | | |
| | 1534 | 英国国教会成立 |
| | 17世紀 | ハンザ同盟、消滅へ向かう |
| | 1642 | 三王国戦争(清教徒革命) |
| | 1688 | 名誉革命 |
| | 17世紀後半 | 海上交易の中心がロンドンに移る |

ユーラシアの交易は、豊かな東から貧しい西へという太い流れが、長い間続きました。この流れが完全に入れ替わってくるのは、アヘン戦争からです。

## COLUMN モンゴル、ペスト、新大陸

抗体とは、病原体に侵された動物の体内で、それに抵抗して生じ、再度の発病を防ぐ物質のことです。免疫体とも呼ばれます。したがって、一定の地域内に住み接触する機会の多い動物の群れや人間の集団には、同一の抗体が生まれてきます。

人間の病気に対する抗体は、交易圏をベースに単純化して述べれば、ユーラシアには、中国の抗体、インドの抗体、ヨーロッパの抗体の三つがありました。ところがモンゴル帝国が東も西もユーラシア全体を統治することになると、どうなるか。たとえばヴェネツィアの商人が、モンゴル帝国に行って働いて、その後インドを経由してイタリアに帰国したりします。人の行き交いが繁雑になれば、それに伴って、病原菌も世界中を行き交うようになります。そういう背景の中で、気候が不順となり栄養不足で体力が弱ってきたときに、中央アジアでペストが発生しました。

14世紀前半のことでした。モンゴル帝国滅亡の最大の原因は、じつはペストであるともいわれています。

ペストは東方で猛威をふるった後、黒海、地中海を経由して南イタリアに上陸し、そこからヨーロッパ全域に拡大しました。ペストにかかって死亡すると皮膚が黒くなるので、黒死病とも呼ばれました。記録

では、ペストは14世紀の中頃、ほぼ毎年のようにヨーロッパ全土を襲い、少なくとも全人口の三分の一が死亡したと伝えられています。事情は東方でも同じでした。

ペストという流行病のすさまじい洗礼を受けて、多くの人が死滅しましたが、生き残った人たちもいました。この生き残った人たちは、ユーラシア全域に通じる強い抗体を持った人々でした。そしてペスト騒動から1世紀半が過ぎて、その強い抗体を持った船乗りたちが、コロンに率いられて、西インド諸島に上陸しました。

ついにインドに到達したと、歓喜する船乗りたちが咳《せき》をした口などから、ペストや天然痘《てんねんとう》、インフルエンザなどの、旧大陸の病原菌がばら撒かれて、それが新大陸の先住民を襲いました。何の抗体も持ち合わせていない新大陸の人は、ほとんど死に絶えてしまいました（もちろん、スペイン人が鉱山労働などで先住民を酷使したことも人口急減の大きな要因ですが）。

その遠因がモンゴル世界帝国まで遡《さかのぼ》るあたりに、世界史全体の大きなつながりを感じます。

# 第8章

# 中央ユーラシアを駆け抜けたトゥルクマーン

## ヨーロッパが生まれる前の大活劇

## ■もう一つの遊牧民がいた

ユーラシアの大草原を代表する遊牧民といえば、まず誰しもモンゴルを思い浮かべると思います。しかし、もう一つ、影響力の大きさという点では勝るとも劣らない強力な遊牧民が存在しました。トゥルクマーン（テュルクに似たものが原義）と呼ばれたテュルク系の遊牧民です。けれども世界史の授業では、トゥルクマーンについて、ほとんど教えられなかったと思います。

彼らの故里《ふるさと》は、モンゴル高原からカスピ海東海岸に至る広大なステップ地帯でした。いまその地域には数多くの共和国があります。しかしこれらの共和国は、1991年のソ連（ソヴィエト社会主義共和国連邦）解体まではソ連内の地域でした。学校で、ソ連は一国として教えられ、それを構成する各共和国の民族についてはそれほど学ぶ機会はありませんでした。

しかし、ソ連解体から30年近くが経過して、中央アジアの国々もグローバル経済に参加し始めています。それらの国々ともかかわりの深かったトゥルクマーンについて、ある程度知っておくことは、ビジネスパーソンにとっても有益な情報であると思います。

## ■ユーラシアの大草原に生まれた史上最強の遊牧民の話

ユーラシア中央部の遊牧民については、一般に戦《いくさ》に強いというイメージがあります。人類の戦争は歩兵、チャリオット、騎馬軍団と主役が変わっていき、このあとは鉄砲と歩兵の組み合わせ、次に戦車、そして飛行機となります。そして、本格的に鉄砲が登場する16世紀頃まで、じつに2000年もの長きにわたって、遊牧民の騎馬軍団は地上最強の軍事力であり続けました。

ここで中央ユーラシアの遊牧国家の大きな流れについて、少しまとめてみます。

最初にスキタイという国が興《おこ》り、アカイメネス朝ペルシャと対峙しました。粗っぽくいえば匈奴は漢と戦い東西に分かれたりして、五胡《ごこ》十六国《じゅうろっこく》の時代に中国に侵入していきます。長駆西進して諸部族などを西へ追い、民族大移動の大きな要因となりました。匈奴の次には鮮卑《せんぴ》、その次には柔然《じゅうぜん》という国が大きくなります。この四つの国は、すべて大騎馬軍団を骨格とした遊牧民の国家でした。

そして552年に、突厥《とっけつ》という国が柔然を破って中央ユーラシアを制覇します。現在のトルコ共和国では、552年、モンゴル高原において始祖ブミン・カガンが突厥の初代皇帝に即位した日を、トルコ最初の建国記念日としています。

突厥という漢字は、Türk（テュルク）の音写です。

突厥は200年ほど覇を唱え、モンゴル高原からカスピ海に至るまでの大領土を支配しましたが、744年に同じテュルク系のウイグルに滅ぼされます。ウイグルはマニ教を国教にしたことでも有名です。ところが、このウイグルも100年ほどの支配の後に、キルギスに滅ぼされます。

しかしキルギスは、強力な統一国家をつくることができなかったので、モンゴル高原は群雄割拠《ぐんゆうかっきょ》状態になり、弱小遊牧民の契丹《きったん》（キタイ）やモンゴルが舞台に登場してくる素地が生まれました。

ウイグルが滅んだ後、敗れたテュルク族は西のほうに移動していきましたが、中央アジア南部のサマルカンドやアラル海の近辺、カスピ海沿岸などを通ったと思います。そこには交易で発達した都市があり、イスラームの文化がありました。何千人、何万人という大集団ごとに移動していくわけですが（20ほどの大集団があったといわれています。後の王統はそのほとんどがオグズと呼ばれた集団から出ています）、その移動していく過程でもともと原始宗教しかもたなかったテュルク族は、イスラーム教を知ります。そしてイスラーム教に感化されてムスリムになっていきました。

このイスラーム教に感化されて西に行った人々を、一般にトゥルクマーンと呼んでいます。彼らは、たまたまキルギスには負けたけれど、軍事力としては当時の世界では最強です。そういう人々が、大小の集団をつくり、ゆっくりとユーラシアの大草原を東から西へ移動していったと考えてみてください。

## ■トゥルクマーンとマムルーク

ウイグルが滅んだのが840年でした。そしてウイグルを構成していたテュルク族が大挙して西に流れていった頃、875年に、サーマーン朝というペルシャ系の政権が中央アジアに生まれます。これは当時中東を支配していたアッバース朝の力が弱まったので、生まれた地方政権です。

アッバース朝は750年に成立したイスラーム帝国です。この王朝を開いたカリフ（イスラームの指導者で、預言者ムハンマドの代理人の意味）が、ムハンマドの叔父アッバースの子孫であったので、アッバース朝と呼ばれました。首都はバグダードですが、800

年代にバグダードの北にあるサーマッラーに遷都していた時期もありました。

さて、サーマーン朝に話を戻しますと、この王朝は、いまのブハラやサマルカンド、つまりウズベキスタン共和国あたりを本拠としていた国です。

その国境には、間断なくトゥルクマーンの集団が姿を現わしました。サーマーン朝の人々はトゥルクマーンが、いまは放浪の民ですが、腕っぷしがめっぽう強いことを知っています。そこで交易の才がある支配者が考えました。「こいつらは戦争が強い。しかもみんな健康だ。そしてイスラーム教を信じている。子だくさんで子どもたちがいっぱいいる。元気な男の子を売ってくれないかな」

そう思ってトゥルクマーンと交渉して、子だくさんの家から、子どもを譲ってもらいました。そして大切に育てて、立派な戦士にして、軍人にするとともに、アッバース朝をはじめとするイスラーム諸国に輸出しはじめました。この取引は大成功して、大量のトゥルクマーンが、イスラーム諸国へマムルークとして売られていき、大きな戦力に成長していきます。

マムルークを直訳すると、奴隷になりますが、もともとトゥルクマーンの血筋のいい健康な男子が買われていったわけで、買ったほうも自分の親衛隊として大切に育てます。図抜けた乗馬技術のある人々ですから、やがて彼らはユーラシアのイスラーム王朝の近衛軍の中核となっていきます。

マムルークとしてトゥルクマーンの子どもたちを組織的に育てはじめたのは、サーマーン朝でしたが、もっと早い事例としては、アッバース朝のカリフのケースがあります。さきにアッバース朝について触れたときに、800年代に、首都をバグダードからサーマッラーへ一時的に移したといいましたが、これはムウタスィムというカリフが、マムルークを親衛隊として大量に導入したことが原因です。

この親衛隊は、カリフ直属の親衛隊であるということを笠に着て、乱行を繰り返しました。バグダードで飲み食いして代金を踏み倒したり、お店の女性に手を出したりというわけでバグダード市民が激怒します。当時の世界最先端の町です。秩序のある美しい町を、アラブ語もろくに話せないマムルークに荒らされるのは許さんぞ、ということになりました。カリフのムウタスィムは、こんな些細なことでバグダード市民と喧嘩するのはいやだと思い、親衛隊を連れて北の都サーマッラーに遷都してしまったのです。

自分を守ってくれる親衛隊と一緒にいるほうが安全だ。カリフに文句をいう市民の中にいるのはいやだ。それは気持ちとしてはわかりますが、逆にいえば、市民を離れて親衛隊とカリフが一緒になって閉じ籠《こ》もってしまったら、あとは親衛隊の思うままにされて、殺されたり、首をすげ替えられたりするのは目に見えています。やはりいつまでも親衛隊と一緒に田舎にいたらいかんというので、またバグダードに戻ってきました。

イスラーム諸国の人たちに、マムルークの強さを認識させる大きな引き金になったのが、この遷都事件であったと思います。

こうして何よりもその圧倒的な戦闘能力で、マムルークの評価は高まっていきました。

## トゥルクマーンがつくった大王朝、セルジューク朝

10世紀末、オグズ集団の中からセルジュークという部族長が、頭角を現わします。子どもの代になると、当時隆盛を誇っていたガズナ朝に仕える人も出てきました。

ガズナ朝は、先述したサーマーン朝のマムルークが、軍政長官にまで出世し、やがてサーマーン朝から独立してアフガニスタンのカーブルに近いガズナに建てた王朝です。後にインドまで勢力を広げます。

さて、セルジュークの一族は、11世紀の半ば、トゥグリル・ベグの代に飛躍的に発展します。彼は1040年にガズナ朝を破って、当時いくつかあったトゥルクマーンの王朝の

11世紀後半のイスラーム世界

中で、最強の支配者となりました。

トゥグリル・ベグの勇名を聞いて、アッバース朝のカリフは、内紛の絶えないバグダードを鎮《しず》めてくれるように依頼しました。その代わり、スルターンとしてトゥグリル・ベグを認めようというのです。スルターンというのは、イスラーム世界の世俗の支配者のことです。

アッバース朝のカリフがトゥグリル・ベグにスルターンの称号を許したということは、カリフ自身はイスラームの精神的権威として、地位と名誉は維持したうえで、実質的な王朝維持と武力的援護を含めた支配権を、セルジューク朝に与えたことを意味しています。

さて、晴れてトゥグリル・ベグがスルターンとしてバグダードに入城するときに、有名なエピソードが残されています。彼がティグリス川を渡るとき、彼の馬の轡《くつわ》を引いていた奴隷がいいました。

「お殿様、私は感無量でございます。いままでわれわれトゥルクマーンは、みな奴隷の身分でこの川を渡りましたが、あなた様は初めて君主として、この川をお渡りになるのです」

こうしてセルジューク朝が、弱体化したアッバース朝に替わって、イスラーム帝国を支えるようになりました。ついにトゥルクマーンが歴史の表舞台に登場してきたのです。

ところがセルジューク朝の人々は、バグダードに入っても行政ができない。バグダードのような大都市をベースにして、大国を治めるためには優秀な官僚が必要です。けれども、そのための人材がセルジューク朝には育っていませんでした。

ところで、バグダードにはペルシャ人の官僚の家系が、ずっと生き残っていました。

このことは、アッバース朝のときもそうでした。ペルシャは昔から大帝国をつくってきました。アカイメネス朝、アルサケス朝、サーサーン朝、そのサーサーン朝がアラビア半島に興ったイスラーム教団に敗れても、官僚の家系は生き残っています。彼らはウマイヤ朝やアッバース朝でも重宝され使われていたのです。

そうするとここに、トゥルクマーンの武力とペルシャ人の官僚という組み合わせが成立する。喧嘩は強いし行政もちゃんとできる、黄金の組み合わせが完成したわけです。

かくしてセルジューク朝は、バグダードを治めて大帝国をつくり上げました。そして東ローマ帝国を攻撃して、聖地エルサレムをも制圧しました。それに対して十字軍が派遣されたとき、セルジューク朝はたまたま内紛状態にあったために、十字軍が勝利したことは、第5章でお話ししたとおりです。

内紛でバラバラになっていく前のセルジューク朝は、最盛期には、西はアナトリア半島からシリアまで、さらにメソポタミア全域からペルシャ湾、イラン、アフガニスタン、現在のキルギス共和国あたり（フェルガナの地）まで、その勢力図を広げていました。その広大な地域が内紛で分裂した後には、トゥルクマーンたちが分散して独立していきます。そして多くの、セルジューク朝の分家のような王朝をつくりました。

この時期に成立した代表的なトゥルクマーンの王朝をいくつかご紹介します。

●ルーム・セルジューク朝。いまのトルコ共和国があるアナトリア半島に、つくられた王朝。セルジューク朝の一族。この王朝は東ローマ帝国と戦い、十字軍と戦い、アナトリア半島のトルコ化、イスラーム化に大きな役割を果たしました。ルームとはローマの意味です。この国は、モンゴルのフレグ・ウルスによって滅ぼされました。なお、この王朝の末期に、アナトリア半島のコンスタンティノープルに近い海岸沿いで、オスマンというオグズ系のトゥルクマーンの部族長が、独立しました。後に子孫がオスマン帝国を建設します。（1077年～1308年）

●ザンギー朝。北イラクとシリアを支配したこの王朝はモスルに首都を置いたアタベク政権です。アタベクとは、セルジューク朝の君主の子弟の養育責任者の称号です。このポストにはマムルーク出身の軍人が任命されることが多く、子弟の成人後も後見人として、一国の経営を任されました。セルジューク朝の衰退期には、アタベクの称号を持つ独立王朝が数多く生まれました。ザンギー朝は、十字軍に対して組織的な反攻を行なったことで知られています。（1127年～1222年）

●ホラズム・シャー朝。セルジューク朝に仕えたトゥルクマーン系のマムルークが、カスピ海の東、アラル海に注ぐアムダリア川下流の、ホラズム地方に興した王朝（シャーはペルシャ語で「王」の意味）。この王朝はセルジューク朝を1194年に滅ぼし、一時期、中央アジア、イラン、アフガニスタンの地に大帝国を築きましたが、チンギス・カアンに敗れて、滅亡に向かいました。（1077年～1231年）

## ■トゥルクマーンの武力とペルシャ人官僚の組み合わせがインドに大帝国をつくった

十字軍に話を戻します。

第一回十字軍がセルジューク朝の内紛に助けられ、思いがけず勝利したとき、十字軍側は聖地エルサレムを守るという口実を設けて、いくつかの小国家をエルサレムの周辺につくりました。ところが、ザンギー朝が興って、十字軍国家が劣勢に立たされたので、第二回十字軍、続いて第三回十字軍の派遣となり、英国のリチャード一世、フランスのフィリップ二世、ドイツのフリードリヒ一世が、それぞれの思惑で参加したことは、第6章で、少しお話ししました。この第三回十字軍を撃破したのはサラーフッディーン（サラディン）というクルド人の武将でした。

サラディンは、ザンギー朝に仕えていましたが、その後、エジプトに渡り、当時エジプトを支配していたファーティマ朝に入り、国の衰退に乗じて、これを倒しました。そしてみずからを創始者とするアイユーブ朝をひらきました。1171年のことです。彼が倒したファーティマ朝は、イスラームのイスマーイール派（シーア派の分派）の王朝です。10

世紀初頭の建国時からスンナ派のアッバース朝に対抗して、自分たちのカリフこそがムハンマドを正しく継承するものだと主張していました。

しかしサラディンがひらいたアイユーブ朝はスンナ派でした。彼は、弱体化したとはいえ、カリフの権威を保っているアッバース朝の宗主権を認めて、ファーティマ朝のように対抗しようとはせず、カリフをむしろ尊重しました。

このアイユーブ朝に、フランス王ルイ九世が侵略してきたのは１２４８年、これが第六回十字軍です。この戦いの最中に、アイユーブ朝のスルターン、サーリフは病没してしまいました。しかしスルターン直属のマムルークたちは、サーリフの未亡人をスルターンに立てて戦います。そしてルイ九世を捕虜にして、独力で十字軍を撃退しました。戦いの終わったあと、未亡人はマムルークの首領アイバクと結婚して、スルターンの地位はアイバクに譲られました。こうしてエジプトにマムルークの王朝ができました。

しかし、この頃モンゴル帝国のフレグが西アジアに進軍してきました。彼は、カリフを殺害してアッバース朝を滅ぼし、バグダードに入場しました（１２５８年）。さらにシリアを攻略し、ここを足掛かりとしてエジプトを獲得することを目論《もくろ》んでいました。ところがマムルーク朝にとって幸運なことには、モンゴルの皇帝モンケが死んでしまいます。フレグは自らが大帝国の後継者になるという思惑もあって、軍を引き返しました。

彼はシリアに留守部隊を置いていきましたが、この連中がよからぬことを考えました。じっとしていればよいのに、俺たちは天下無双の騎馬軍団であると思っていますから、フレグ様がいなくても、俺たちだけでエジプトを取ってしまおう、ということで、エジプトへ向かって南下していきます。

これを迎え撃ったのが、マムルーク朝のバイバルスという将軍です。彼はカイロから北上して、パレスティナのアイン・ジャールートで彼らと対戦します。アイン・ジャールートとは、ゴリアテの泉という意味で、古代のイスラエル王ダヴィデが巨人ゴリアテの首を洗ったと伝えられる泉です。この対戦で、不敗であったモンゴル軍が敗れます。

なぜモンゴル軍が敗れたのか。もちろんバイバルスが強かったからですが、彼の出自はカザフ草原にいたキプチャク集団です。キプチャクもオグズと並ぶ西方に向かったテュルク族の大集団の一つです。一方で当時のモンゴル軍、フレグの軍勢も、キプチャク集団を吸収して大きくなってきた経緯があります。

ですからモンゴル軍対マムルークの戦いといっても、じつは両軍とも同じ騎馬軍団で、もともと同じキプチャク人を中心とした部隊の戦いでした。同じ能力を持っている人同士が戦えば、地の利に明るい側が勝利するのは当然です。この戦いに勝ったバイバルスはマムルーク朝のスルターンになります。そしてこれから数百年、エジプトにマムルークの政権が覇を唱えることになります。

また、バイバルスは、フレグによって滅ぼされ放浪していたアッバース朝の一族をカイロに招いて、カリフに就けました（1261年）。カリフの保護者となったバイバルスは、みずからマッカ、マディーナのイスラーム聖地二都市の保護者をもって任じ、カアバ神殿にかける絹織物（キスワ）を寄贈するキャラバンを、カイロから初めて送り出しました。バイバルス以降、キスワを奉納するものがイスラーム世界の指導者であるとの慣習が成立します。現在はサウディ・アラビアが、キスワを奉納しています。こうしてバイバルスは、アイユーブ朝の創設者サラディン以上に、イスラーム世界の人気者になりました。

バイバルスは、西方に向かったトゥルクマーン系マムルークの偉大な足跡のシンボルでしたが、次に東方へ視点を転じてみますと東方でもトゥルクマーンの活躍が目立ちます。まず、中国では五代十国時代に中原を制した五代王朝のうちじつに三王朝がテュルク系の沙陀《さだ》族が建国したものです。

前述したアフガニスタンのガズナ朝では、998年にマフムードという天才的な君主が現われ、サーマーン朝を滅ぼして領土を大きくしました。

アフガニスタンに大政権ができたら、君主は何を考えるでしょうか。一番近くて豊かなところはガンジス川流域のインドです。当然そこを攻めていきます。どこに富が蓄えられているかといえば仏教寺院です。税金がかからないのでお金をたくさん貯め込んでいました。仏教は都市のインテリが支持しています。ヒンドゥー教の信者は庶民なので、豊かさでは仏教寺院が圧倒的だったのです。

マフムードのイスラーム軍は、インドを席巻《せっけん》して徹底的に仏教寺院を掠奪します。この頃の仏教は、すでに一般大衆の基盤をなくしていましたから、マフムードに掠奪されたことを直接の要因として、仏教はインドの地では最終的に衰退してしまったのです。

ガズナ朝の本拠地は、アフガニスタンのガズナにありましたが、マフムードの死後セルジューク朝に敗れて衰えると、このガズナに隣り合う都市ゴールを本拠地とするペルシャ系のゴール朝が強盛になりました。この王朝もやはり、インドに狙いをつけてデリーを陥《おとしい》れます。

ゴール朝はインドに侵略すると、そこで掠奪の限りを尽くした後、デリーに代官を置いてアフガニスタンに戻りました。ところがアフガニスタンのゴール朝の本家がどうなったかというと、ホラズム・シャー朝に滅ぼされ、そのホラズム・シャー朝もチンギス・カアンに敗北して滅亡してしまいました。

アフガニスタンの本家がなくなって、デリーに残されたゴール朝の代官は、どうしたでしょうか。インドを実際に治めていたのは、マムルークの軍隊とペルシャ人の官僚です。彼らは、当然、もう本家はなくなったのだから、自分たちでインドを治めようということになります。

こうして、ゴール朝のキプチャク系・マムルークの将軍アイバクが、マムルーク朝（デリー・スルターン朝）を開きました。この王朝は奴隷王朝と呼ばれたりしていますが、それはアイバクがマムルーク出身であったからです。デリー・スルターン朝は北インドに誕生した、初めての本格的なイスラーム政権でした。なお、アイバクが王朝をつくった1206年、チンギス・カアンがモンゴルを統一して世界制覇への第一歩を踏み出しています。

アイバク以降、五つのマムルークの政権が続きますが、デリー・スルターン朝の歴史は、常に北西からインドを窺《うかが》うモンゴル勢力の圧力に耐えながら、南インドへ進展していく320年の歴史でした。特に14世紀後半になると、モンゴル帝国の後継者を自任する戦争の天才、ティムールの攻撃が激しくなり、一時は壊滅的打撃を受けますが、ティムールが西に転じたおかげで救われました。しかし最後には、ティムールから五代目の子孫、バーブルによって滅ぼされます。1526年のことでした。

バーブルはティムールの一族でおそらくテュルク系の血が濃かったと思いますが（話していた言葉は、チャガタイ・トルコ語でした）、生母はチンギス・カアンの血脈を受け継いでいました。

バーブルはデリー・スルターン朝の最後のローディー朝を破って新しくムガール朝（第二ティムール朝）を開きますが、その名前のムガールとはモンゴルの意味です。バーブルもティムール同様、チンギス・カアンの栄光にあやかろうとしたのです。ムガール帝国は古代のマウリヤ朝と並ぶインド最大の強国として、英国にインドが占領されるまで続きます。

この国も、トゥルクマーンの武力とペルシャ人の官僚によって経営された国です。

インドの標準語は、ヒンドゥー語とウルドゥー語です。ウルドゥー語は、ヒンドゥー語とペルシャ語のミックスによって生まれてきた言語です。つまり、日常のムガール帝国を統治していたのが、ペルシャ人官僚という歴史があったから、そうした言語が生まれたのです。

## ▶騎馬軍団の前に歩兵と鉄砲が現われた

13世紀初頭のユーラシア中央部には二つの太陽が昇りつつありました。西にはセルジューク朝を滅ぼしたホラズム・シャー朝、そして東には、モンゴル高原を統一したチンギス・カアンがいました。

中央ユーラシアの東西に、大きくて若い国が興ったので、必然的に雌雄を決することになります。両国を、GDPや武力で比較すれば、互角の勝負であったかもしれません。けれども現実には、あっというまにホラズム・シャー朝が敗北してしまいました。

ホラズム・シャー朝は引く戦術に出た。逃げると見せかけて、モンゴル軍を草原の奥地へ、自分たちの本拠地まで誘い込んで叩こうとしたのでしょう。引き技は相撲でもそうですが、タイミングよく引けば相手は倒れる、しかし下手に引いたらズズッと押し込まれて、それまでとなります。ロシアは引く戦術でナポレオンに打ち勝ちました。

ホラズム・シャー朝の戦略は、間違ってはいなかった。しかし、モンゴル軍のスピードは、想像するよりはるかに速かった。それで一気につけ込まれて、敗北したのでしょう。

15世紀頃のイスラーム世界

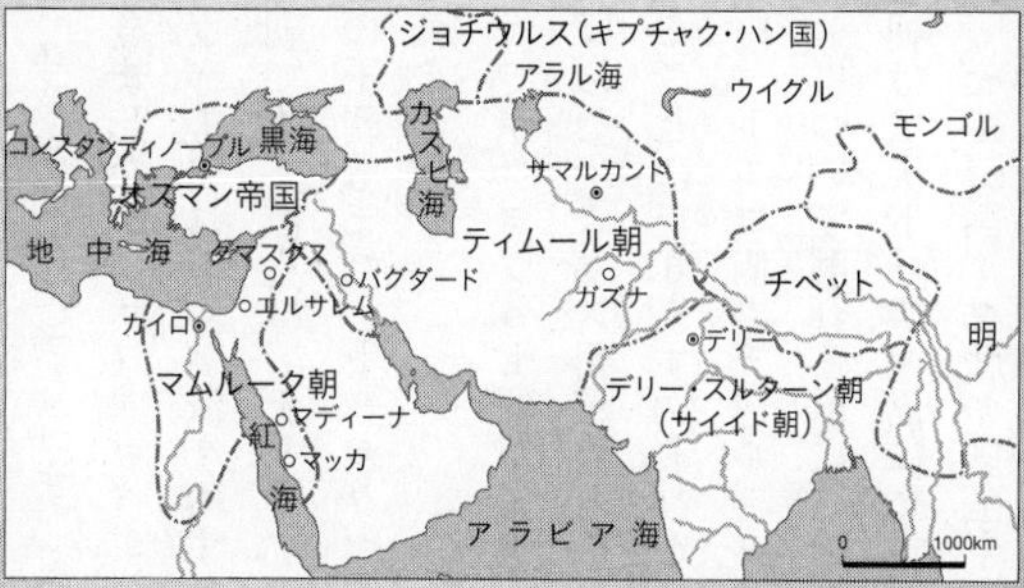


こうして、中央ユーラシアは、モンゴル一色となりました。中国からハンガリー大草原まで史上空前の大帝国が出来上がります。しかし、気候の寒冷化によって大帝国が瓦解《がかい》し、明《みん》に敗れて中国を失った後で、ティムールが登場します。ティムールは中国を除くモンゴル帝国の旧領をほぼ回復しました。しかし、ティムールはチンギス・カアンの血脈ではなかったので、カアンとは称しませんでした。

ティムール朝は三代君主シャー・ルフの死後内紛が激しくなりました。そこにつけ込んで、支配下にあった黒羊朝《こくようちょう》（カラ・コユンル朝）というトゥルクマーン（オグズ）の一族が、現在のイラン西部・イラク・東部アナトリアに国を樹《た》てました。

しかし黒羊朝の時代は、ほんのわずかで、同じトゥルクマーン（オグズ）の白羊朝《はくようちょう》（アク・コユンル朝）に倒されました。白羊朝は東部アナトリアからイラン高原一帯を支配下に置きましたが、サファヴィー朝に滅ぼされました。

サファヴィー朝はシーア派を奉ずるイスラーム教団、キジルバーシュ（赤い頭）を母体とする王朝です。彼らはアナトリア東部出身のトゥルクマーンで、赤い帽子を被っていました。この王朝もまた、トゥルクマーンの武力とペルシャ人官僚がつくった、強力な騎馬軍団の国家です。

ペルシャでサファヴィー朝が大きくなっていく頃、西隣のアナトリア半島では東ローマ帝国を滅ぼしたオスマン朝が勢力をふるっていました。この両者は、バグダードをめぐって衝突することになります。それが１５１４年でした。場所は、現在のトルコとイランの国境に近い、トルコ側のチャルディラーンでした。

この戦いについて触れる前に、オスマン朝について、お話ししたいと思います。

この王朝はアナトリア半島に13世紀末に生まれた政権ですが、その頃のアナトリア半島はルーム・セルジューク朝の支配下にあったので、勢力を伸ばすことができません。それでオスマン朝は、コンスタンティノープルを迂回して黒海に出て、バルカン半島に新天地

トゥルクマーンの移動と王朝の変遷
(10世紀〜16世紀)

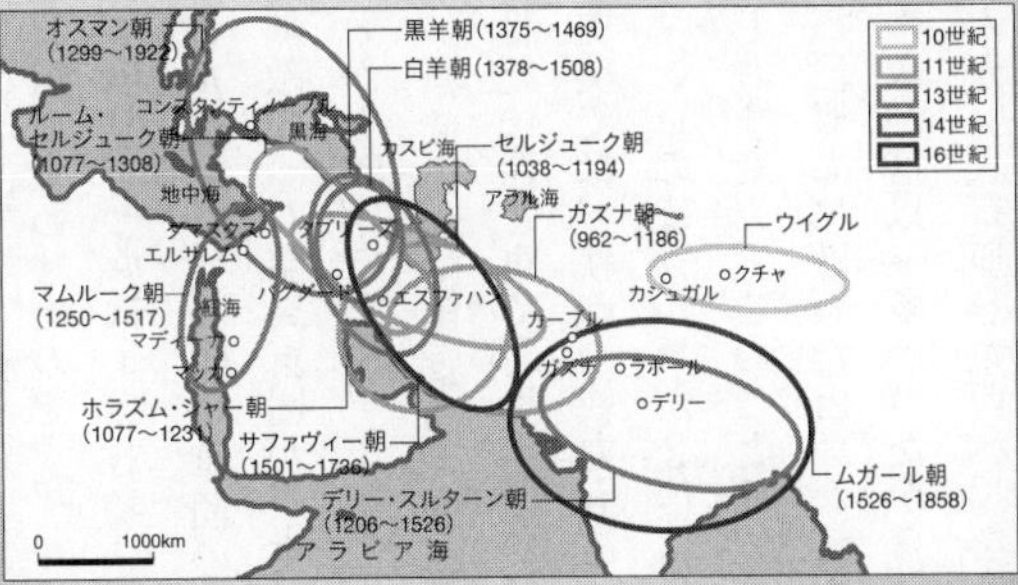


を求めます。いまのブルガリアのあたりです。ところが、バルカン半島には大草原がありません。ここは遊牧民の土地ではなく、しかも住民はほとんどがキリスト教徒です。オスマン朝は、自分たちの力の根源であった騎馬軍団を持つことができません。そこでデヴシルメという制度を始めました。

デヴシルメは、マムルークと同じように、バルカン半島のキリスト教徒の子どもを強制徴用して、イスラーム教に改宗させたうえで、教育・訓練を施して、官吏《かんり》や軍人を養成するシステムでした。このデヴシルメで育った兵士たちを、イエニチェリといいました。

オスマン朝は、しかし、このイエニチェリの兵士たちを騎馬軍団に育てたのではありません。歩兵にしました。ちょうどその頃から、鉄砲が普及しはじめていたので、イエニチェリと鉄砲を組み合わせたのです。

1514年のチャルディラーンの戦いは、歩兵で鉄砲を持つイエニチェリと赤い帽子を被ったトゥルクマーンの騎馬軍団の激突となったのです。そしてオスマンが大勝します。それまで無敵だった騎馬軍団が、歩兵（＋鉄砲）に敗北したのです。

この戦いから60年ほど後、1575年に、織田信長と徳川家康の連合軍が、当時無敵といわれていた武田《たけだ》の騎馬軍団を鉄砲隊によって撃破しました。長篠《ながしの》の戦いです。奇《く》しくも、同じ世紀に西と東で騎馬軍団が初めて歩兵に敗れたのです。

しかし史実では、鉄砲の威力もあったけれど、勝敗を分けたのは、じつは兵力差であった。オスマン軍のほうが数が2倍ぐらい多かったので、鉄砲と馬の差ではないというのが真実かもしれません。このことは、長篠の戦いでも指摘されていて、武田の騎馬軍団は織田の鉄砲三段撃ちに敗れたといわれていますが、あの頃の技術では三段撃ちはできないので、兵士の数が倍以上多かったから信長が勝ったのだといわれたりしています。真実はわかりませんが。大草原を東西へ馬を走らせ、数々のドラマをつくってきたトゥルクマーンも、16世紀を限りにして、歴史の表舞台から退場していきます。

チャルディラーンの戦いに敗れたサファヴィー朝は、その後、ペルシャ中央部のエスファハンを都にして栄えました。エスファハンは、盛期には「世界の半分」と呼ばれたほどでした。このイスラーム少数派シーア派の王朝は、現代イランの原型となったといわれています。

オスマン朝が、1453年にコンスタンティノープルを攻略して、東ローマ帝国を滅ぼした事実はよく知られています。その後、ウィーンを二度にわたって包囲しましたが攻略は果たせず、オスマン朝は最終的には第一次世界大戦でドイツ・オーストリア側に立ち敗北して崩壊します。記憶すべきことは、オスマン朝が東ローマ帝国を滅ぼしたとき、イスラーム政権であるにもかかわらず、長い歴史を持ちローマ帝国の国教であった東方教会（ギリシャ教会）の伝統と文化を守ったことです。現代でも、東方教会の本部はイスタンブールにあります。また、オスマン朝のウィーン包囲がきっかけでオーストリアにコーヒーが入ってきて、ウィンナーコーヒーが生まれたのです。

それにしても、モンゴル高原からトゥルクマーンが中央アジアへ移動しはじめたのが、800年代。それから1500年頃まで、ユーラシアの中央部はエジプトからインドまでトゥルクマーンの一人舞台でした。主な王朝だけでも、セルジューク朝、ガズナ朝、エジプトのマムルーク朝、インドのデリー・スルターン朝。そして黒羊朝、白羊朝、オスマン朝、サファヴィー朝。またジョチウルスのバトゥの主軸部隊はキプチャクのトゥルクマーン軍団でした。クビライもその親衛部隊はトゥルクマーンであったといわれています。

遊牧民の人たちは、文字の資料はあまり残していませんが、いまのトルコからは想像もできないような広い範囲で大活躍していたのです。カスピ海の東岸にトルクメニスタン共和国という国が残っています。トゥルクマーンが語源です。彼らはひとえに強かった。一陣の強風のような存在であったと思います。

## ヨーロッパという概念は遊牧民の進出が止まって誕生した

16世紀は、いろいろと画期的なことが起こった時代です。

オスマン朝が成立するまでのヨーロッパには、フン族から始まってアヴァール族、マジャール族(いまのハンガリーに入った民族)など、いろいろな遊牧民が東方からハンガリー大草原を経由して侵入してきました。ヨーロッパはほぼ負けっ放しの歴史です。辛うじて、シャルルマーニュやオットー大帝など幾人かの王様が彼らを追い返して、英雄になり

**イスタンブールにあるアヤソフィア寺院**
東ローマ帝国を滅ぼしたオスマン朝は、東ローマ帝国の国教であった東方教会の伝統と歴史を守った ©Alamy Stock Photo/amanaimages

ました。

ところがオスマン朝は、ウィーンを二度にわたって包囲したので、ヨーロッパ諸国も対抗策を考えました。たとえばポーランドとリトアニアが、同君連合で大きい国をつくりました。ロシアもオスマン朝対策で国境を固めました。その結果、ロシア、ポーランド、リトアニア、オスマン朝と、かなり大きな国がヨーロッパとアジアの間に縦に成立してしまい、しかもそれらの国々は鉄砲と歩兵で武装していますから、以前のように遊牧民が簡単にヨーロッパに入ってこられなくなりました。

「ここで初めてヨーロッパはまとまりを

持った。それまではずっと、いつ誰が入って来るかわからないという歴史だったのが、ようやく東のほうに厚い防波堤ができた。しかも鉄砲のおかげで馬を怖れなくなった。ここから初めて、ヨーロッパ固有の地域史が始まるのである」

このように考える学者もいます。

トゥルクマーンの活躍は、ヨーロッパが生まれる前の大活劇でした。そして、その掉尾《とうび》を飾ったのが、オスマン朝のウィーン包囲だったのです。

最後に、再度、マムルークについて。日本では、一般にこの言葉を奴隷と訳していますが、実態は、現地の優秀な子弟を養子にしたようなものです。それが商売になっていたのは事実ですが、単なる労働力確保のために行なわれた人身売買ではなかった。

奴隷というとアンクル・トムのようなイメージがあって、鞭《むち》で打たれてかわいそう……といった話になりますが、そうではなくて、優秀な子どもを自分の親衛隊にするために、むしろ英才教育をやっている。それがマムルークの実像です。オスマン朝のイエニチェリも同様でした。

彼らの養い親は、スルターンです。スルターンに大事にされているので忠誠心が強い。いつも鞭で打たれていたら、忠誠心は育たないでしょう。平たくいえば、次のような会話

〈第8章の関連年表〉
## トゥルクマーンの歴史(8世紀~16世紀)

| 西暦(年) | |
|---|---|
| 750 | アッバース朝成立（～1258） |
| 840 | キルギス、ウイグルを滅ぼす。テュルク族、西方へ移動 |
| 875 | サーマーン朝成立（～999） |
| 909 | ファーティマ朝成立（～1171） |
| 998 | ガズナ朝（962～1186）のマフムード即位、1000年、インドを席巻。仏教寺院を掠奪 |
| 1040 | セルジューク朝（1038～1194）のトゥグリル・ベグ、ガズナ朝を破る |
| 1055 | セルジュークのトゥグリル・ベグ、スルターンの称号獲得 |
| 1071 | セルジューク朝、東ローマ帝国を攻撃してエルサレムを制圧 |
| 1077 | ルーム・セルジューク朝成立（～1308）。ホラズム・シャー朝成立（～1231） |
| 1096 | 第一回十字軍。セルジューク朝の内紛で十字軍側が勝利 |
| 1171 | ザンギー朝（1127～1222）のサラディン、ファーティマ朝を倒し、アイユーブ朝成立（～1250） |
| 1186 | ゴール朝（1117頃～1215）、ガズナ朝を滅ぼす |
| 1194 | ホラズム・シャー朝、セルジューク朝を滅ぼす |
| 1206 | チンギス・カアン、モンゴルを統一。ゴール朝のアイバク、デリー・スルターン朝（～1526）を開く |
| 1231 | チンギス・カアン、ホラズム・シャー朝を滅ぼす |
| 1248 | 第六回十字軍。フランス王ルイ九世がエジプトに侵入。敗北 |
| 1258 | モンゴル帝国のフレグ、アッバース朝を滅ぼし、バグダードに入城。フレグ・ウルス建国（～1353） |
| 1261 | マムルーク朝（1250～1517）のバイバルス、アッバース朝の一族をカリフに就ける。キスワ寄贈のキャラバンを出す |
| 1271 | 大元ウルス建国（～1368） |
| 1299 | オスマン朝成立（～1922） |
| 1370 | ティムール朝成立（～1507） |
| 1375 | カラ・コユンル朝（黒羊朝）成立（～1469） |
| 1378 | アク・コユンル朝（白羊朝）成立（～1508） |
| 1453 | オスマン朝、コンスタンティノープルを占拠。東ローマ帝国、滅ぶ |
| 1501 | サファヴィー朝成立（～1736） |
| 1514 | サファヴィー朝とオスマン帝国がバグダードをめぐり衝突（チャルディラーンの戦い） |
| 1526 | ティムール朝のバーブル、デリー・スルターン朝（ローディー朝）を滅ぼす<br>ムガール朝成立（～1858） |

をマムルークとスルターンは交わしていたかもしれません。

「あのな、俺はおまえをちゃんと養って、学校もちゃんと卒業させてな、きれいな嫁さんまで世話したんだから、俺に忠誠を尽くさなあかんぞ」

「はい、もちろんですがな、お父さん」

第9章

# アメリカとフランスの特異性

## 人工国家と保守と革新

## ■初めに、日本人のアメリカ観について

世界には、200を超える国や地域がありますが、その中で一番特異で例外的な国は、アメリカとフランスだと思います。本章ではこのことについてお話しします。

アメリカは、世界で一番ユニークな人工国家であると同時に、地理的条件がこれほど恵まれた国もなく、歴史という縦の軸と地理という横の軸が、これほど効果的に影響し合った例は、世界史上でもまれであると思います。

それ故《ゆえ》、アメリカは普通の国ではなく、とても変わった国だというのがむしろ世界の常識ではないでしょうか。しかし戦後の日本人は、何となくこう考えてしまう。

「アメリカはすべての規範であり、アメリカこそが普通の国である」と。

アメリカの考え方には、たしかにグローバルスタンダード的な一面もあります。しかし、アメリカはとても変わっていて特異かつ例外的だということを、きちんと踏まえることがアメリカを理解するうえでは、必要だと思います。このことが本章で一番強調したいテーマです。

## ▶人間の当たり前の心情を断ち切って生まれた国がある

人間はワインと一緒で、気候の産物である。どの人も故郷をいいところだと思っている。そして、自分の祖先のことを立派な人であってほしいと願っている。ワインも人も生まれ育った地域（クリマ）の気候や歴史の産物なんだ。だから地理と歴史を勉強しなければいけない。

そう語ったのは、本書の冒頭でも紹介したキッシンジャーでしたが、国も人間がつくるものですから、人間と似ています。人間の能力はそんなに大したことはなくて、人間に似たもの以外はつくることができない。国についても人間は、まず立派な先祖がいた国であってほしいと考えます。

たとえばローマ帝国の祖先はトロイアの勇者アエネーイスです。はるかトロイアの時代まで遡《さかのぼ》って、自分たちの祖先はこんなに立派な人だったと謳《うた》いあげます。フランスに至っては、あとからフランシオンというトロイアで戦った勇士を捏造《ねつぞう》します。ローマがトロイアだったら、うちもトロイアだと。最近でも例があります。ソ連から独立した中央アジアのウズベキスタンでは、国をあげてティムールを顕彰しています。「ティムールという大英雄が、われわれの祖先にはいたんだぞ」……国とは、そういうことを誇り、拠《よ》り所とするものだという気がします。

しかし、そういった人間の当たり前の心情を断ち切った人工国家が、世界に二つあります。アメリカとフランス革命以降のフランスです。

アメリカの歴史は、1492年のコロンの西インド諸島到達から、1620年のピルグリム・ファーザーズ（メイフラワー号でアメリカに最初に移住した英国の清教徒の一団）にポンと話が飛んでしまう感じがあります。しかし、その間に約130年の時間が流れています。この間にどんなことがあったのか、見ておきたいと思います。

コロンが新大陸に到達して、何が一番、新大陸の人々に影響を与えたのか、という話があります。

それはコロンが、サンサルバドル島に上陸して、「インドを発見したぞ」と旗を立てている瞬間ではなく、メンバーの誰かが、コホンと咳《せき》をした瞬間であった。

その瞬間に旧世界の病原菌が飛び散った。旧世界の人々にとっては、すでに免疫ができていて危険のない病原菌だったのですが、新世界の人々に免疫はありません。抵抗力がないものですから、あっという間にいろいろな病気に感染し、バタバタと死んでいくことになりました。

この旧世界の病原菌の猛威はすさまじく、メキシコだけでも約2500万人と推定される先住民が、ほぼ絶滅したと伝えられています。天然痘《てんねんとう》が中心であったともいわれています。もちろん、征服者であるスペイン人の酷使もあったのでしょう。

新大陸には文字がなかった。だからどのような人がアメリカに住んでいたのか、どのような英雄がいたかも、わかりません。植民地を経営しようとしても、労働力になる先住民がいなくなってしまったので、アフリカから頑丈な黒人を連れてきたのです。

アメリカ合衆国が1776年に、独立宣言を採択したとき、よるべとすべき祖先も物語もありません。もちろんピルグリム・ファーザーズが1620年に移住して来ましたが、それはあまりにも年代が近すぎます。アエネーイスやティムールに比べると、それほどの有難味がありません。建国伝説には、ちょっと不向きです。

ピルグリム・ファーザーズは、清教徒です。つまりカルヴァン派です。英国は清教徒にも寛大な国です。誰でもいいからロンドンに来てくれたら、ウェルカムだという考え方が英国にはあります。何か英国にとって利益になってくれればそれでいいよ、というウィンブルドン現象をよしとしている国ですが、そういう自由な国ですら嫌だといって新大陸にやって来たのが、ピルグリム・ファーザーズですから、いわば理想に対してかなり原理主義的な人々です。こういう原理主義的な人々が、アメリカの礎《いしずえ》を築いたこともあって、結局アメリカは、原理主義的な理想が明文化されて、英国にはない成文憲法を成り立ちとする契約国家になりました。

現在のアメリカを主導する人々は、俗にWASP《ワスプ》といわれています。ホワイトで、アングロ・サクソンで、プロテスタントの人々です。アメリカの大統領は聖書に手を置いて就任の宣誓をします。しかし聖書がアメリカのバックボーンになっているのではなく、アメリカのバックボーンになっているのは成文憲法です。だから、アメリカは世界でも珍しい人工国家であると思うのです。憲法、契約というか、人間の理性を国の根幹に置いている不思議な国家であるような気がします。

この国ができつつあったときに、トクヴィルというフランスの貴族がアメリカを訪れて、旧大陸（ヨーロッパ）とのあまりの違いに驚き、『アメリカのデモクラシー』という名著を残しました。一冊の本に書き残さざるを得なかったほど、旧大陸の教育を受けた貴族からしてみれば、アメリカという国は特異な国だったのです。その理由は、歴史や伝統などといった拠り所をどこにも見出すことができなかったので、最終的には人間の理性とか、国の憲法をベースに置いて考えるしか、この国の成り立ちを理解することはできなかった、そのことをトクヴィルは書いています。

## アメリカを応援して影響を受けたフランス

アメリカは英国と独立戦争を戦ったわけですが、敵の敵は味方ということで、フランスがアメリカを助けました。

フランスと英国は、ルイ十四世以来ナポレオンに至るまで、第二次百年戦争ともいわれる戦いを続けてきました。前述したように最初の百年戦争はイングランドが仕掛けました。フランスにある父祖の地を取り返そうとしたわけです。第二次百年戦争は、逆でフランスのルイ十四世が仕掛けました。

ルイ十四世の考え方はきわめてシンプルで、自然国境という主張です。ピレネー山脈が国境で、ライン川も国境である。その内側はすべてフランスであるという、大フランス主義です。けれども、ライン川の内側には、フランドル地方も一部含まれます。フランドルに大きな権益をもつ英国は、長らく羊毛を輸出して毛織物を買うという交易関係を続けてきましたから、ルイ十四世の主張を「ハイ、そうですか」と聞くわけにはいきません。ここから始まって、英国とフランスはヨーロッパや新大陸、インドを主な舞台として、連続的に戦いを続けました。そういう間柄にありましたから、フランスは当然アメリカの味方をします。ニューヨークに自由の女神像を贈ったのもフランスです。ついにはアメリカと同盟を結び、名門貴族のラファイエットなど多数の義勇兵を送り出しました。こうして多くのフランス人が、アメリカの独立戦争に参加しました。

すると、これは風邪を引くのと一緒で、アメリカの憲法の考え方や人権宣言などに、多くの義勇兵たちがかぶれます。アンシャン・レジーム（旧体制）といわれたフランスの体制とあまりにも違うアメリカ建国の考え方に、自分たちの現実を省《かえり》みて、もうちょっとなんとかしなければと考える人も出てきました。

たとえばフランスの貴族出身の軍人で政治家でもあったラファイエットはジョージ・ワシントンとも親交を結び、熱心にアメリカを支援しましたが、フランス革命の初期段階では革命派の中核を占める人物として活躍します。

フランス革命の前夜、１７００年代後半のフランスは、第二次百年戦争やアメリカ独立戦争で財政が悪化し、財政赤字が税収の9倍に達していました。当時のフランスは、第一身分（聖職者14万人）・第二身分（貴族40万人）・第三身分（平民2600万人）に分かれていましたが、特権階級（聖職者・貴族）は税が免除されていました。財政改革を断行するには、特権階級への課税が不可欠でした。財務長官となったテュルゴーやネッケルはさまざまな策を講じましたが、特権階級の厚い壁は打ち破れず、ついにルイ十六世は1789年、事態の打開を求めて全国三部会を開会しました。しかし特権階級は強く抵抗し、ついに業《ごう》を煮やした第三身分は、自分たちだけで国民議会を発足させます。そうすると、そこに、当時の啓蒙《けいもう》思想やアメリカの独立宣言に共鳴した特権階級の議員も加わりました。そして国民議会は憲法の制定と、三部会に代わる国民議会の承認を求め、ルイ十六世が裁可するまで解散しないことを宣言し、全員でそれを誓いました。この誓いはヴェルサイユ宮殿の室内球戯場でなされたため、後に「テニスコートの誓い」と呼ばれるようになりました。

ルイ十六世は、この国民議会の要求に対して、軍隊をテニスコートに出動させると同時に、国民に人気のあったネッケルを罷免《ひめん》しました。怒ったパリ市民は、7月14日、バスティーユ監獄を襲って政治犯を釈放しました。ついにフランス革命が始まったのです。

当時、革命派のリーダーはミラボーやラファイエットなどの立憲君主主義者でした。特にアメリカ独立戦争における活躍により、新世界の英雄と称《たた》えられたラファイエットは大きな影響力を発揮しました。彼は、三色旗を制定しました。青と赤はパリ市の色、白は王家の色であるといわれています。それは彼の立憲君主主義の表現であったかもしれません。ただ、この三色旗は、フランス革命の精神である「自由・平等・友愛」と一つになって、革命の大きなシンボルになっていきます。

しかし、フランス革命はしだいに過激に純化していきます。革命当初の精神を愛する人々は、反動派にならざるを得なくなりました。過激になった人々はルイ十六世を処刑し、さらにマリー・アントワネットまで処刑します。また、この頃は、宗教が諸悪の根源だということで、ノートルダム寺院で「理性の祭典」が行なわれたりしました。「十字架を拝むのではない、人間の理性を拝みましょう」というわけです。そして、最後にロベスピエールが過激なジャコバン派を率いて登場し、穏健派が追放・処刑されました。ロベスピエールは最高権力を握ると、政敵を次々と処刑して、恐怖政治を行ないました。さらに旧体制の影響力を払拭《ふっしょく》するために、革命暦を作成しました。革命暦は、1793年に実施され、ナポレオンが皇帝になった後1805年まで12年間、使われ続けました。この暦は徹底して合理精神で貫かれており、1日は10時間、1時間は100分、1分

**理性の祭典**
パリ、ノートルダム寺院で ブリュメール20日に行なわれた「Fête de la Raison　理性の祭典」。理性の象徴として女性を祭壇に座らせた

は100秒と定めています。また月の名称からもジュライ（シーザー）とか、オーガスト（アウグストゥス）とか、歴史色を全部取り去って、代わりに花月（フロレアール）、霧月（ブリュメール）、熱月（テルミドール）などと名付けました。これらの諸改革はこれまでの人間の生活習慣などをまったく無視したものでした。

これらの理念が先走った発想には、アメリカ革命の影響があったと思われます。フランスには素晴らしい歴史や伝統があるのに、過激に純化されてしまった。しかし過激すぎることは、人々の心性に反しますから、結局ロベスピエールたちはクーデターで殺されてしまいます。そして、行きすぎを元に戻さなければいけないという反動が生じ、それを最終的に収めたのがナポレオンでした。

フランスは国王を殺していますから、王国が大勢を占めていた全ヨーロッパが敵となりました。その状況下でナポレオンは、この国を取りまとめました。彼は軍事の天才でした。

彼は、革命によって解き放たれた民衆のエネルギーを外に向けるべきだと考えました。ブルジョア対平民などといった国内対立に浪費されていたエネルギーを、ヨーロッパ全部を敵に回してしまった祖国を守るために再結集させ、フランスの栄光という旗の下に、そのパワーを昇華させました。ジャンヌ・ダルクを再発見して自らに重ね合わせ、愛国心を鼓舞したのです。そのシンボルが「青・白・赤」の三色旗と「自由・平等・友愛」のスローガンでした。そしてフランスは、強国となり全ヨーロッパを席巻《せっけん》することになります。

フランス革命の行きすぎた平等性や人工国家性は人間の心性に合わないので、ナポレオンは皇帝になりました。彼が国王を名乗らなかったのは、ローマ帝国に憧れていたからであり、かつ旧体制のシンボルと訣別《けつべつ》したかったからでしょう。ナポレオンは外敵に向けて、「フランス人」という概念をつくり出した。要するに新しいフランスという国民国家(Nation State)を完成させたのです。その巨大なエネルギーをもって全ヨーロッパを制覇することになり、もしもロシアに行かなければ、ナポレオンの時代はさらに続いたかもしれません。

歴史の流れを見ていると、その時代の大きなエネルギーの流れと、ナポレオンのような突出した才能が出会ったときに、言い換えれば、世の中の大きな流れに傑出したリーダーがプラスされたときに、大変革が起こることがよくわかります。まさにナポレオンはその典型でした。

## ◆人工国家に対する反動として近代的保守主義が生まれた

国をつくるのに、よるべとする歴史のないアメリカは、憲法という理念を礎に建国しました。その影響がフランス革命に、行きすぎた平等性や人工国家性を持ち込むことになりました。

ところが、このフランス革命を苦々しく見ていた英国の学者がいました。エドマンド・バークです。バーク、そして『アメリカのデモクラシー』を著わしたフランスのトクヴィルは、近代的な「保守主義」という考え方の元祖ともいうべき人物です。

アメリカの建国やフランス革命を見ていて彼らが懸念したのは、人間の理性、すなわち人間の頭ってそんなに賢いものだろうかということです。人間の頭で考えて、「理性の祭典」が行なわれたりしたわけですが、その理性とはどれほどのものか、そんなに人間は賢い生き物なのだろうか……フランス革命やアメリカ建国の精神に対する反動として懐疑主義が生まれてきます。

これは人によって解釈が違いますが、バークやトクヴィルの保守主義とは何か。大前提になっているのは、次の認識だと思います。

「人間は賢くない。頭で考えることはそれほど役に立たない。何を信じるかといえば、ラン・アンド・テストでやってきた経験しかない。長い間、人々がまあこれでいいじゃないかと社会に習慣として定着してきたものしか、信ずることができない」

こういう経験主義を立脚点として、次のように考えます。

「そうであれば、これまでの慣習を少しずつ改良していけば世の中はよくなる。要するに、これまでやってきたことでうまくいっていることは変えてはいけない。まずいことが起こったら、そこだけを直せばいいだろう」

こういう考え方が、バークやトクヴィルの「保守」の真の意味だと思うのです。したがって、理性を信じ人間が頭で考えることが正しいと慢心した人工国家に対する反動として、近代的な保守主義が生まれたのではないか。

余談ですが、あるヨーロッパの友人と議論をしていて、次のようなことをいわれたことがあります。

「日本に保守主義は根付いていないと思う。日本で保守といわれている人たちは、ヨーロッパの基準ではクレイジー（過激派）に近いと思う。要するに、社会を少しずつよくしようという地についた考え方が見られない。イデオロギー優先になっている。むしろフランス革命の指導者に近いと思うよ」

真の保守主義には、イデオロギーがないのです。観念的な上部構造が持っている世界観と、保守主義は無縁です。人間がやってきたことで、みんなが良しとしていることを大事にして、まずいことが起こったら直していこう。それが保守の立場です。フランス革命やアメリカ革命はイデオロギー優先です。自由・平等・友愛とか憲法を旗印にしています。それは確かに頭で考えたら正しくて素晴らしい思想には違いありませんが、やはり人工国家的であって、それだけでは限界があるのではないでしょうか。

バークやトクヴィルが、提起したのは、人間の理性に対する一つの懐疑でした。僕はとても共感します。

## ■人工国家だから、思いがけないことが起きる

たとえばアメリカでは、銃を持つことが憲法で認められています。個人が銃を持つことは、アメリカ建国以来の理念であるといった議論が、大真面目で語られます。あるいは過去に禁酒法をつくったこともありました。確かに飲酒はよくないかもしれませんが、それを法律で決めるのは明らかにイデオロギー過剰です。アメリカという国家が人間の理性を、どう考えているかは、たとえば禁酒法に典型的に表われていると思います。

また、フランスでは、現在の政治体制を第五共和政と名付けています。これは考え方としては正しいと思います。憲法が変われば政体も変わるのですから。

しかし日本では、いまの政体をたとえば第二立憲政と呼ぶ人は誰もいません。フランス風にいえば明治憲法下の日本が第一立憲政で、日本国憲法下の日本は第二立憲政です。でも日本では、誰もそんなことはいわない。ただの日本でいいじゃないか、と考えます。それは伝統があるからです。

フランスにも伝統があるのに、第五共和政と普通に呼んでいるのは、人工国家の残滓《ざんし》があるからではないでしょうか。

フランスには伝統がありますから、それほどでもありませんが、伝統がないアメリカは世界のどこにもない人工国家です。このアメリカの特異性が、世界中で問題を引き起こしているのではないか、と思うことがあります。

たとえば人権にナーバスで、外交でも人権の問題を好んで取り上げます。それはそれでたいへんありがたいのです。世界で最強の軍事大国が人権なんかどうでもいいといったら大変です。アメリカが人権について発言することは問題ないのですが、人権というかなりデリケートで国によってさまざまなニュアンスを持つ問題を、外交も含めて公の場で平気で主張してしまうところに、アメリカという国の特異性があると思います。これは正義だという一般的理念のみで発言してしまうわけです。

アメリカとフランスがよく対立するのも、近親憎悪の一種かもしれませんね。どちらも理念を譲らない。だから、ド・ゴールとも対立しましたし、イラク戦争でも対立しました。

しかも、それらの対立は理念や理屈によるところが多かった。実利を重んじて行動を優先させることが、むしろ普通の外交です。アメリカとフランスの場合、なぜ理念が表に出るかといえば、国の成り立ちそのものが大きく影響しているように思います。

クリントン大統領のときに、たしかポーランド生まれの人が統合参謀本部議長に任命されたことがあります。アメリカ軍は大統領が最高司令官ですが、統合参謀本部議長は制服組のトップです。選ばれたポーランド生まれの統合参謀本部議長が、議会で演説しています。

「外国に生まれた人間が、よその国の統合参謀本部議長になれるような国は、アメリカしかありません」

確かにそのとおりであると思います。たとえば中国で生まれた人が日本の国籍を取ったとしても、統合幕僚長になることはちょっと考えられないでしょう。

そういう意味では、アメリカが人工国家であることが、アメリカンドリームという幻想の母体になっている気がします。アメリカに行けば、実力さえあれば、この人のように成り上がることができる。それは人工国家だからです。伝統があったら、なかなかそうはいかない。たとえば日本では、三代住んでいなければ江戸っ子とは呼ばない、とか。

アメリカンドリームの実現は、実際は、針の穴ほど小さいと思うのですが、どこの国に生まれてもアメリカの大学に行って勉強して、努力すれば成り上がれるという幻想を世界中に振りまいていることが、アメリカの強みです。人工国家であって伝統がない強みです。

アメリカンドリームに関連しますが、いまのアメリカの強みは、世界中から優秀な留学生を集める力にあると思います。現在100万人います。アメリカの大学は、授業料とかで年間500万円以上かかるといわれていますから、生活費を入れたら約1000万円かかります。100万人が1000万円を持って入国して来たら、それだけで、10兆円の有効需要が生まれます。これだけでGDPが約0・5%増えます。しかも、これらの留学生が母体となってたくさんのベンチャーが生まれるのです。大学は大成長産業なのです。

学生が集まる理由は、アメリカの大学に競争力があって、世界ランキングの常連なので、そこを出たら世界中で通用するという大学自体の強さにあります。

またアメリカではWASPが主流派といわれていても、そうでない人もたくさんいます。たとえばニューヨーク市で一番有名なお祭りは、セントパトリックス・デーというアイルランドのお祭りです。アイルランド系の人々が、グリーンの旗を持ってニューヨーク中を練り歩きます。

アメリカにはユダヤ人も多いですし、さまざまな人種や国籍の人が入り混じり、そういう面でも、人工国家であるという国家の成り立ちが、いまに至るアメリカの強さになっていると思います。

フランスにも同様の側面があって、いまのマクロン大統領は大臣を男女同数にすると公約し、そのとおり実行しています。前のオランド政権でも男女同数でした。本当に同数でなくとも、4対6でもいいように思いますが、必ず同数にするところが、いかにもフランスらしい。しかし一朝一夕にこういう考えが生まれたわけではなく、「理性の祭典」以来連綿と続いている、人間の理性とか理屈を重んじる風土が、フランスやアメリカにはあるのだろうという気がします。フランスには、もちろんフランスワインとかフランス語とか伝統的なものもありますが、やはり世界の中でこの二つの国の特異性には、際立つものがある。

前のオランド大統領の大臣の中には、韓国から養子でもらわれてきた女性も入っていましたね。これも日本では考えられない。アメリカでもかつてニューヨーク市議会の議長が、レズビアンを公言していました。いつも元気で明るくて、賢くて、それでレズビアンを公言している、いかにもニューヨークっ子らしい人でした。ここにも、人工国家ゆえの強さが出ていると思います。

## 特にアメリカの特異性について

### 1 大統領が尊敬される理由

アメリカでは一般論として、大統領が尊敬されます。元大統領でも、たいへん人気があります。伝統や象徴がないからあれだけ尊敬されるのだと思います。憲法や大統領が大事にされるのは、他に拠《よ》るべきものがないからではないでしょうか。

人間は、伝統や権威に弱い動物です。天皇陛下と皇后陛下のお姿を見るだけでもホッとするとか、それも一つの伝統で、日本人の一つの心の拠り所です。アメリカにはそういう存在がないので、大統領や憲法に対する忠誠心が生まれてくる。それが人工国家の特色です。中国だったら、「偉大な中華民族」というだけで、みんなが何となくまとまります。たとえ実体がなくても、そういえば4000年の歴史がある、俺たちは偉大な民族なんだと思うだけで、なんとなく盛り上がります。ウズベキスタンのように、新しくつくった国でも、ティムールを称賛することによって幻想的に共同体をまとめることができますが、アメリカにはそういう古くからの歴史的な英雄がいない。ワシントン、リンカーン、ルーズベルト、アメリカ人が誇りとすべき人物はいまでも大統領なのです。

どのような国でも、伝統を拠り所にして、それを持ち出します。ムッソリーニはローマ帝国、プーチンは偉大なロシアといった具合です。日本人でも、御先祖様の話をするのが好きな人が結構います。自分は何々の一族ですとか。自慢したいというより、人間は元来そういう動物だという気がします。やはり人間の究極の問いは、自分がどこから来たのか、どこへ行くのかということで、そこを遡《さかのぼ》っていくと、アメリカでは最後は憲法と大統領になるのでしょう。

### 2 やり直しの舞台を提供できる広大な大地があった

歴史上、ヴェネツィアのように都市国家規模での共和国は多数存在しましたが、ほとんどは姿を消し、いまも続いている共和国の中では、じつはアメリカが歴史上初の共和国です。憲法を礎にして、国民が首長を選んだ新しい形態の国家です。

ところでアメリカは地理的な条件にも恵まれていました。

独立当時のアメリカは、いまの東海岸のみです。中西部の、ルイジアナはフランス領、

西へ西へ。アメリカの領土拡大の変遷
（17世紀～19世紀）

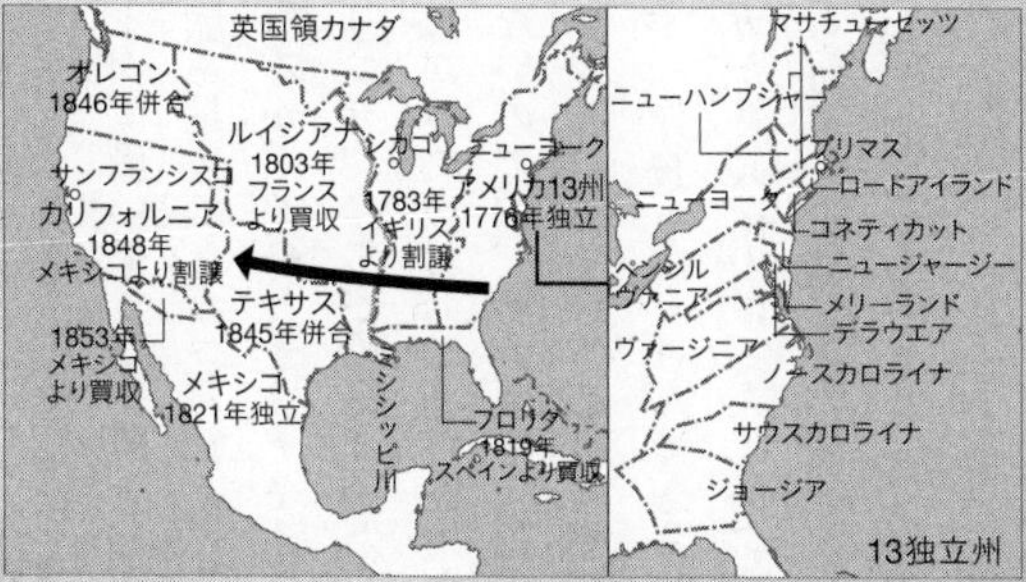


ニューメキシコあたりはスペイン領で、ロッキー山脈の向こうには何があるか、当時はまだよくわかっていなかった。東部の13州がアメリカという形で独立した固有の世界です。ここに、共和国ができたのですが、この人々は、平たくいってしまえば、メイフラワー号などでロンドンから逃げて来た人々です。アメリカで一からやり直そうという人々でした。

アメリカ大陸は西のほうに果てしもなく広がっていました。アメリカは独立すると、ルイジアナをフランスから購入しました。カナダとの領域を取り決め、メキシコとの戦争でニューメキシコやテキサスを獲得し、さらにはカリフォルニアを得て、最後にはアラスカをロシアから買うというかたちで、ずっと西へ西へと進んでいったのです。

歴史上アメリカのような幸運はないと思うのですが、ロンドンから逃げて来た人々が、ニューヨークで働いてまた失敗をした。シカゴという町が発展しはじめたと聞いて、アパラチア山脈を越えてシカゴに行く。ここでもう1回頑張ろう。しかし、シカゴで失敗したら、どうなるか。そのときはテキサスがあるさ。テキサスが駄目ならカリフォルニアがあるさ。カリフォルニアが駄目だったら、そのときはアラスカで金《きん》を探すさ……。

さすがにアラスカは、つらいかもしれませんが。しかし、このような国はおよそ世界のどこにもないのです。初めは東の13州だけだった国です。ここに人が集まって人口が増えはじめたところ、西へ西へと新天地が広がって、しかもその新天地はほとんど全部が豊かな地域です。作物もたくさんできるし、牛もたくさん飼える。

アメリカが特異なのは、人工的にできた国家であることに加えて、人々にやり直しの舞台を何回も何回も提供できた国であった、ということです。たとえば英国で食い潰して、インドに行ってまき直そうという例はありました。しかしアメリカの場合は、植民地ではなくて自分の国です。しかも地続きで、横に同じような気候風土が、ずーっと開けていた。そしてそれが全部肥沃《ひよく》な土地だったのです。

市民戦争時のアメリカ合衆国(1861〜1865年)

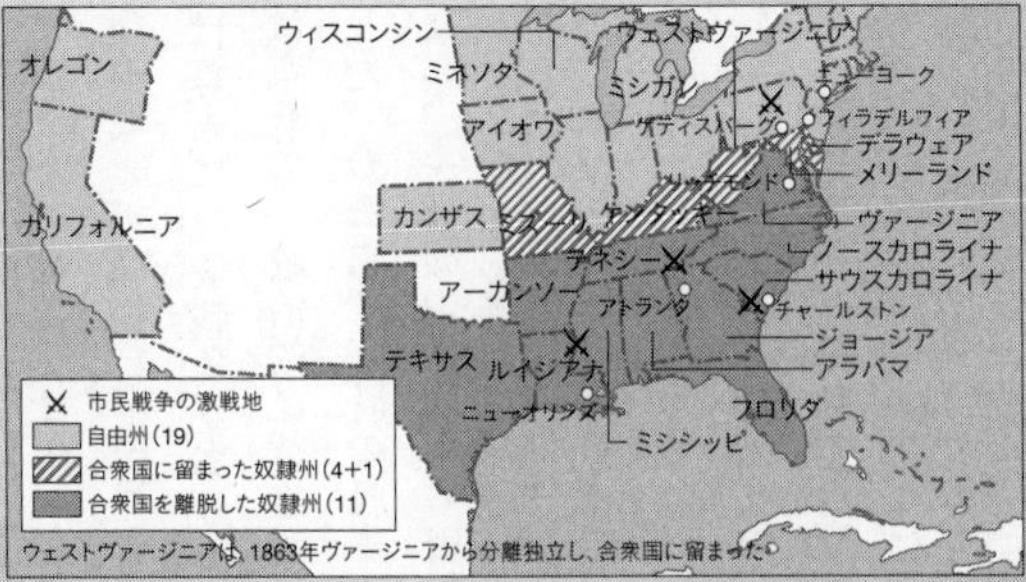


さらに病原菌によって、本来の先住民はほとんど死んでしまっていた。むしろ、黒人を連れてこなければ仕事すらできないような、人がいない豊かな地域が、西へ西へと広がっていたのです。

ロシアだって似ているじゃないか。東へ東へ、シベリアのほうに広がっているという人もいますが、条件がまったく違います。シベリアはものすごく寒い地域です。広大なシベリアに誰を送り込んだかといえば、囚人や犯罪人や捕虜でした。アメリカの場合は、西へ行くほど豊かになった、という感じです。まさに、「夢のカリフォルニア」でした。

## 3 西部の保安官から世界の保安官へ

アメリカについて考えるとき、もう一つの大きな要素は、市民（南北）戦争です。これは典型的な内戦、すなわち市民戦争であったと思います。

日本では幕末に戊辰《ぼしん》戦争がありましたが、あれは薩長土肥《さつちょうどひ》対江戸幕府の戦いではなくて、じつは東北の、政治的な行きがかり上、幕府側につかざるを得なかった人々と官軍との戦いでした。おそらく当時の日本人のほとんどを占めていた農民というか市民にはあまり関係がない、一部の侍《さむらい》同士の戦いでした。将軍慶喜《よしのぶ》は、すでに大政を奉還し、新政府は新首都東京に無血入城した後で起きた戦いです。薩長というか官軍が、圧倒的に強い中での戦いで、はっきりいってしまえば、国を二分した戦いではありませんでした。

しかしアメリカの市民戦争では、どちらの陣営も必死に戦っています。南軍はリー将軍を先頭として、ワシントン近くまで迫ったりなどしました。もちろん北軍のほうが人口やGDPは多いのですが、それでも両軍とも死闘を尽くしました。

今日のアメリカをかたちづくったものは、憲法に象徴される人工国家と土地の豊かさに加えて、市民戦争があると思います。市民戦争はリンカーンに代表される奴隷解放の戦いであったととらえがちですが、工業国であった北部と、大プランテーションであった南部の、まったく稼ぎ方の違う二つの国が一つの国になる過程だったような気がします。要するに、生まれかかっている工業を守るための保護貿易（北部）か自由貿易（南部）かを争う戦いだったのです。この戦争の死者や負傷者は両軍でたいへんな数に上り、その後遺症も長く残りました。たとえばケネディ大統領が暗殺されたのも南部ですし、マーチン・ルーサー・キング師も南部で殺されました。今日まで、市民戦争のひずみは、残っているように思います。

アメリカは憲法で人権宣言を謳《うた》い、人間はみな平等でいくらでもやり直しができる契約国家の理念を謳い上げたのですが、前述したようにその理念が実際に実現できる土地が次から次へと現われました。

しかし、西部の土地を開拓していく過程では、争いやトラブルが多発しました。それを自力で、具体的には武力で解決した、という側面が多分にありました。西へ西へと拡大していく過程で、憲法で認められた以上に、拳銃やライフルを撃って、自分たちの土地を守ったり家族を守った経験があった。その遺伝子が今日でも残っている。それ故《ゆえ》に、あれだけ銃の乱射事件が多発しても、「銃を持つのは個人の権利だ」という主張が罷《まか》り通ってしまうのだと思います。

これほど社会に銃が氾濫《はんらん》している先進国はありません。それを堂々と、これは市民の固有の権利であるといいきれるのは、西部開拓史で銃が実際に機能したからです。銃の出てこない西部劇はありません。あれは単なる娯楽ではなく、実際にあったこと、歴史なのですね。

『シェーン』でも『夕陽のガンマン』でもそうですが、やはり、アメリカにはどうしても許せない悪い奴は最後は暴力で片をつけるという文化が、残っているような気がします。その文化が、ベトナム戦争やイラク戦争に対する姿勢にも、出ているように思います。

契約国家や人工国家は、憲法、法律をベースにする国家です。このような国家では、どちらが正しいかという白黒を、つけざるを得ないのです。歴史のある国だったら、白黒もあるけれど灰色もあるね、という現実をみんなが知っています。

人間は、慣性の法則に従う側面があって、たとえば長い間続いてきたものをやめようとすると、なぜやめなければいけないのかと問われる。やめるべき証拠をきちんと挙げてくれと、挙証責任が転嫁される。これは、たいへんに面倒なことです。そうすると、長く続いてきたものは、白黒とか法律の話以前に、現状あるものは、まあいいじゃないかという発想になります。それは賢い、灰色の効用でもあります。

いまでも英国には、成文の憲法がありません。長い伝統と知恵があったからです。巧みに灰色の効用を駆使してきたと思います。しかしアメリカは、伝統も慣習も何もないところからスタートして国をつくらねばなりませんでした。世界のいたるところから、さまざまな過去をもつ人々がやって来てつくった国です。理性と理屈で、憲法をつくり契約をして建国した人工国家です。ここでは、灰色はなかなか通りません。

伝統的な社会では、ものごとを決めたり、考えたりするときに、灰色という決着のつけ方が一つの選択肢となります。しかし、新しくつくる法文が、「灰色です」と書かれていたら、おそらく国会は通らないでしょう。ですから、法律や制度をゼロから新しくつくる場合は必ず白黒になるのです。

もともと白か黒かの発想がある社会で、しかも、西部に出ていくことが正しい選択だった。だから同じように世界にも出ていくのは、アメリカ人の本性になっていると思います。けれども、それで行きすぎると、世界中から文句をいわれる。

「余計なことをしてもらって、かえって混乱したじゃないか。誰が責任取るんだ？」

といわれたりすると妙に落ち込んでしまって、引きこもる。それがモンロー主義です。

そして、その繰り返しです。

「そんなことというんだったら、もう知らないよ。閉じこもってやる」

しかし、モンロー主義は、要するに外に出ていったことへの反動なので、アメリカの本質は引きこもりではなくて、外に出ていくことだと思います。世界の警察官にアメリカがなっているのは、もともとアメリカ人は保安官がいる社会で生きてきましたから、別にそれほど違和感がないのだと思います。

以上の歴史をヨーロッパの人は、よくわかっている気がします。

アメリカは平たくいうと、おだてて頑張ってもらうのが一番である。あまり厳しくいうと閉じこもって引きこもってしまい、それだと世界のためにならないから、ある程度はおだてて、出しゃばらない程度に、保安官をやってもらおう。それが一番いいということを、ヨーロッパの人はよく認識しているように思います。ただ、トランプ大統領のような特異な性格の人が出てきたときには、さすがにヨーロッパの人も困っているようですね。

〈第9章の関連年表〉

## アメリカとフランスの歴史(15世紀〜19世紀)

| 西暦(年) | |
|---|---|
| 1492 | コロン、バハマ諸島のサンサルバドル島に上陸 |
| 1620 | ピルグリム・ファーザーズ(英国の清教徒)、プリマスに上陸 |
| 1688 | フランス・イングランドの第二次百年戦争始まる(〜1815) |
| 1775 | アメリカ独立戦争始まる(〜1783) |
| 1776 | アメリカ独立宣言を採択 |
| 1782 | アメリカ独立戦争で活躍したラファイエット、フランスに帰国。「新世界の英雄」として称えられる |
| 1789 | フランス革命(全国三部会を開会。テニスコートの誓い。バスティーユ襲撃。フランス人権宣言)が起こる |
| 1793 | ルイ十六世処刑。マリー・アントワネット処刑。革命暦始まる(〜1805)。この頃、ノートルダム寺院で「理性の祭典」が行なわれる。ロベスピエール、ジャコバン派を率いて恐怖政治を行なう(〜1794)<br>第一回対仏同盟結成 |
| 1794 | ロベスピエール処刑(テルミドール9日のクーデター) |
| 1796 | ナポレオン戦争(〜1815) |
| 1799 | ナポレオン、ブリュメール18日のクーデターで統領政府樹立 |
| 1803 | アメリカ、フランスよりルイジアナを購入 |
| 1804 | ナポレオン法典成立。ナポレオン皇帝即位。ローマ教皇ピウス七世、戴冠式に招かれる |
| 1806 | ライン同盟成立。神聖ローマ帝国消滅 |
| 1812 | ナポレオン、ロシア遠征 |
| 1814 | ナポレオン、退位 |
| 1819 | アメリカ、スペインよりフロリダ買収 |
| 1823 | モンロー教書発表(アメリカの外交原則、モンロー主義を宣言) |
| 1840 | フランス人、トクヴィル『アメリカのデモクラシー』刊行 |
| 1842 | アメリカ、カナダとの国境を取り決める(ウェブスター・アシュバートン条約) |
| 1845 | アメリカ、テキサスを併合 |
| 1846 | アメリカ・メキシコ戦争始まる(〜1848) |
| 1848 | アメリカ、メキシコよりカリフォルニア獲得。ゴールド・ラッシュ起こる |
| 1861 | リンカーン、アメリカ大統領に就任。市民戦争始まる(〜1865) |
| 1863 | アメリカ、奴隷解放を宣言 |
| 1867 | アメリカ、ロシアよりアラスカを買収 |

# 第10章

## アヘン戦争

### 東洋の没落と西洋の勃興の分水嶺《ぶんすいれい》

## ▶英国がインドに抱いた野望

西洋のGDPが初めて東洋を凌駕《りょうが》したのは、じつはアヘン戦争以後のことでした。アヘン戦争は数字で見れば、東洋の没落と西洋の勃興との分水嶺《ぶんすいれい》だったのです。

東洋と西洋のバランスが崩れていくもともとの原因は、大明《だいみん》暗黒政権、前述した朱元《しゅげん》璋《しょう》による明の鎖国にあったと思いますが、現実に勢力のバランスが逆転したのは、アヘン戦争でした。その歴史的な立役者は英国です。大国への道を駆け昇っていく英国の知恵と野望が、世界の大勢を揺るがし東西の勢力関係を組み替えました。さらにそのことが、ヨーロッパ中心の西洋史観を確立する契機にもなりました。本章では、その経過を検証し、歴史の本当の姿を見ていきたいと思います。話は、アジアにおけるネーデルランドと英国の香辛料争奪戦から始まります。

古来、西洋が東洋から欲しがったものは、お茶であり、絹であり、香辛料（スパイス）でした。この中でもっとも軽くて高価なのは香辛料です。

ヨーロッパは肉食中心の食生活の歴史を持っていましたので、肉の保存や味付けなどのために胡椒に代表される香辛料が不可欠でした。古代から香辛料は、アラビア商人やムスリム商人の手によって、インド洋からエジプトやシリアの海岸都市を経由して、ヨーロッパに運ばれていました。15世紀前半に鄭和《ていわ》の大艦隊が姿を消し、15世紀末にポルトガルのヴァスコ・ダ・ガマが喜望峰《きぼうほう》を回って、インド亜大陸の西海岸カリカットにやって来たことを契機として、ヨーロッパ諸国が東洋に来航するようになります。しかし、その後17世紀前半から、香辛料貿易を独占したのはネーデルランドでした。

当時、香辛料の主産地はインドや東インド諸島でした。ネーデルランドは、強力な海軍のバックアップもあって、スマトラ島やジャワ島など、現在のインドネシア共和国の領域をほぼ支配するようになっていました。

東インド諸島の中で、最大の香辛料の産地はモルッカ諸島です。ここではナツメグ、クローブなど需要の多い稀少な香辛料が産出されました。

英国も、東インド諸島に目を向けていました。しかし1623年、モルッカ諸島のアンボイナ島で、ネーデルランドと英国の商館が紛争を起こしてネーデルランドが圧勝し、英国の勢力を東インド諸島から一掃してしまう事件が起こり、英国は大きく後退しました。

その後、第7章でもお話ししたように1688年の名誉革命によって、ネーデルランドのウィリアム三世が英国王を兼ねることになって、モルッカ諸島を巡る争いは、一応沈静化しました。しかしその後もネーデルランドは東インド諸島を手離しませんでした。

強国である英国に、小国のネーデルランドが抵抗できた理由は、海軍力としたたかな政治力もあったでしょうが、東インド会社の力が大きかったと思います。それはネーデルランドが１６０２年に設立した、国家の特権を持った株式会社のような組織です。遠い祖国から離れていても円滑な行動ができるように外交権と軍事権を持ち、独自の判断で動ける、国家の代行機関でもありました。ジャワ島のバタヴィア城（ジャカルタ）を本拠としたこの東インド会社が、東インド諸島の香辛料栽培の全権を握り、権益の拡大と防衛にあたりました。

もっとも最初に東インド会社という組織をつくったのは英国です。１６００年にエリザベス一世の特許状を下付されて、主としてインドの権益の独占をはかるために設立されました。

英国は現実的な国なので、頑強に抵抗するネーデルランドとの香辛料を巡る争奪戦から、いったん手を引き、機会を待つことにしました。けれども、清《しん》から輸入するお茶や陶磁器などの支払いのために、銀が流出し続ける事態を放置するわけにはいきません。香辛料に代わる有力な交易商品を模索しながら、自分たちが強いベースキャンプをつくっていたインドの経営に重点を移しました。

インドは豊かな国でした。一つには、中国とヨーロッパ交易の中継地としての地の利がありましたが、加えて綿織物という強力な輸出品を持っていたのです。綿織物に対する根強い需要は、世界中にありました。

お金儲けをしようと思ったら、国際競争力のある商品を持っていることが、一番強い。モルッカ諸島には香辛料があり、中国には絹とお茶と陶磁器、インドには綿織物があったのです。

英国はインドの綿織物に着目しました。

「陶磁器は技術的にむずかしい。蚕《かいこ》やお茶の木は中国にしかない（その後、英国はお茶の木をこっそり密輸入してインドに運びますが）。東インド諸島の香辛料はあきらめた。けれども綿織物なら、何とかなりそうだ」

平たくいえば、英国はそう考えたのです。また英国には毛織物の伝統があったことも、この決断に影響を与えていたかもしれません。そこで英国は綿織物工業の振興に舵を切りました。この決断に、素晴らしい追い風が吹きました。産業革命と呼ばれる技術革新です。

織物は経糸《たて》と緯糸《よこ》を組み合わせてつくります。この緯糸を通す操作を簡単にする飛び梭《ひ》という道具が、英国のジョン・ケイによって発明されました。この技術革新によって、綿織物の作業は格段にスピードアップされました。それは１７３３年のことでした。織物の能率が上昇すると、綿糸の需要が高まります。糸がなければ布はできません。それに応えるように紡績機の改良が進み、大量の綿糸の供給が可能になりました。次に求められるのは、大量に綿布をつくってくれる機織《はたおり》機です。

その技術革新は、カートライトが１７８５年に実現しました。蒸気機関を活用した力織機《りきしよつき》を発明したのです。

こうして英国の綿織物工業は、手作業から機械工業に生まれ変わりました。大量生産が可能となり、価格面でインドに圧勝して、英国は綿織物輸出の最前線に躍り出ることになりました。必要な綿花は、インドとアメリカから輸入しました。

気の毒だったのはインドです。

すでに英国は、フランスとのインドにおける覇権争いに、１７５７年のプラッシーの戦いで決着をつけていました。この戦いは、ムガール朝のベンガル地方の太守《たいしゅ》が、フランスを後ろ盾にして英国の東インド会社を相手に起こした戦争ですが、東インド会社が勝利し、フランスは植民地政策の中心を、インドシナ半島に切り換えました。この争いを契機に、英国のインド支配はますます強化されました。そして英国はインドに、わかりやすくいえば、次のような要求を突きつけたのです。

「綿花を増産せよ。英国が買い上げる。綿織物はつくらなくていい。英国の綿織物を輸入せよ」

その結果、インドはもともと綿織物を輸出してお金を稼いでいたのに、今度は綿花を輸出して綿織物を買う羽目に陥りました。しかし原材料より加工品のほうが儲かるのは決まっているので、インドの富は英国へ流出していくことになりました。いわば、アメリカから自動車を輸入していた日本が、自分で自動車をつくりだして、アメリカの自動車産業を潰《つぶ》してしまったのと同じことが起きたのです。

それにしても、もし英国がモルッカ諸島を獲得して手っ取り早く儲かる香辛料を得ていたら、英国は綿織物をつくろうとしなかったかもしれません。また、もしもこのタイミングに合わせて産業革命が起きなかったら、これほどまでに事態は劇的に進行しなかったかもしれません。歴史にイフはないのですが、いくつかの偶然の要素が重なって、ここにインドの零落が始まったのです。

## ■英国はインドにアヘンをつくらせて中国に密輸した

フランス革命の後ナポレオンが登場すると、ヨーロッパでは、ナポレオン戦争が起こりました。その過程でネーデルランドは戦いに敗れ、主権を喪失して、ナポレオンの弟が国を治めるようになりました。英国は、その混乱に乗じて、再びモルッカ諸島へ触手を伸ばしました。しかし、それは最終的には果たせませんでした。その代わり、マレー半島のマラッカを入手しました。

マラッカの取得は大きな意味がありました。南シナ海とインド洋を結ぶ要衝、マラッカ海峡を押さえたからです。英国はペナン島やシンガポール島と併せて海峡植民地を設立して、中国との交易ルートを確保しました。英国は、中国から陶磁器やお茶を買うのに、たいへん都合がよくなりました。

産業革命が進んで、工場が急増していた英国では、紅茶の需要も急増していました。当時の製鉄工場や綿織物工場などの労働時間は、とてつもなく長いものでした。日本でいえば、明治時代の『女工哀史』の世界と同じです。そこで労働者を元気づけるものが必要となりました。

それが紅茶と砂糖でした。中国から運んできた紅茶と、アメリカから運んできた砂糖が、いわば栄養ドリンクのような役割を果たしたのです。お茶にはカフェインによる覚醒作用があり、砂糖はエネルギーとなって元気をつけてくれます。そういうわけで産業革命に伴って、紅茶の消費量は急上昇し、貿易赤字が大きくなりました。英国は中国に輸出する商品を持っていなかったからです。

一方で英国の植民地化が進んだインドは、綿花を輸出して綿織物を輸入する立場に追い込まれていましたが、さらに英国はインドの農民に、麦や米などの主食となる農作物ではなく売れればお金になる換金作物の増産を奨励しました。具体的には、綿花をはじめとして、コーヒー、ジュート、ゴム、アヘン、後には紅茶も加わります。このためにインドは、米や麦などの生産量が落ち込み、食糧が不足するようになっていきました。

これらの換金作物の中で、対中国貿易の目玉となったのはアヘンでした。しかし、麻薬であるアヘンの輸出は、英国が表立ってするわけにはいきません。それを中国に咎《とが》められて、紅茶を輸入できなくなると困るからです。英国はアヘンを第三者である貿易商人の手を通じて、中国へ密輸しました。アヘンの恐ろしさは、一度習慣になってしまうと止められないことで、中国の吸引者の数は増加する一方です。

事態を重く見た清は1796年に、アヘンの輸入禁止令を発出して以来、たびたび禁輸令を発しますが、賄賂《わいろ》に慣らされた役人も多く、徹底しないまま、輸入量は急増していきます。そしてアヘンの輸入量が増えはじめることに比例して、ついに中国から英国へ、銀の流出が始まりました。1827年頃のことです。

英国の対中貿易は、いままで銀を支払って、お茶と陶磁器と絹を買っていました。ところが、アヘンの需要が急増することによって、中国が銀を支払ってアヘンを買うようになったわけです。銀は国際通貨でしたから、中国の貿易黒字が赤字に転化しました。逆に赤字が黒字になった英国は、その銀をシンガポールの整備に投資します。ここを貿易の中継地点として強化して、インド洋からマラッカ、シンガポールという中国との交易ルートを完成させたのです。

アジアの豊かな大国であったインドを植民地として収奪し、その地で栽培したアヘンで中国との交易を有利に転化した英国は、この老大国に対して、本格的な支配を画策しはじめました。

## アヘン戦争の始まりと終わり

### 1 林則徐《りんそくじょ》の登場と退場

中国へのアヘン密輸が、禁輸令にもかかわらず、役人の腐敗によって徹底できないことを見抜いた英国東インド会社は、ますます大胆な密貿易を仕掛けます。この結果、中国の銀の流出は加速して、銀の価格が高騰しました。当時、中国は銀で納税していたので、増税と同じ効果を生み、庶民の生活は直撃され、一気に悪性のインフレーションが生じました。

ここに至って、清は、アヘンを何とかしなければと考えて、林則徐を広州に送ります。いうまでもなく広州は、当時の清が唯一西洋に対して開いていた港でした。

林則徐は、中国のエリート官僚のいわば最後の輝きです。彼は欽差大臣《きんさだいじん》として広州に向かいます。欽差大臣とは、江戸幕府でいえば大老《たいろう》のようなものでしょう。

これは有名な話ですが、林則徐は広州に行く前に、北京《ペキン》中の洋書を買い漁《あさ》りました。本人は外国語が読めないので、学者を同行させ、本の内容を口述で、伝えてもらいました。

英国はこのような国ですとか、ドイツやフランスと仲が良くないとか、世界の列強の様子を耳学問で学んだのです。

そして広州に乗り込んだ林則徐は、貿易船を精査したうえで大量のアヘンを没収しました。彼は、密貿易の手口も荷の隠し方も、すべて事前に勉強してきたのです。さらにアヘンについてもよく勉強してきたので、没収したアヘンをすべて焼き払ってしまいました。それは1839年のことでした。

林則徐は外交交渉にも長《た》けていますから、英国相手に一歩も引かず交渉を続けました。もともと違法でアヘンを持ち込んでいるのですから、筋論では林則徐に勝てません。てこずった英国は、本国から海軍を呼び寄せ、戦争を始めました。1840年のことでした。鎖国後400年の中国の海軍は貧弱そのものです。

それでも林則徐が守る広州は、大砲なども完備しており、攻めにくいこともあって、英国は北京の外港、天津《てんしん》を攻撃しました。直接に清の中央政府を脅かすことを狙ったのです。効果は覿面《てきめん》でした。北京の中央政府は、パニックに陥り、林則徐を罷免《ひめん》します。そして南京《ナンキン》条約という不平等条約を結び、1842年に英国と講和します。

この条約で清は英国に多額の賠償金を払い、香港《ホンコン》を割譲しました。いままで対外貿易港は広州一港だけに限定されていましたが、さらに上海《シャンハイ》や寧波《ニンポー》などの港を開くことも決まりました。不思議なことに、南京条約はアヘンについて何も触れていません。現状を黙認したので、あいかわらず、アヘンの流入は続きます。

アヘン戦争に敗北した中国を見て、列強は中国に殺到し、中国の切り取り合戦を始めました。フランスやドイツ、ロシア、さらに遅れて日本やアメリカも入ってきます。それから、英国によって、中国の特産品中の特産品、お茶の木が盗み出されます。中国は、お茶の種と苗木を最高機密として大切にしていましたが、お茶の苗木がインドに渡ってしまいました。現在、世界的に有名なインドのダージリンティーやスリランカの紅茶は、すべて中国から英国が持ち込んだものです。

**林則徐の像**
罷免された後の任務地、新疆ウルムチに立つ像

お茶が盗まれたことは、まさに中国弱体化の象徴そのものでした（英国が中国からお茶を盗み出す話は、サラ・ローズが『紅茶スパイ』〔築地誠子訳、

原書房〕に、興味深く描いています）。

## 2 林則徐と明治維新の意外な関係

罷免された林則徐の新しい任地は新疆《しんきょう》のウルムチでした。そこはモンゴル高原のはるか西の辺境の地。江戸幕府でいえば、大老が、突然、蝦夷《えぞ》地に飛ばされたようなものです。ここでも林則徐は、善政を行なったようです。ウルムチにはいまでも彼の銅像が残っています。

彼はウルムチに去るとき、魏源《ぎげん》という友人の学者に集めた洋書をすべて預けます。そして彼に大略次のように依頼したのです。

「私は外国語は読めない。けれどもこれらの文献に書かれている知識は、耳から聞いただけでもずいぶん役に立った。私はウルムチに行くので、次はロシアの勉強だ。お願いがある。これらの洋書を漢字に翻訳してくれないか。きっと後世、西洋に立ち向かう誰かの役に立つと思うのだ」

僕は、これこそ時空を超えた「公の精神」そのものだと思います。

魏源は、林則徐の心意気に打たれて、預けられた洋書を翻訳して『海国図志』という書

## 世界の主要国の実質GDPのシェア比較

| 年度＼国名 | 中国 | インド | 英国 | フランス | ドイツ | アメリカ | 日本 | 旧ソ連 |
|---|---|---|---|---|---|---|---|---|
| 1600 | 29.0 | 22.4 | 1.8 | 4.7 | 3.8 | 0.2 | 2.9 | 3.5 |
| 1700 | 22.3 | 24.4 | 2.9 | 5.3 | 3.7 | 0.1 | 4.1 | 4.4 |
| 1820（アヘン戦争以前） | 32.9 | 16.0 | 5.2 | 5.1 | 3.9 | 1.8 | 3.0 | 5.4 |
| 1870（アヘン戦争後） | 17.1 | 12.1 | 9.0 | 6.5 | 6.5 | 8.8 | 2.3 | 7.5 |
| 1913（第一次大戦直前） | 8.8 | 7.5 | 8.2 | 5.3 | 8.7 | 18.9 | 2.6 | 8.5 |
| 1950（第二次大戦後 冷戦体制完成） | 4.5 | 4.2 | 6.5 | 4.1 | 5.0 | 27.3 | 3.0 | 9.6 |
| 2001 | 12.3 | 5.4 | 3.2 | 3.4 | 4.1 | 21.4 | 7.1 | 3.6 |

（世界全体に占めるシェア、%）
（アンガス・マディソン著『経済統計で見る世界経済2000年史』政治経済研究所訳、柏書房、2000年より）

物を刊行します。

この本は、日本でもたいへん有名になりました。佐久間《さくま》象山《しょうざん》や吉田《よしだ》松陰《しょういん》など、明治維新の志士たちの経典になったからです。維新の志士たちは、この本で世界の現状や列強のアジア政策をも学んだのです。

明治維新は、ある意味では、林則徐のリベンジであった、という人もいます。

### たとえばアヘン戦争をGDPの変化で眺めてみる

アヘン戦争は、まさに東洋の没落と西洋の勃興の分水嶺でした。それをGDPの推移で示した表（上図）をご覧ください。世界のGDPシェアを古代から現代まで、通して比較してみるという、画期的な試みは、アンガス・マディソンという学者が考え出したものです。

歴史を学ぶとき、これまでは、ある事件が起きたとか、ある王朝が生まれたとかいった事実（エピソード）が軸になっていました。しかし、世界史を客観的な一つの数字であるGDPで比較してみるという方法は、すこぶる新鮮です。

ある勉強会で、ある人が、2011年のGDPと、2020年、2060年のGDP予測を書き出して、1820年のGDPと比較していました。すると中国が32、インドが16、日本が3という1820年の数字は、2060年とほぼ同じなのですね。その人は、長いトレンドで見たら、こんなことですよね、という話をしていましたが、そういう観点でみると、中国は勃興しているのでも台頭しているのでもなく、単に元に戻ろうとしているだけだという見方もまた可能です。

ともあれ、アヘン戦争が、いかに中国を壊滅的な状況に陥《おとしい》れたかが、如実に数字に表われています。32・9％あったシェアが17・1％まで急落したのですから。また、インドや中国のGDPが、それまではいかに桁《けた》外れに大きかったかということも、見えてきます。

そして、日本は、長い時間の中で見ればバブル崩壊直前にピークをつけたといえないでしょうか。

アンガス・マディソンはGDPに着目しましたが、歴史上の推定都市人口を調べている学者もいます。紀元100年のローマ、500年のコンスタンティノープル、800年のバグダード、長安《ちょうあん》など、歴史的な世界の大都市はだいたい経済活動のピークに人口が最大になっています。20世紀後半の代表的な大都市が、東京、ロンドン、ニューヨークといわれるのも故《ゆえ》あることです。

GDPや人口の背後にある歴史を動かす大きな要素は、気候の変動です。農業が主要産業であった時代は、極論すれば気候がすべてでした。民族の大移動をはじめとして、ほとんどの歴史的大事件は気候変動によって引き起こされています。

過去の歴史を、GDPと人口と気候変動という視点から見つめ直すことも、新しい発見や既存の歴史上の常識を覆《くつがえ》す、大きな力になるのではないでしょうか。

## アヘン戦争から、歴史は西洋史観中心になってしまった

### 1 愛国心という意識はどこから生まれてきたか

江戸時代の薩摩《さつま》の人は、島津《しまづ》の殿様が世界の中心で、はるか遠い江戸に徳川という殿様

もいるらしいと意識するのがせいぜいであったと思います。おそらく、日本国民だという意識はありませんでした。

国内のどこかで50人が事故で亡くなったら、間違いなく大新聞のトップ記事になります。しかしアメリカでハリケーンによって50人が死んでも、それほど大きな記事にはならない。感情の揺れがそもそも違います。でもよく考えてみれば、この二つの事件に遭遇した日本人もアメリカ人もまず私たちの知らない人ですから、人間が50人も亡くなって悲しいという意識は、等価であるはずです。それにもかかわらず、50人も同胞が亡くなって悲しいという気持ちが起こるのは、同じ国民だ、同胞だと、みんなが思い込んでいるからです。この意識が、国民国家（Nation State）という幻想です。これは国を運営していくうえで、大きなパワーとなります。

アメリカの政治学者ベネディクト・アンダーソンが『想像の共同体：ナショナリズムの起源と流行』（白石隆・白石さや訳、リブロポート）の中で書いていますが、メディアをうまく使うことによって、同じ国民であるという想像の共同体、縁もゆかりもない人々が同じ血族のように思ってしまう幻想が植え付けられます。そうすると愛国心が国レベルで強化され、統治がしやすくなります。

このNation Stateと呼ばれる新しい国のかたちは、フランス革命の中で生まれ、ナポレオンによってほぼ完成されました。前章でも触れましたが、フランス革命は、自由・平等・友愛のスローガンと青・白・赤の三色旗を掲げて、フランス人の連帯感をいやがうえにも高めました。そして、革命の正統性と連帯の必要性、王制の打倒を、アジビラや新聞などのメディアを駆使してセンセーショナルに訴えました。

アジビラや新聞を書いた人が煽《あお》った革命思想が大衆の心に届き、それが大きなエネルギーとなって革命を成功させたのです。

そしてナポレオンは、そのエネルギーを偉大なるフランスという民族意識、愛国心の方向に昇華させ（共同幻想が成立）、そのシンボルとして皇帝ナポレオンを位置づけたのです。

要するに、19世紀のヨーロッパは、産業革命という技術革新（生産性が急上昇）と、国民国家という想像の共同体の誕生が、偶然に重なったことによって、急速に力をつけました。

その中で断トツに伸びたのが、英国です。100メートル競走のウサイン・ボルトのように急速に加速して、他国をぶっちぎりました。英国がインドと中国という、当時の世界で一番豊かな二国を没落させたことが決定的でした。それを象徴するのが、アヘン戦争であったと思います。100メートル競走では、もう絶対にボルトには勝てないと思い込んでしまうような、西洋優位の局面を、アヘン戦争がつくってしまったのだと思います。

## 2 歴史は勝者が書き残す――19世紀に西洋史観が確立した

アヘン戦争が終わり、1858年にインドが大英帝国の植民地になって、中国が列強に切り取られはじめた19世紀に、西洋は何を考えたのでしょうか。もはや地球上に、俺たちに対抗する勢力はない。俺たちがナンバーワンであるということだったと思います。

そうするとヨーロッパの列強は、このようなことも考えはじめます。西洋が優れていて、東洋は遅れているという19世紀のいまここにある現実は、じつは歴史的にも証明できるのではないかと。ちょうどプロイセンを中心に、近代的な歴史学が生まれようとしていた時期に当たります。東方には、古くからペルシャの諸王朝や、唐《とう》や宋《そう》、イスラーム諸王朝、そしてモンゴル帝国などの強力な王朝や高い文明がありましたが、それらに対する評価よりもローマ教会中心の西方の文明を優位に置く方向で、歴史の流れを組み立てたいと思う。それは世界の勝者としては当然の欲求であったでしょう。

彼らにしてみれば、十字軍がエルサレム奪還を目指してパレスティナに遠征したとき、その文化や文明の高さに目が眩《くら》んだことなどは、あまり記憶に留《とど》めたくなかったことでしょう。人間はいつの世も見たいものしか見ない動物なのです。

こうして19世紀のヨーロッパの人々がつくりあげた西洋史観、「理想とする」世界史像が、われわれの世界史のベースになってしまいました。

たとえば大英帝国はカナダ、オーストラリアからインド、南アフリカまでを統治し、日が沈まぬ国といわれるほど大きな国になりましたが、これほど大きい国は歴史上にあっただろうかと自問します。そこにはローマ帝国がありました。そこでローマこそが文明の源であるというストーリーが出来上がります。だから、英国では、ローマ遺跡がことのほか大事にされているのです。

プロイセンも考えます。この国はヨーロッパ列強としては遅れて登場したのですが、ナポレオンによって革命思想（国民国家）を吹き込まれ、偉大なるドイツを求めてプロイセン王国の急速な伸長が始まります。彼らの祖先は、どこにいるのか。ローマ帝国に侵入してきた諸部族をゲルマン民族と命名し、そこに拠《よ》り所を求めました。加えて、その先祖を古代ギリシャをつくったアーリア人の一族と見なしました。そこで、大英帝国がローマでいくのだったら、うちはギリシャでいこうということになって、ギリシャこそが文明の源であると主張します。こうして、世界の歴史はギリシャ、ローマから始まって、19世紀のヨーロッパに直線的に受け継がれているという西洋史観の刷り込みが、ずっと行なわれるようになりました。じつは東方やエジプト起源のギリシャ、ローマの古典文明は再度イスラーム圏に受け継がれその後ヨーロッパに逆輸入されたという不都合な真実は、ともすれば無視されるようになったのです。

勝者が歴史をつくるという視点に立つと、次のようなことも考えられます。

GDPが大きくなれば、国家経営に余裕が生まれますから、無駄なこともできます。極言すれば、学問は直接には人間の生き死にと関係がありません。やはり「衣食足りて礼節を知る」なので、衣食が足りて初めて学問が進歩します。たとえば19世紀以降の中国は半植民地の状態になっていますから、学問どころではありません。大英帝国やドイツ、フランスなどは、飛ぶ鳥を落とす勢いで世界中を植民地化して裕福になっていきますから、学問も進歩します。

一般に、豊かで強固な政治権力は学問を大切にしがちです。アッバース朝や、クビライのモンゴルが好例です。中国やイスラーム王朝に多くの先例がありました。また、世界中の権力をわがものにした世界帝国は、アッカド帝国やアッシリア帝国以来、世界中の文化遺産や歴史的記念物を片っ端から収集したがる（要するに、過去をも支配したくなる）、という事例もたくさん見てきました。それは19世紀も同様でした。

たとえばルーブル美術館の展示物は、まずナポレオンが集めたものです。彼がエジプト遠征を行なったときに、ドノンという幕僚を連れていき、さんざん遺跡を探しまわって、持ち帰ってきたものがルーブル美術館の中心的展示物の一つになっています。また大英博物館の収集品の中心は、メソポタミアやギリシャから持ち帰ってきた文化遺産です。このような世界的な博物館に、過去の栄光が残っているわけです。

このような遺物収集も含めて、19世紀以降、歴史学は西洋で発達しました。そして西洋優位という力関係の中で、大英帝国やドイツやフランスで発達した歴史学を、われわれは世界史として学校で学んできたのです。その結果、世界史といえば誰もが条件反射的に、ギリシャ、ローマから始まる物語を連想するという刷り込みが行なわれ、現在に至っているのです。

しかしながら、21世紀の今日、中国をはじめとして世界の国々も豊かになって、いろいろと自分の国について勉強するようになりました。また、歴史という学問も、単なる人文科学の一分野にとどまらず、放射性元素の活用など自然科学をも含めた総合科学として考えられるようになってきています。新しい論文も次々と出てきています。世界史をとらえるまなざしが大きく動きはじめたように思われます。19世紀に完成した西洋史観をいったんご破算にして、もう一度虚心坦懐に世界の歴史を眺めてみたら、ギリシャ、ローマから始まる物語ではなく、違った姿の世界史が見えてくるのではないでしょうか。

〈第10章の関連年表〉
# アヘン戦争をとりまく歴史(14世紀〜19世紀)

| 西暦(年) | |
|---|---|
| 1371 | 朱元璋による明の鎖国(海禁)始まる |
| 1433 | 鄭和艦隊、派遣終了(最後となる7回目) |
| 1498 | ヴァスコ・ダ・ガマ、インドのカリカットに到着 |
| 1600 | 英国、東インド会社を設立 |
| 1602 | ネーデルランド、東インド会社を設立 |
| 1623 | ネーデルランドと英国の東インド会社がアンボイナで紛争を起こし、ネーデルランド圧勝、香辛料貿易を独占 |
| 1688 | 名誉革命が起こり、ネーデルランドのウィリアム三世が英国王を兼ねる |
| 1733 | 英国で産業革命が起こる。ジョン・ケイ、飛び梭を発明 |
| 1757 | 英国対フランス、プラッシーの戦い起こる。英国が勝ち、インドでの覇権を樹立 |
| 1785 | カートライト、蒸気機関を活用した力織機を発明 |
| 1796 | ナポレオン戦争始まる(〜1815)。ナポレオンの弟、ネーデルランド王に<br>清、アヘンの輸入禁止令を出す |
| 1798 | ナポレオンのエジプト遠征 |
| 1826 | 英国、マレー半島南部(マラッカ、ペナン、シンガポール)に海峡植民地を樹立 |
| 1827 | 中国から英国へ銀の流出が始まる |
| 1839 | 清、林則徐を広州に派遣 |
| 1840 | アヘン戦争が始まる。清、林則徐を罷免 |
| 1842 | アヘン戦争終結。南京条約を結び、英国と講和。香港を割譲。上海、寧波などを開港 |
| 1858 | インドが大英帝国の植民地に |

# 終章

# 世界史の視点から日本を眺めてみよう

## ▼国と国家について

「国破れて山河在《あ》り」。この言葉は、杜甫《とほ》の「春望《しゅんぼう》」という詩の第一行です。この一行を入谷仙介《いりたにせんすけ》という中国文学者は、「国家は破滅しても山川は残っている」と説明しています（『世界文学大系7B・唐宋詩集』筑摩書房）。

この詩は唐《とう》の玄宗《げんそう》の末期に起きた安禄山《あんろくざん》の乱で、下級役人の杜甫が長安《ちょうあん》で軟禁されていたときに詠《よ》んだものです。入谷仙介は、「国」を「国家」と訳しました。敗れたのは唐という国家、王朝であって、中国という国の山も川も残っているというニュアンスを込めたのだと思います。

「国」、それは一定の土地に住む人々の歴史や文化、人種や言葉、政治や産業などを包摂した共同体と考えていいと思います。英語ではNationとなります。また都会に出てきた人が田舎に帰るとき、「国に帰る」などといったりしますが、国という言葉には、近代の政治学的な意味はありません。

一方で、国家という概念は、16世紀に、マキアヴェッリが、イタリア語のStato（英語のState）を使用しはじめたことにおそらく起因しています。「国家」は、「一定の領土とその住民を治める排他的な統治権をもつ政治社会。近代以降では通常、領土・国民・主権がその概念の三要素とされる」（広辞苑 第七版）という定義が一般的です。

歴史を学ぶうえで大切なことは、こういった意味での「国家」は近代のヨーロッパで誕生し、ナポレオン以降に普遍化した支配機構を指す用語であるということです。

したがって、杜甫には「国家」という概念はまったくありませんでした。

冒頭から回りくどい話をしたのは、本章には国という言葉が、数多く登場するからです。しかし、国家という言葉は、ほとんど使用していません。それは、16世紀以前には国家という概念そのものが、なかったからです。

ちなみに、帝国という言葉は、一般には複数の言語を話す人々を統合した大国を指す概念で、皇帝がいるいないには関係がありません。たとえば英国はインドを統合して、大英帝国と呼ばれるようになったのです。

## ■国も人もピークがあり寿命がある

たとえば中国の東周《とうしゅう》のように、国が弱体化してからかえって長続きした国もあります。カルタゴのように地中海の覇権を巡ってローマと戦争を繰り返し、最後には敗れて国ごと破壊された例もあります。国とか都市や村落、職人組合や宗教集団など、共同体の態様はさまざまで、その寿命にもいろいろなパターンがありますが、おもしろいことにその最盛期、ピークの長さは国も人間もほぼ同じです。動物としての人間が一番頑張れる時期やフルに働ける期間は、個体差もありますが、だいたい20代から50代にかけての20、30年です。そして、国や共同体も、そのピークはやはり20、30年であると思います。たとえば、バビロンのハンムラビ王の時代も、20年余りしか続かなかったといわれています。

また、一つの国で同じ民族の血が流れていても、ある支配者が登場して自分の支配機構をつくり20、30年頑張って、次にその反動がきて、またしばらくすると傑物が出てきて20、30年のピークをつくるというのが、普通の人間の歴史であると思います。人間がつくるものは、本当に人間に似ている気がして、超長期間連続して栄え続けた国や共同体は、ほとんどないと思うのです。

あれだけの歴史が残っている中国でも、本当に豊かだった時代、盛世（平和で豊かで安定していた時代）は四つしかないといわれています。

西漢《せいかん》の文帝《ぶんてい》と景帝《けいてい》の時代が盛世の最初で「文景《ぶんけい》の治《ち》」と呼ばれ、続いて、唐の太宗李世民《たいそうりせいみん》による「貞観《じょうがん》の治《ち》」、同じく唐の玄宗《げんそう》の「開元《かいげん》の治」、それから清の康熙《こうき》帝と雍正《ようせい》帝（乾《けん》隆《りゅう》帝の前期を加える場合もあります）の時代、以上の四つです。

ローマ帝国では、アウグストゥスの時代や、ギボンが「人類のもっとも幸せな時代」と呼んだ五賢帝の時代（約100年）を、ローマの平和（パクス・ロマーナ）と呼んだりしていますが、それでも実際には紆余曲折《うよきょくせつ》があって、その長い期間、四海波《しかいなみ》静かな平和と繁栄が続いたわけではどうもなさそうです。世界の歴史を見ていくと、豊かで戦争もなく、経済が右肩上がりに成長していく本当に幸せな時代は、じつはほとんどないことがわかります。その意味で、戦後の日本はもっと高く評価されていいと思います。

人口が一貫して増え、高度成長が続き、戦争もなく、ほぼ10年ごとに所得が倍増するような豊かな時代は世界史の中でもほとんど例がありません。これほどいい時代がいつまでも続くと考えるほうがどうかしている。ですから、バブル崩壊後、現在の苦しさは、むしろ日本が普通の国に戻ったのだ、と考えるほうがいいと思います。

中高年の人は、21世紀の日本は不況で、ひどい時代だとか、失われた30年とかいったりしますが、それは戦後の夢のような時代を標準に考えているからです。むしろ、いまのような状況が、世界史から見たら自然な姿なのかもしれません。

## ■なぜ、戦後の高度成長は生まれたのか

1945年に遡《さかのぼ》って考えてみたいと思います。戦勝国アメリカのトルーマン大統領のアジア政策のパートナーは、おそらく中国の蔣介石《しょうかいせき》でした。第二次世界大戦後のアジアの秩序は、自分と蔣介石で話し合って決めていく、ワシントン・北京（南京）枢軸という考え方です。日本は、ただの敗戦国でしかなかった。敗戦国の統治は、マッカーサーに任せておけばいい。

ところが、東西の冷戦が始まって間もなく蔣介石は中国から台湾に追い出され、中国は共産党の毛沢東《もうたくとう》が支配することになりました。いわば、スターリンに中国を奪われてしまったのです。

アジアに残されたアメリカのパートナーは日本しかありませんでした。しかも改めて日本列島の位置を見れば、冷戦最前線のまさに不沈空母です。アメリカはころりと手の平を返しました。そして世界で一番豊かな花婿が、いままで見向きもしなかった東京に、北京じゃない、お前が花嫁なんだよといって、入れ込むようになるわけです。

その頃の日本は、マッカーサーが年長の戦犯を追放してしまった後で、会社の幹部も役

所の幹部も、30代、40代の働き盛りです。風通しがよくなった。さらに海外の領土をすべて失いましたから、たくさんの人が引き揚げてきました。加えて平和になったのでみんなが赤ちゃんを産みはじめて、人口が急増します。そしてデータを見れば、この人口ボーナスこそが高度成長を牽引したことがよくわかります。

世界で一番豊かな花婿がプロポーズしてくれた。リーダーは若い。人口は急増する。ドッジ・ライン（アメリカに指導された財政金融引き締め政策）で、財政金融政策に甘えることは許されず、民間が頑張るしかありません。為替も３６０円に固定されました。そこへもってきて、朝鮮戦争が勃発して、朝鮮戦争特需が生まれました。これは現在価値で30兆円ぐらいの有効需要が、突然生まれたことを意味します。何をつくっても売れる。このような好運はありません。しかもアメリカが世界の海を支配していたので、原油や鉄鉱石などの安定輸入にも支障がありません。加えて吉田茂《よしだしげる》という賢明なリーダーがいました。余計なことはしない。「経済だけや」と割り切って経営資源を集中投入しましたから、経済が急回復しました。

少し角が立つ表現になりますが、日本の幸運は毛沢東のおかげでもあります。もし蒋介石が中国に残っていて、共産党政権が成立していなかったら、アメリカは日本を歯牙《しが》にもかけなかった可能性があります。しかも毛沢東は長く生きたので、大躍進や文化大革命などを発動して、中国はなかなか立ち直ることができなかった。そのこともあって日本は、アジアにおける唯一の工業国として、繁栄を独占できたのです。

半藤一利《はんどうかずとし》さんが、どこかで「明治維新の成功は毛沢東が早く死んで、鄧小平《とうしょうへい》が早く権力を握ったことにある」と喝破なさっていました。毛沢東は西郷隆盛で、鄧小平は大久保《おおくぼ》利通《としみち》です。

西郷隆盛は詩人の魂を持った人です。毛沢東も詩人としては傑出しています。詩人は理想家肌で、経済に疎《うと》い人です。そういう幸運も、日本経済の高度成長を助けてくれました。

## ■週に一度でもいいから英字紙を読む

新聞を複数読めば、トップ記事がなぜ違うのだろうかと考える癖がつきます。そして、ものごとの見方には多様性があることがわかってきます。

さらに1週間に一度でもいいから英字紙を読む。タイトルだけでもいいのです。「エコノミスト」でも「フィナンシャルタイムズ」でも構いません。タイトルを見るだけでも、日本とはかなり事件の扱いが異なるので、価値観の違いを知ることができます。

たとえば日本銀行の前総裁の白川方明《しらかわまさあき》さんは、世界での高い評価に比べて、日本のメディアでの評価はそれほどでもないように見えたりします。日本の常識が、世界では逆であることも、しばしばあります。

2013年の春にアルジェリアで、ゲリラに襲われた日本人が死亡するという不幸な事件が起こりました。

日本の新聞には大略、次のように書いてありました。

「武装勢力が日本人を含めた外国人を、マリ共和国に連れて行こうとした。人質を人間の盾《たて》として、マリに侵入したフランス軍の撤退を要求するための交渉カードに使おうとした」

そうであれば、フランス軍がマリに入らなければ、日本人は死ななくても済んだという理屈になります。

ではなぜ、マリのような貧しい国に、フランスは躊躇《ちゅうちょ》なく、陸軍まで送り込んだのか。

また、EUはなぜすぐに賛同したのか。日本の新聞報道には、ほとんど何も書かれていません。

アルジェリアの南側にマリがあり、マリと隣接してその東側にやや小さな国ニジェールがあります。ニジェールは、ウランの産地です。フランスは原子力発電の国です。フランスの電力の3割ぐらいは、ニジェールのウランに依存しています。そしてEUは、フランスの電力に大きく依存しているのです。その電力源ともいえるニジェールの隣国に、過激派が侵入して勢力を伸ばすことなど、フランスが（そしてEUも）見過ごすはずがありません。それが真相ではないかと、僕は思いました。

というわけで、世界の国々や民族が有している地理的、歴史的な背景がわからなければ、一つの事件すらも理解できない、と僕自身は考えています。どのような出来事であれ、その中には歴史的な文脈がずっと流れているのです。

タリバンがアフガニスタンのバーミヤンの石仏を破壊した事件がありましたが、あれも歴史の重みを軽視したのではなく、逆に歴史の重さの一つのシンボルを破壊することによって、自分たちの権威を立てたいと考えたのだという解釈も成り立ちます。人間は誰でも、その地域の歴史に引きずられて生きているのです。

世界のこと、過去のこと、今日のことなど、いろいろなことを知れば、一つの地域や国の歴史に引っ張られずに、ものの見方や考え方が多面的になります。ふだんの生活の中でも、新聞を複数読むとか外国の新聞のタイトルだけでも読んでみようとするだけで、視点がいくつも発見でき、世界がより身近になり、かつ本当の姿が見えてくると思います。

## ■日本の社会常識を、世界史の視点で考え直してみる

「あれは、こういうことだよ」とか、「それは、こういう原因で起きたのだ」とか、広く一般に受け入れられている社会常識というものがあります。

しかし、日本の社会常識とは、そのほとんどが戦後の高度成長時代の成功体験をベースとして、日本の社会で広く共有されてきた主流的な考え方や意見が中心となっているのです。

アメリカに対する見方とか、中国に対する見方とかもそうです。

でも人類5000年の世界史の観点からみると、社会常識とは違った姿が見えてきます。歴史を知っていれば、アメリカや中国の行動や日本の置かれている状況について、視点が複眼的になって理解しやすくなってくる。そこに歴史のおもしろさがあると思います。そして失敗も少なくなるはずです。

たとえば、現在の日本のように周囲のすべての国と、領土紛争を抱えている国は、歴史

上ほとんど存在しません。ロシア、北朝鮮、韓国、中国、台湾、いずれの国とも領土紛争を抱えています。この状態は、郊外に一戸建を買ったときに、周囲の5軒と全部境界争いをしているのと同じ構図です。人間はこういう場合にどうするのかといえば、普通は5軒のうち1軒か2軒とは仲良くしようと考える。それが歴史的に見て人間が考えてきたことです。周囲5軒とトラブルを起こしていたら、土日を家で過ごすのも気が重いじゃないですか。

日本の場合は、たまたま大陸との間に海があるので、けっこう無頓着です。もう一つの理由として、アメリカという圧倒的に強力な覇権国家と同盟を結んでいるから何とかなるさ、という側面があるのかもしれません。けれども、世界史的に考えれば、こういう場面に自国が置かれたら、1国か2国くらいは少し胡麻《ご ま》を擂《す》ってでも味方にしようと考えるのが一般的です。周囲のすべての国と喧嘩状態のままでいる、という事例は、歴史上ほとんど見当たらないのです。

そして日本の場合、そういう状態に自分の国が置かれている、と顧《かえり》みることもあまりない。それも特殊であると思います。

2～3年前の話ですが、夜の六本木でタクシーに乗りました。初老の運転手とお決まりの会話になりました。景気はどうです？　と聞いたら、問わず語りに話し始めました。

「いやあ、もう全然だめ。俺が運転手になった頃なんて、この六本木では、夜中の午前2時に、八王子《はちおうじ》だ、鎌倉《かまくら》だってわけで、そりゃもう水揚げもハンパじゃなかった。お客さんもたくさんいて、みんな奪い合いでしたよ。あの頃に比べたら……」

というわけで、タクシーの運転手にとっても、バブル期がスタンダードになっているのです。

しかし、例外をスタンダードにしたら、世の中を見誤ると思います。バブル期の六本木のタクシーが3時間待ちだったのは、異常な時代だったと考えるほうが、やはり普通だと思います。

日本の戦後は特殊な世界であったと、僕は思っています。アメリカとソ連の対立軸に、蔣介石と毛沢東が絡み、世界の大きな歴史の流れの中で、幸運の女神が5回くらい連続してウインクしたのが、戦後の日本だったと思うのです。

高度成長期は、ガラパゴス的な、例外的な時代であったという認識を持つだけでも、歴史の見方がずいぶん変わってくるのではないでしょうか。

# おわりに

ある生命保険会社に勤務していたとき、子会社への出向を命じられました。もう二度と、生命保険の世界には戻れないと思い、遺書のつもりで『生命保険入門』(岩波書店)を書き、生命保険への思いを断ち切りました。けれども、別に自分が不運だとは思いませんでした。

小さいときから歴史の本を読むのが好きでした。歴史にはさまざまな人間が登場して、時代や自然災害や流行病《はやりやまい》などの大波にもまれ、社会のトラブルで傷つきながら、知恵をつけ、戦ったり愛しあったりしながら、今日まで歩き続けてきた姿が描かれています。

歴史を見ると、自分の好きな仕事をやって順調に出世するなんて奇跡に近いことです。

昇進人事で敗れたり、左遷されたりすることが、むしろ日常茶飯事《にちじょうさはんじ》です。しかもそれらは、多くの場合、自分の意欲や能力に関係なく、君主（上司）の巡り合わせや仕事上の思いがけないトラブルなどに起因します。人生は青写真どおりにはいかない、運や偶然に振り回されてむしろ当然なのです。

遺書を書き、生命保険の世界から離れた僕に、ライフネット生命を立ち上げる話が偶然に舞い込んできました。そして、還暦でライフネット生命を立ち上げて上場し、社長・会長を10年務めて古希を迎えたと思ったら、今度はAPU（立命館アジア太平洋大学）の学長に推挙されました。人生には、何が起こるかわかりません。人間万事塞翁《じんかんばんじさいおう》が馬《うま》、楽あれば苦ありです。

ですから、とりわけ未来ある若い皆さんには、人生の出来事に一喜一憂するのではなく、長いスパンで物事を考え、たくましく生き抜いてほしいと思います。そのためには、目前の現実にばかり心を奪われることなく、自分のアンテナを高く広く張りめぐらして勉強してほしい。そして、今日まで流れ続け、明日へと流れて行く大河のような人間の歴史と、そこに語られてきたさまざまな人々の物語や悲喜劇を知ってほしいと思います。それが人生を生き抜いていく大きな武器になると思うのです。

僕は、かつて、東京と京都と名古屋で若い皆さんが幹事をボランティアで担ってくださったおかげで、人間の5000年の営みを4～5年かけて共に学ぼうという勉強会を継続していました。今は、APUの市民講座で、ほぼ毎月5000年史を講義しています。

歴史を学ぶことが「仕事に効く」のは、仕事をしていくうえでの具体的なノウハウが得られる、といった意味ではありません。負《ま》け戦《いくさ》をニヤリと受け止められるような、骨太の知性を身につけてほしいという思いからでした。そのことはまた、多少の成功で舞い上がってしまうような幼さを捨ててほしいということでもありました。「自分が生まれる前のことについて無知でいることは、ずっと子どものままでいること」（キケロ）なのです。このささやかな一冊が、世界の見方を変える一助となれば、喜びこれに過ぎるものはありません。

冒頭に述べたように、この本は、僕が半世紀の間に、見たり聴いたり読んだりして、自分で咀嚼《そしゃく》して腹落ちしたことをいくつかとりまとめたものです。この本の準備のために改めて読んだ本は一冊もありません。ただ、これまで僕が読んできた歴史関係の主な書籍は巻末に載せました。

最後になりますが、この本が世に出たのは祥伝社の栗原和子さんと、コピーライターの小野田隆雄さんのおかげです。本当にありがとうございました。

２０２０年５月

ＡＰＵ学長　出口治明

# 出口さんの歴史への深い造詣

小野田隆雄《おのだたかお》

出口さんのお話を文章にさせていただくことは、今回が二度目です。前回のとき（『百年たっても後悔しない仕事のやり方』、ダイヤモンド社）、出口さんの歴史の見方と考え方に心が洗われるような驚きを感じました。私自身も含めて日本人が、いかに近代の西洋史観によって歴史の事実認識を曲げられているかを、教えられた思いが致しました。

いつか、出口さんが、その歴史への深い造詣と思索をお書きになることを、ひそかに願っていました。けれども、まさか、このような機会をいただけることになるとは、まさに望外のことで、身に余る幸運であると思いつつ、書き進めて参りました。

私の浅い歴史の知識と未熟な歴史観で、果たして的確に出口さんの思うところの真意を表現し得たのかどうか。その不安を抱えたまま、書き始め書き終えたような。少し、ごめんなさいの気分になっています。

最後に。この本が、読者の皆さんの歴史の見方、世界の見方を変えてくれることを祈っています。

# 参考文献


## 1 全集・シリーズなど

『イスラーム原典叢書』――岩波書店／全12巻
『岩波講座　世界歴史』(旧版)――岩波書店／全31巻
『岩波講座　世界歴史』(新版)――岩波書店／全29巻
『ケンブリッジ版世界各国史』――創土社／全12巻
『興亡の世界史』――講談社／全21巻
『週刊朝日百科　世界の歴史』――朝日新聞社／全131冊
『諸文明の起源』――京都大学学術出版会／全15巻
『書物誕生』――岩波書店／全30巻
『新版　世界各国史』――山川出版社／全28巻
『図説　世界の歴史』――創元社／全10巻
『世界史史科』――岩波書店／全12巻
『世界史リブレット』――山川出版社／(刊行中)
『世界の教科書シリーズ』――明石書店／(刊行中)
『世界の名著』――中央公論社／全81巻
『世界の歴史』(旧版)――中央公論社／全16巻＋別巻
『世界の歴史』(新版)――中央公論社／全30巻
『世界歴史大系』――山川出版社／(刊行中)
『中国の歴史』(新版)――講談社／全12巻
『物語　○○の歴史』シリーズ――中公新書／(刊行中)
『ヨーロッパの中世』――岩波書店／全8巻
『ヨーロッパ史入門』――岩波書店／全17冊
『historia』――山川出版社／全28巻
塩野七生――全著作
杉山正明――全著作
陳舜臣『中国の歴史』――平凡社／全15巻

## 2 総論

網野善彦『歴史を考えるヒント』――新潮選書
板谷敏彦『金融の世界史』――新潮選書
市井三郎『歴史の進歩とはなにか』――岩波新書
井筒俊彦『イスラーム文化』――岩波文庫
井波律子『中国人物伝』――岩波書店
井上たかひこ『水中考古学』――中公新書
入江昭『歴史を学ぶということ』――講談社現代新書
上田信『伝統中国』――講談社選書メチエ
梅原郁『皇帝政治と中国』――白帝社
大塚柳太郎『ヒトはこうして増えてきた』――新潮選書
岡崎正孝『カナート　イランの地下水路』――論創社
加藤九祚『中央アジア歴史群像』――岩波新書
北岡伸一、歩平編『「日中歴史共同研究」報告書』――勉誠出版
黒田明伸『貨幣システムの世界史』――岩波書店

近藤和彦編『ヨーロッパ史講義』――山川出版社
阪倉篤秀『長城の中国史』――講談社選書メチエ
佐藤健太郎『炭素文明論』――新潮選書
杉田英明『葡萄樹の見える回廊』――岩波書店
鈴木大拙『日本的霊性』――岩波文庫
田家康『気候で読み解く日本の歴史』――日本経済新聞出版社
内藤湖南『支那史学史』――東洋文庫
長澤和俊『海のシルクロード史』――中公新書
西尾哲夫『ヴェニスの商人の異人論』――みすず書房
藤井毅『歴史のなかのカースト』――岩波書店
三谷博『愛国・革命・民主』――筑摩選書
本村凌二『多神教と一神教』――岩波新書
ジャック・アタリ『ユダヤ人、世界と貨幣』――作品社
タミム・アンサーリー『イスラームから見た「世界史」』
――紀伊國屋書店
ロイド・E・イーストマン『中国の社会』――平凡社
H・G・ウェルズ『世界史概観』――岩波新書
I・ウォーラーステイン『近代世界システム』――名古屋大学出版会
ジョン・L・エスポジト『イスラームの歴史』――共同通信社
E・H・カー『歴史とは何か』――岩波新書
ジョン・キーン『デモクラシーの生と死』――みすず書房
マイケル・クック『世界文明一万年の歴史』――柏書房
グレゴリー・クラーク『10万年の世界経済史』――日経BP社
グレゴリー・クレイズ『ユートピアの歴史』――東洋書林
レイ・タン・コイ『東南アジア史』――文庫クセジュ
アラン・コルバン編『キリスト教の歴史』――藤原書店
イヴァン・コンボー『パリの歴史』――文庫クセジュ
ジェイン・ジェイコブズ『アメリカ大都市の死と生』――鹿島出版会
ジュリアン・ジェインズ『神々の沈黙』――紀伊國屋書店
シュヴェーグラー『西洋哲学史』――岩波文庫
ポール・ジョンソン『ユダヤ人の歴史』――徳間書店
P・D・スミス『都市の誕生』――河出書房新社
ジェイコブ・ソール『帳簿の世界史』――文藝春秋
ジャレド・ダイアモンド『銃・病原菌・鉄』――草思社
ダーウィン『種の起源』――岩波文庫
リチャード・ドーキンス『利己的な遺伝子』――紀伊國屋書店
ニーダム『中国の科学と文明』――思索社
ネルー『父が子に語る世界歴史』――みすず書房
ジョン・ハーヴェイ『黒の文化史』――東洋書林
エルヴィン・パノフスキー『イコノロジー研究』――ちくま学芸文庫
イブン＝ハルドゥーン『歴史序説』――岩波文庫
キティ・ファーガソン『ピュタゴラスの音楽』――白水社
クライブ・フィンレイソン『そして最後にヒトが残った』――白揚社
リチャード・フォーティ『〈生きた化石〉生命40億年史』――筑摩選書

クリスチャン・ベック『ヴェネツィア史』――文庫クセジュ
ヨハン・ベックマン『西洋事物起原』――岩波文庫
A・M・ホカート『王権』――岩波文庫
ウィリアム・H・マクニール『世界史』――中公文庫
ウィリアム・H・マクニール『戦争の世界史』――中公文庫
ニール・マクレガー『100のモノが語る世界の歴史』――筑摩選書
アンガス・マディソン『経済統計で見る世界経済2000年史』――柏書房
マンフォード『歴史の都市　明日の都市』――新潮社
ローター・ミュラー『メディアとしての紙の文化史』――東洋書林
マリア・ロサ・メノカル『寛容の文化』――名古屋大学出版会
イアン・モリス『人類5万年　文明の興亡』――筑摩書房
ヨアヒム・ラートカウ『木材と文明』――築地書館
マッシモ・リヴィーバッチ『人口の世界史』――東洋経済新報社
ジョン・ルカーチ『歴史学の将来』――みすず書房
『十八史略　新釈漢文大系』――明治書院
『詳説世界史研究』――山川出版社
『詳説世界史図録』――山川出版社
『世界史小辞典』――山川出版社
『世界史20講』――岩波書店
『世界史年表・地図』――吉川弘文館
『世界史年表』――岩波書店
『歴史の「常識」をよむ』――東京大学出版会


## 3 第一千年紀～第三千年紀（BC3000～BC1）


青柳正規『皇帝たちの都ローマ』――中公新書
浅野裕一『古代中国の文明観』――岩波新書
荒井献他『ナグ・ハマディ文書』――岩波書店
上田信『森と緑の中国史』――岩波書店
大貫隆『グノーシスの神話』――岩波書店
岡田明子、小林登志子『シュメル神話の世界』――中公新書
岡村秀典『夏王朝』――講談社
長田俊樹『インダス文明の謎』――京都大学学術出版会
愛宕元『中国の城郭都市』――中公新書
落合淳思『殷』――中公新書
落合淳思『漢字の成り立ち』――筑摩選書
落合淳思『甲骨文字に歴史をよむ』――ちくま新書
川又正智『ウマ駆ける古代アジア』――講談社選書メチエ
孔祥林『図説孔子』――国書刊行会
小林登志子『シュメル』――中公新書
小林登志子『文明の誕生』――中公新書
桜井万里子『ヘロドトスとトゥキュディデス』――山川出版社
蔀勇造『シェバの女王』――山川出版社

関野吉晴『グレートジャーニー』――角川文庫
鶴間和幸『人間・始皇帝』――岩波新書
月本昭男『古代メソポタミアの神話と儀礼』――岩波書店
長谷川修一『聖書考古学』――中公新書
秦剛平『空白のユダヤ史』――京都大学学術出版会
林巳奈夫『中国古代の神がみ』――吉川弘文館
平勢隆郎『よみがえる文字と呪術の帝国』――中公新書
前田耕作『宗祖ゾロアスター』――ちくま新書
満田剛『三国志』――白帝社
宮元啓一『わかる仏教史』――春秋社
山我哲雄『一神教の起源』――筑摩選書
湯浅邦弘『諸子百家』――中公新書
吉川幸次郎『漢の武帝』――岩波新書
アッリアノス『アレクサンドロス大王東征記』――岩波文庫
マリア＝ジュリア・アマダジ＝グッゾ『カルタゴの歴史』――文庫クセジュ
ベアトリス・アンドレ＝サルヴィニ『バビロン』――文庫クセジュ
マックス・ヴェーバー『古代ユダヤ教』――岩波文庫
ハンス・ゲオルク・ヴンダーリヒ『迷宮に死者は住む』――新潮社
モスタファ・エル＝アバディ『古代アレクサンドリア図書館』――中公新書
オウィディウス『変身物語』――岩波文庫
カエサル『ガリア戦記』――岩波文庫
カエサル『内乱記』――岩波書店
クセノポン『アナバシス』――岩波文庫
アレクサンドル・グランダッジ『ローマの起源』――文庫クセジュ
マティアス・ゲルツァー『ローマ政治家伝Ⅰ～Ⅲ』――名古屋大学出版会
司馬遷『史記列伝』――岩波文庫
ローズ・マリー・シェルドン『ローマとパルティア』――白水社
シュリーマン『古代への情熱』――岩波文庫
イアン・ショー『古代エジプト』――岩波書店
タキトゥス『ゲルマーニア』――岩波文庫
トゥキュディデス『歴史』――ちくま学芸文庫
マーティン・バナール『黒いアテナ』――藤原書店
ウィリアム・W・ハロー『起源』――青灯社
エミール・バンヴェニスト他『ゾロアスター教論考』――東洋文庫
レジス・ビュルネ『新約聖書入門』――文庫クセジュ
フェルドウスィー『王書』――岩波文庫
ジャン・ブラン『ストア哲学』――文庫クセジュ
ドミニク・ブリケル『エトルリア人』――文庫クセジュ
ジョン・プレヴァス『ハンニバル　アルプス越えの謎を解く』――白水社
プルターク『プルターク英雄伝』――岩波文庫
ヘシオドス『神統記』――岩波文庫
ホメロス『イリアス』『オデュッセイア』――岩波文庫
ディオゲネス・ラエルティオス『ギリシア哲学者列伝』――岩波文庫

リーウィウス『ローマ建国史』――岩波文庫
『韓非子』――岩波文庫
旧約聖書翻訳委員会『旧約聖書』――岩波書店
『ギルガメシュ叙事詩』――岩波書店
『古代オリエント事典』――岩波書店
『史記　新釈漢文大系』――明治書院
『春秋左氏伝』――岩波文庫
『荘子』――岩波文庫
『孫氏』――岩波文庫
『ニーベルンゲンの歌』――岩波文庫
『ブッダのことば』――岩波文庫
『マハーバーラタ』――ちくま学芸文庫
『孟子』――岩波文庫
『論語』――岩波文庫

## 4 第四千年紀（AD1～1000）

青山和夫『マヤ文明』――岩波新書
大山誠一『天孫降臨の夢』――NHKブックス
岡田温司『黙示録』――岩波新書
小川環樹『唐詩概説』――岩波文庫
小川英雄『ローマ帝国の神々』――中公新書
栗生沢猛夫『「ロシア原初年代記」を読む』――成文社
下定雅弘『白居易と柳宗元』――岩波現代全書
東野治之『遣唐使』――岩波新書
遠山美都男『白村江』――講談社現代新書
中村修也『天智朝と東アジア』――NHKブックス
中村愿『三國志逍遙』――山川出版社
原百代『武則天』――毎日新聞社
平岡聡『大乗経典の誕生』――筑摩選書
三田村泰助『宦官』――中公新書
南川高志『新・ローマ帝国衰亡史』――岩波新書
宮崎市定『科挙史』――東洋文庫
渡辺金一『中世ローマ帝国』――岩波新書
アウグスティヌス『告白』――岩波文庫
マルクス・アウレーリウス『自省録』――岩波文庫
イブン・アッティクタカー『アルファフリー』――東洋文庫
アルベルト・アンジェラ『古代ローマ帝国1万5000キロの旅』――河出書房新社
スーザン・ウィットフィールド『唐シルクロード十話』――白水社
ヤコブス・デ・ウォラギネ『黄金伝説』――人文書院
エウセビオス『コンスタンティヌスの生涯』――京都大学学術出版会
エウセビオス『教会史』――講談社学術文庫
円仁『入唐求法巡礼行記』――東洋文庫
カウティリヤ『実利論』――岩波文庫

エドワード・ギボン『ローマ帝国衰亡史』――ちくま学芸文庫
ロバート・クナップ『古代ローマの庶民たち』――白水社
ジリアン・クラーク『古代末期のローマ帝国』――白水社
ピエール・グリマル『アウグストゥスの世紀』――文庫クセジュ
シュヴァリエ／ポワニョ『ハドリアヌス帝』――文庫クセジュ
スエトニウス『ローマ皇帝伝』――岩波文庫
アエリウス・スパルティアヌス他『ローマ皇帝群像』――京都大学学術出版会
G・ダウニー『地中海都市の興亡』――新潮選書
オーギュスタン・ティエリ『メロヴィング王朝史話』――岩波文庫
アンリ・ピレンヌ『ヨーロッパ世界の誕生』――創文社
ベルナール・フリューザン『ビザンツ文明』――文庫クセジュ
ジュディス・ヘリン『ビザンツ』――白水社
ヴィンセント・F・ホッパー『中世における数のシンボリズム』彩流社
ピエール・マラヴァル『皇帝ユスティニアヌス』――文庫クセジュ
ルネ・ミュソ＝グラール『クローヴィス』――文庫クセジュ
I・モンタネッリ『ローマの歴史』――中公文庫
ジャック・ル＝ゴフ『ヨーロッパは中世に誕生したのか？』――藤原書店
ジャック・ル＝ゴフ『中世とは何か』――藤原書店
レジーヌ・ル・ジャン『メロヴィング朝』――文庫クセジュ
ポール・ルメルル『ビザンツ帝国史』――文庫クセジュ
ベルナール・レミィ『ディオクレティアヌスと四帝統治』―文庫クセジュ
班固『漢書』――ちくま学芸文庫
『後漢書』――岩波書店
『コーラン』――岩波文庫
『完訳　三国志』――岩波文庫
金富軾『三国史記』――東洋文庫
『貞観政要　新釈漢文大系』――明治書院
新約聖書翻訳委員会『新約聖書』――岩波書店
『正史　三国志』――ちくま学芸文庫
『トリスタン・イズー物語』――岩波文庫
『福音書共観表』――岩波書店
『ミリンダ王の問い』――東洋文庫
楊衒之『洛陽伽藍記』――東洋文庫


## 5 第五千年紀～現在（1001～現在）


阿部謹也『中世の風景』――中公新書
阿部謹也『中世の窓から』――朝日新聞社
阿部謹也『中世を旅する人びと』――平凡社
阿部謹也『ハーメルンの笛吹き男』――平凡社
阿部謹也『ヨーロッパを見る視角』――岩波書店
天児慧『中華人民共和国史』――岩波新書
荒松雄『多重都市デリー』――中公新書
石井美樹子『エリザベス』――中央公論新社

石井美樹子『王妃エレアノール』――平凡社
泉靖一『インカ帝国』――岩波新書
板谷敏彦『日露戦争、資金調達の戦い』――新潮選書
猪木武徳『戦後世界経済史』――中公新書
岡田温司『グランドツアー』――岩波新書
笠原十九司『海軍の日中戦争』――平凡社
川口琢司『ティムール帝国』――講談社選書メチエ
木畑洋一『二〇世紀の歴史』――岩波新書
合田昌史『マゼラン』――京都大学学術出版会
小坂井敏晶『民族という虚構』――東京大学出版会
佐藤賢一『英仏百年戦争』――集英社新書
佐藤賢一『カペー朝』『ヴァロア朝』――講談社現代新書
佐藤賢一『小説フランス革命』――集英社
佐藤次高『イスラームの「英雄」サラディン』――講談社学術文庫
佐藤次高『イスラームの国家と王権』――岩波書店
佐藤次高『砂糖のイスラーム生活史』――岩波書店
佐藤雅美『大君の通貨』――文春文庫
猿谷要『検証アメリカ500年の物語』――平凡社
柴田三千雄『フランス革命』――岩波現代文庫
白石隆『海の帝国』――中公新書
白石典之『チンギス・カン』――中公新書
白石典之編『チンギス・カンとその時代』――勉誠出版
杉山清彦『大清帝国の形成と八旗制』――名古屋大学出版会
高山博『中世シチリア王国』――講談社現代新書
高山博『中世シチリア王国の研究』――東京大学出版会
竹田いさみ『世界史をつくった海賊』――ちくま新書
田村うらら『トルコ絨毯が織りなす社会生活』――世界思想社
檀上寛『永楽帝』――講談社選書メチエ
永川玲二『アンダルシーア風土記』――岩波書店
中嶋浩郎、しのぶ『フィレンツェ歴史散歩』――白水社
中野美代子『乾隆帝』――文春新書
中野好夫『アラビアのロレンス』――岩波新書
奈良岡聰智『対華二十一ヵ条要求とは何だったのか』――名古屋大学出版会
橋口倫介『十字軍』――岩波新書
服部英雄『蒙古襲来』――山川出版社
羽田正『勲爵士シャルダンの生涯』――中央公論新社
半藤一利『昭和史』――平凡社
半藤一利『日露戦争史』――平凡社
広河隆一『パレスチナ』――岩波新書
藤田みどり『アフリカ「発見」』――岩波書店
保阪正康『昭和史のかたち』――岩波新書
本田創造『アメリカ黒人の歴史』――岩波新書
前川久美子『中世パリの装飾写本』――工作舎

『前嶋信次著作選』――東洋文庫
前田耕作『玄奘三蔵、シルクロードを行く』――岩波新書
宮紀子『モンゴル時代の出版文化』――名古屋大学出版会
宮紀子『モンゴル帝国が生んだ世界図』――日本経済新聞出版社
宮崎正勝『鄭和の南海大遠征』――中公新書
村上陽一郎『ペスト大流行』――岩波新書
本村凌二『多神教と一神教』――岩波新書
森島恒雄『魔女狩り』――岩波新書
森安孝夫『東西ウイグルと中央ユーラシア』――名古屋大学出版会
八木久美子『慈悲深き神の食卓』――東京外国語大学出版会
山内昌之『スルタンガリエフの夢』――東京大学出版会
山室信一『キメラ』――中公新書
和田春樹『日露戦争』――岩波書店
渡辺一夫『フランス・ルネサンスの人々』――岩波文庫
渡辺京二『逝きし世の面影』――平凡社
渡辺延志『虚妄の三国同盟』――岩波書店
渡邊啓貴『シャルル・ドゴール』――慶應義塾大学出版会
アーヴィング『アルハンブラ物語』――岩波文庫
ハロルド・アクトン『メディチ家の黄昏』――白水社
ジャック・アダ『経済のグローバル化とは何か』――ナカニシヤ出版
J・L・アブー＝ルゴド『ヨーロッパ覇権以前』――岩波書店
ベネディクト・アンダーソン『想像の共同体』――リブロポート
イェーリング『権利のための闘争』――岩波文庫
『イブン・ジュバイルの旅行記』――講談社学術文庫
リヒャルト・フォン・ヴァイツゼッカー『ドイツ統一への道』――岩波書店
ジョルジョ・ヴァザーリ『ルネサンス画人伝』――白水社
ジョルジョ・ヴァザーリ『ルネサンス彫刻家建築家列伝』――白水社
ジョフロワ・ド・ヴィルアルドゥワン『コンスタンチノープル征服記』――筑摩書房
マックス・ヴェーバー『プロテスタンティズムの倫理と資本主義の精神』――岩波文庫
エラスムス『痴愚神礼讃』――岩波文庫
イリス・オリーゴ『プラートの商人』――白水社
ジャン・オリユー『カトリーヌ・ド・メディシス』――河出書房新社
オールコック『大君の都』――岩波文庫
ガザーリー『誤りから救うもの』――ちくま学芸文庫
エルンスト・H・カントーロヴィチ『王の二つの身体』――平凡社
エルンスト・H・カントーロヴィチ『皇帝フリードリヒ二世』――中央公論新社
ポール・キンステッド『チーズと文明』――築地書館
ドリス・カーンズ・グッドウィン『フランクリン・ローズヴェルト』――中央公論新社
クラウゼヴィッツ『戦争論』――岩波文庫
ナイジェル・クリフ『ヴァスコ・ダ・ガマの「聖戦」』――白水社

トビー・グリーン『異端審問』――中央公論新社
マルティン・ゲック『ワーグナー』――岩波書店
ジョン・ケリー『黒死病』――中央公論新社
ルネ・ゲルダン『フランソワ一世』――国書刊行会
ケンペル『江戸参府旅行日記』――東洋文庫
フィリップ・ゴス『海賊の世界史』――リブロポート
コロンブス『全航海の報告』――岩波文庫
アンガス・コンスタム『図説スペイン無敵艦隊』――原書房
フィリップ・コンタミーヌ『百年戦争』――文庫クセジュ
サアディー『薔薇園』――東洋文庫
エドワード・W・サイード『オリエンタリズム』――平凡社
フランコ・サケッティ『ルネッサンス巷談集』――岩波文庫
ヴォー・グエン・ザップ『愛国とは何か』――京都大学学術出版会
アーネスト・サトウ『一外交官の見た明治維新』――岩波文庫
アラン・サン=ドニ『聖王ルイの世紀』――文庫クセジュ
シィエス『第三身分とは何か』――岩波文庫
『シェイクスピア全集』――白水Uブックス
シェンキェーヴィチ『クオ・ワディス』――岩波文庫
シーシキン他『ノモンハンの戦い』――岩波現代文庫
ウィリアム・L・シャイラー『第三帝国の興亡』――東京創元社
トニー・ジャット『ヨーロッパ戦後史』――みすず書房
J・シャルダン『ペルシア見聞記』――東洋文庫
朱熹『宋名臣言行録』――講談社
ゲオルク・シュタットミュラー『ハプスブルク帝国史』――刀水書房
グレゴーア・ショレゲン『ヴィリー・ブラントの生涯』――三元社
R・F・ジョンストン『紫禁城の黄昏』――岩波文庫
シルレル『三十年戦史』――岩波文庫
ジョナサン・スタインバーグ『ビスマルク』――白水社
ティモシー・スナイダー『ブラッドランド』――筑摩書房
セルバンテス『ドン・キホーテ』――岩波文庫
ホセ・ソリーリャ『ドン・ファン・テノーリオ』――岩波文庫
フィリップ・ソレルス『ルーヴルの騎手』――集英社
H・A・ターナー・ジュニア『独裁者は30日で生まれた』――白水社
バーバラ・W・タックマン『八月の砲声』――ちくま学芸文庫
バーバラ・W・タックマン『遠い鏡』――朝日出版社
レオ・ダムロッシュ『トクヴィルが見たアメリカ』――白水社
ジョン・ダワー『敗北を抱きしめて』――岩波書店
ダンテ『神曲』――岩波文庫
W・S・チャーチル『第二次世界大戦』――河出文庫
チョーサー『カンタベリー物語』――岩波文庫
陳高華『元の大都』――中公新書
A・J・P・テイラー『ハプスブルク帝国 1809-1918』――筑摩書房
トクヴィル『アメリカのデモクラシー』――岩波文庫
ドーソン『モンゴル帝国史』――東洋文庫

マイケル・ドブズ『ヤルタからヒロシマへ』――白水社
トルストイ『セヴストーポリ』――岩波文庫
アンリ・トロワイヤ『アレクサンドル一世』――中央公論社
アンリ・トロワイヤ『イヴァン雷帝』――中央公論社
アンリ・トロワイヤ『女帝エカテリーナ』――中央公論社
アンリ・トロワイヤ『大帝ピョートル』――中央公論社
ルイス・ネイミア『1848年革命』――平凡社
オマル・ハイヤーム『ルバイヤート』――岩波文庫
パオルッチほか『芸術の都　フィレンツェ大図鑑』――西村書店
エドマンド・バーク『フランス革命についての省察』――岩波文庫
ピーター・バーク『ルネサンス』――岩波書店
チャールズ・H・ハスキンズ『十二世紀ルネサンス』――みすず書房
イブン・バットゥータ『大旅行記』――東洋文庫
イザベラ・バード『中国奥地紀行』――東洋文庫
イザベラ・バード『日本奥地紀行』――東洋文庫
トーマス・デ・パドヴァ『ケプラーとガリレイ』――白水社
『ハーフィズ詩集』――東洋文庫
バーブル『バーブル・ナーマ』――東洋文庫
アラン・パーマー『オスマン帝国衰亡史』――中央公論社
ニナ・バーリー『ナポレオンのエジプト』――白揚社
ハリス『日本滞在記』――岩波文庫
ジョナサン・ハリス『ビザンツ帝国の最期』――白水社
アントニー・ビーヴァー『第二次世界大戦　1939-45』――白水社
ヒュースケン『ヒュースケン日本日記』――岩波文庫
オーランドー・ファイジズ『クリミア戦争』――白水社
ニコラス・ファレル『ムッソリーニ』――白水社
ブーヴェ『康熙帝伝』――東洋文庫
リュシアン・フェーヴル『ミシュレとルネサンス』――藤原書店
プーシキン『ボリス・ゴドゥノフ』――岩波文庫
アンネ・フランク『アンネの日記』――文春文庫
V・E・フランクル『夜と霧』――みすず書房
ブルクハルト『イタリア・ルネサンスの文化』――中央公論新社
アントニア・フレイザー『スコットランド女王メアリ』――中央公論社
ルイス・フロイス『フロイス日本史』――中公文庫
ジュール・ブロック『ジプシー』――文庫クセジュ
マルク・ブロック『王の奇跡』――刀水書房
トーマス・ペイン『コモン・センス』――岩波文庫
ピエロ・ベヴィラックワ『ヴェネツィアと水』――岩波書店
ジャン＝ジャック・ベッケール他『仏独共同通史　第一次世界大戦』――岩波書店
アンドルー・ペティグリー『印刷という革命』――白水社
『ペトラルカ＝ボッカッチョ往復書簡』――岩波文庫
レジーヌ・ペルヌー他『ジャンヌ・ダルク』――東京書籍
レジーヌ・ペルヌー『中世を生きぬく女たち』――白水社

レジーヌ・ペルヌー『テンプル騎士団』——文庫クセジュ
レジーヌ・ペルヌー他『フランス中世歴史散歩』——白水社
『ペルリ提督日本遠征記』——岩波文庫
ホイジンガ『中世の秋』——中公文庫
ボッカチオ『デカメロン』——岩波文庫
ホッブズ『リヴァイアサン』——岩波文庫
K・ポメランツ『大分岐』——名古屋大学出版会
マルコ・ポーロ『東方見聞録』——東洋文庫
アミン・マアルーフ『アラブが見た十字軍』——ちくま学芸文庫
アミン・マアルーフ『レオ・アフリカヌスの生涯』——リブロポート
マキァヴェッリ『君主論』——岩波文庫
マキァヴェッリ『フィレンツェ史』——岩波文庫
バーナード・マッギン『フィオーレのヨアキム』——平凡社
H・J・マッキンダー『マッキンダーの地政学』——原書房
ロバート・K・マッシー『エカチェリーナ大帝』——白水社
アルフレッド・T・マハン『マハン海上権力史論』——原書房
マルクス『ルイ・ボナパルトのブリュメール十八日』——岩波文庫
マルクス　エンゲルス『共産党宣言』——岩波文庫
ジョン・マン『チンギス・ハン』——東京書籍
マンゾーニ『いいなづけ』——河出書房新社
J・マンデヴィル『東方旅行記』——東洋文庫
ミシュレ『フランス革命史』——中公文庫
ミシュレ『魔女』——岩波文庫
J・S・ミル『自由論』——岩波文庫
スレイマン・ムーサ『アラブが見たアラビアのロレンス』——リブロポート
ギャヴィン・メンジーズ『1421』——ソニー・マガジンズ
トマス・モア『ユートピア』——岩波文庫
孟元老『東京夢華録』——東洋文庫
モーゲンソー『国際政治』——岩波文庫
E・S・モース『日本その日その日』——東洋文庫
フレデリック・モートン『ロスチャイルド王国』——新潮選書
ティルソ・デ・モリーナ『セビーリャの色事師と石の招客』——岩波文庫
L・H・モルガン『古代社会』——岩波文庫
モンテスキュー『法の精神』——岩波文庫
モンテーニュ『エセー』——岩波文庫
ジャン・ユレ『シチリアの歴史』——文庫クセジュ
コンドリーザ・ライス『ライス回顧録』——集英社
ラス・カサス『インディアス史』——岩波文庫
エリック・ラーソン『第三帝国の愛人』——岩波書店
S・ランシマン『十字軍の歴史』——河出書房新社
ヨルゲン・ランダース『2052』——日経BP社
ティエリー・ランツ『ナポレオン三世』——文庫クセジュ
ジョン・リード『世界をゆるがした十日間』——岩波文庫

ルイーズ・リヴァシーズ『中国が海を支配したとき』――新書館
リヒトホーフェン『リヒトホーフェン日本滞在記』―九州大学出版会
アシル・リュシェール『フランス中世の社会』――東京書籍
リンドレー『太平天国』――東洋文庫
ジャック・ル＝ゴフ『中世の身体』――藤原書店
ルソー『エミール』――岩波文庫
ルソー『社会契約論』――岩波文庫
ルソー『人間不平等起原論』――岩波文庫
マルティン・ルター『キリスト者の自由・聖書への序言』――岩波文庫
マルティン・ルター『現世の主権について』――岩波文庫
H・ルフェーヴル『パリ・コミューン』――岩波文庫
トビー・レスター『第四の大陸』――中央公論新社
マーカス・レディカー『海賊たちの黄金時代』――ミネルヴァ書房
ギヨーム＝トマ・レーナル『両インド史』――法政大学出版局
レーニン『帝国主義』――岩波文庫
トレヴァー・ロイル『薔薇戦争新史』――彩流社
ユージン・ローガン『アラブ500年史』――白水社
ジョン・ロック『統治二論』――岩波文庫
フランシス・ロビンソン『ムガル皇帝歴代誌』――創元社
ブルース・ローレンス『コーラン』――ポプラ社
スタンリー・ワイントラウブ『ヴィクトリア女王』――中央公論社
『アラビアン・ナイト』――東洋文庫
『現代の起点　第一次世界大戦』――岩波書店
『元朝秘史』――岩波文庫
『資料　フランス革命』――岩波書店
『東アジア近現代通史』――岩波現代全書

# 本書に登場する人名索引(50音順)
(歴史上の人物に限る)

【あ行】
アイバク……292, 296
アウグストゥス……99, 158, 217, 243, 275, 319, 371
アエネーイス……311, 313
赤髭王(→フリードリヒ一世)
足利将軍……165
安宿媛(→光明子)
アタナシウス……152
アッティラ……158
アッバース……259
アリウス……150
アリエノール(→エレアノール)
アリクブケ……258, 269
アリストテレス……156
アレキサンダー大王……135
アレクサンデル六世……178
アンジュー公シャルル……207, 208
アンブロシウス……154, 155
安禄山……368
イエス……92, 93, 101, 102, 104, 145, 148, 150, 152, 162, 169, 172, 181, 182, 183, 184
イサベル……249
井上内親王……23
インノケンティウス三世……172, 189, 204, 206
禹……57
ヴァスコ・ダ・ガマ……271, 272, 275, 343, 365
ヴァロア伯シャルル……223, 225
ウィリアム三世(オラニエ公ウイレム)……250, 252, 344, 365
ウィリアム征服王(ギョーム)……213, 214
ウルバヌス二世……174, 175
衛青……124
永楽帝(燕王)……61, 266, 267, 268, 269, 270, 275
エドマンド・バーク……321, 322, 323, 324
エドワード一世……222, 225, 231
エドワード三世……223, 225
エドワード二世……223, 225
エリザベス一世……249, 344
エレアノール(アリエノール)……215, 216, 217, 218
燕王(→永楽帝)
エンマ……213
王直……28, 29, 31
王莽……126, 139
オーギュスト(→フィリップ二世)
大久保利通……374
オスマン……189, 303
織田信長……104, 206, 211, 302
オットー一世(→オットー大帝)
オットー三世……165
オットー大帝(オットー一世)……64, 165, 167, 168, 169, 189, 191,

201, 202, 203, 205, 208, 211, 231, 304
オラニエ公ウイレム(→ウィリアム三世)

【か行】

カートライト……346, 365
カール大帝(→シャルルマーニュ)
カール・マルテル……163, 196, 198, 205
カール四世……210, 231, 254, 275
カエサル……138, 169, 195
霍去病……124
郭務悰……24
韓非子……114
桓武天皇……23
キケロ……382
ギボン……371
キュロス二世……90
尭……57
ギョーム(ノルマンディー公)(→ウィリアム征服王)
草壁皇子……20, 23
クヌート大王……202, 213, 214, 231
クビライ……60, 61, 182, 259, 260, 261, 262, 263, 264, 268, 269, 275, 304, 362
グレゴリウス一世……159, 161
グレゴリウス七世……173
クレメンス五世……177, 189
クローヴィス……158, 159, 163, 189, 196, 205
クロムウェル……252
景帝……370
ケネディ……335
元正天皇……19, 23
玄宗……368, 370
建文帝……266, 269, 275
元明天皇……19, 23
乾隆帝……370
項羽……124
康熙帝……370
皇極天皇(斉明天皇)……23
孝謙天皇……19, 23, 134
孔子……59, 113, 115, 117, 119, 139
高宗……26
孝徳天皇……23
光仁天皇……23
洪武帝(→朱元璋)
孝文帝……27, 131
弘文天皇……23
光明子(安宿媛)……23, 28
コスタンツァ……171, 204, 205, 206
コロン(コロンブス)……180, 233, 249, 255, 272, 275, 278, 312, 339
コロンブス(→コロン)
コンスタンティヌス……151, 152, 153

【さ行】

サーリフ……292
西郷隆盛……35, 374
最澄……104
斉明天皇(→皇極天皇)
蔡倫……44
坂本龍馬……36
佐久間象山……355
サラーフッディーン(→サラディン)
ザラスシュトラ(ツァラトゥストラ,

ゾロアスター)… 79, 80, 82, 86, 102, 104
サラディン(サラーフッディーン) …… 217, 291, 292, 294, 307
讃良(→持統天皇)
早良親王…… 23
ジェームズ一世 …… 249
ジェームズ二世 …… 249, 251
始皇帝 … 25, 26, 45, 49, 50, 52, 56, 112, 117, 121, 123, 135, 136, 137, 138, 139
獅子心王(→リチャード一世)
持統天皇(讃良) …… 19, 20, 23, 27
司馬氏一族 …… 127
司馬遷 …… 53, 139
シモン・ド・モンフォール … 221, 231
シャー・ルフ …… 299
シャルル・ド・ヴァロア…… 225
シャルル二世…… 205
シャルルマーニュ(カール大帝) …… 164, 165, 189, 199, 200, 205, 231, 304
シャルル四世…… 225
ジャンヌ・ダルク …… 320
周公旦 …… 110
朱熹…… 263, 264
朱元璋(洪武帝) …… 265, 266, 267, 268, 273, 275, 342
舜 …… 57
淳仁天皇…… 23
蔣介石 …… 372, 373, 379
称徳天皇…… 19, 23
聖武天皇…… 20, 23, 134
ジョージ・ワシントン …… 316, 330
諸葛孔明(諸葛亮)…… 59
諸葛亮(→諸葛孔明)
ジョチ …… 141
舒明天皇…… 23
ジョン・ケイ …… 346, 365
ジョン欠地王 …… 215, 218, 219, 220, 221, 231
真徳女王…… 26
スターリン …… 90, 187, 372
ゼノン …… 99
セルジューク…… 286
善徳女王…… 26
荘子…… 117, 119
曹操…… 59
蘇我氏 …… 130
蘇我倉麻呂 …… 23
則天武后(→武則天)
ソクラテス …… 59
ソルコクタニ・ベキ …… 258
ゾロアスター(→ザラスシュトラ)
ソロモン…… 88

**【た行】**

太公望 …… 54
太宗(李世民) …… 56, 139, 269, 370
ダヴィデ…… 88, 293
太陽王(→ルイ十四世)
高野新笠…… 23
妲己…… 54
ダレイオス一世 …… 269
端麗王(→フィリップ四世)
チャールズ一世 …… 252
紂王(→帝辛)
チンギス・カアン

…… 139, 141, 258, 270, 275, 290, 296, 297, 298, 299, 300, 307
ツァラトゥストラ(→ザラスシュトラ)
程頤 …… 264
ディオクレティアヌス帝 …… 149, 150, 151, 153, 189
程顥 …… 264
帝辛(紂王) …… 51, 52, 54
ティムール …… 297, 299, 307, 311, 313, 329
鄭和(鄭和艦隊) …… 267, 269, 270, 271, 272, 273, 275, 343, 365
テオドシウス …… 154, 155, 156, 189
テオドシウス二世 …… 155
テュルゴー …… 317
天智天皇 …… 23, 24
天武天皇 …… 23, 24
道鏡 …… 134
トゥグリル・ベグ …… 286, 287, 307
鄧小平 …… 374
トクヴィル …… 314, 315, 322, 323, 324, 339
徳川家康 …… 211, 302
徳川慶喜 …… 334
ド・ゴール …… 325
ドノン …… 363
杜甫 …… 368, 369
豊臣秀吉 …… 211
トルイ …… 258
トルーマン …… 372


【な行】


ナブッコ(→ネブカドネザル二世)
ナポレオン …… 168, 192, 194, 203, 226, 298, 315, 318, 320, 321, 339, 348, 359, 361, 363, 365, 369
ネストリウス …… 181
ネッケル …… 317
ネブカドネザル二世(ナブッコ) 89


【は行】


バーブル …… 297, 307
バイバルス …… 293, 294, 307
ハインリヒ四世 …… 173
ハインリヒ六世 …… 171, 172, 189, 204, 205, 218, 231
パウロ …… 92, 93, 104, 148, 183
パウロ六世 …… 178
バトウ …… 304
ハリス …… 36
バルバロッサ(→フリードリヒ一世)
ハロルド …… 213
ハンムラビ王 …… 370
ピウス九世 …… 180
ビスマルク …… 192, 211
ピタゴラス …… 84
ヒトラー …… 192
ピピン三世 …… 164, 180, 185, 186, 189, 198, 199, 200, 205, 231
フィリップ五世 …… 225
フィリップ二世(オーギュスト) …… 215, 217, 218, 224, 231
フィリップ四世(ル・ベル, 端麗王)

…… 176, 177, 189, 222, 223, 225
フィリップ六世 …… 223, 225, 231
馮太后 …… 27
武王 …… 52, 54, 110, 113
藤原不比等 …… 23, 27, 28
武則天（則天武后）
…… 25, 26, 27, 131, 133, 134
ブッダ …… 38, 59, 96, 98, 129
武帝 …… 56, 124, 126, 138
ブミン・カガン …… 282
プラトン …… 85, 156
フランシオン …… 311
フリードリヒ一世（バルバロッサ, 赤髭王） …… 171, 203, 205, 211, 231, 291
フリードリヒ三世 …… 192
フリードリヒ二世
…… 172, 189, 205, 206, 207, 208, 211, 231
フレグ
…… 258, 259, 260, 290, 292, 293, 294, 307
武烈天皇 …… 56
文王 …… 52, 110, 113
文帝（隋） …… 132
文帝（西漢） …… 370
文天祥 …… 60, 61
ペテロ
…… 146, 157, 158, 160, 169, 172, 198
ペリー …… 32, 33, 34, 36
ヘンリー五世 …… 224
ヘンリー三世 …… 221
ヘンリー二世
…… 214, 215, 216, 217, 224, 231
ヘンリー八世 …… 179, 249
褒姒 …… 54, 55
墨子 …… 116
ボニファティウス八世
…… 176, 177, 189


**【ま行】**


マーチン・ルーサー・キング …… 335
マキアヴェッリ …… 368
マケドニア王 …… 135
正岡子規 …… 232
マゼラン …… 272
マチルダ …… 214, 215
マッカーサー …… 24, 372
マハーヴィーラ …… 96
マフムード …… 294, 295, 307
マホメット（→ムハンマド）
マリア …… 99, 102, 150, 162
マリー・アントワネット …… 318, 339
マルコ・ポーロ …… 257
ミケランジェロ …… 178
ミラボー …… 317
ムウタスィム …… 285
ムッソリーニ …… 330
ムハンマド（マホメット）
…… 161, 233, 283
メアリー二世（メアリー, ジェームズ二世の長女） …… 250, 251
孟子 …… 51, 52, 53
毛沢東 …… 372, 373, 374, 379
モーゼ …… 161, 162
モンケ …… 258, 292
文武天皇 …… 20, 23

【や行】


ヤコブ …… 93
幽王 …… 46, 54, 55
ユーグ・カペー …… 201, 205, 211, 231
雄略天皇 …… 56
ユスティニアヌス …… 156, 189
ユリウス二世 …… 178
雍正帝 …… 370
煬帝 …… 55, 56
吉田茂 …… 373
吉田松陰 …… 355
ヨハネ・パウロ二世（第264代ローマ教皇） …… 144, 145


【ら行】


ラファイエット …… 316, 317, 318, 339
ラファエロ …… 178
リー将軍 …… 334
李淵 …… 55
リキニウス …… 151
李世民（→太宗）
リチャード一世（獅子心王） …… 215, 216, 217, 218, 231, 291
劉備玄徳 …… 59
劉邦 …… 124, 139
リンカーン …… 330, 334, 339
林則徐 …… 351, 352, 353, 354, 365
ルイ九世 …… 207, 292, 307
ルイ十世 …… 225
ルイ十四世（太陽王） …… 251, 315, 316
ルイ十六世 …… 196, 317, 318, 339
ルイ七世 …… 215, 216, 217
ルーズベルト …… 330
ルートヴィヒ一世 …… 205
ルートヴィヒ二世 …… 205
ルター …… 31, 175, 179, 189, 211
ルドルフ一世 …… 209, 231
ル・ベル（→フィリップ四世）
レオ一世 …… 158
レオ十世 …… 178
老子 …… 117, 119
ロタール一世 …… 205
ロベスピエール …… 318, 320, 339

（この作品『仕事に効く 教養としての「世界史」』は平成二十六年二月、小社より四六判で刊行されたものです）

一〇〇字書評

切り取り線

**購買動機**（新聞、雑誌名を記入するか、あるいは○をつけてください）

□（　　　　　　　　　　　　）の広告を見て
□（　　　　　　　　　　　　）の書評を見て
□ 知人のすすめで　　□ タイトルに惹かれて
□ カバーが良かったから　　□ 内容が面白そうだから
□ 好きな作家だから　　□ 好きな分野の本だから

・最近、最も感銘を受けた作品名をお書き下さい

・あなたのお好きな作家名をお書き下さい

・その他、ご要望がありましたらお書き下さい

| | | | | | |
|---|---|---|---|---|---|
| 住所 | 〒 | | | | |
| 氏名 | | 職業 | | 年齢 | |
| Eメール | ※携帯には配信できません | | 新刊情報等のメール配信を<br>希望する・しない | | |

この本の感想を、編集部までお寄せいただけたらありがたく存じます。今後の企画の参考にさせていただきます。Eメールでも結構です。

いただいた「一〇〇字書評」は、新聞・雑誌等に紹介させていただくことがあります。その場合はお礼として特製図書カードを差し上げます。

前ページの原稿用紙に書評をお書きの上、切り取り、左記までお送り下さい。宛先の住所は不要です。

なお、ご記入いただいたお名前、ご住所等は、書評紹介の事前了解、謝礼のお届けのためだけに利用し、そのほかの目的のために利用することはありません。

〒一〇一－八七〇一
祥伝社文庫編集長　坂口芳和
電話　〇三（三二六五）二〇八〇

祥伝社ホームページの「ブックレビュー」からも、書き込めます。
www.shodensha.co.jp/bookreview

祥伝社文庫

仕事《しごと》に効《き》く 教養《きょうよう》としての「世界史《せかいし》」

令和 2 年 6 月20日　初版第 1 刷発行

著　者　出口治明《でぐちはるあき》
発行者　辻　浩明
発行所　祥伝社《しょうでんしゃ》
東京都千代田区神田神保町 3-3
〒 101-8701
電話　03（3265）2081（販売部）
電話　03（3265）2080（編集部）
電話　03（3265）3622（業務部）
www.shodensha.co.jp

印刷所　堀内印刷
製本所　ナショナル製本



Printed in Japan ©2020, Haruaki Deguchi ISBN978-4-396-31756-0 C0120